O ESPIÃO

CLIVE CUSSLER
e Justin Scott

O ESPIÃO

Tradução
Henrique Amat Rego Monteiro

Editora Novo Conceito

Publicado sob acordo com Peter Lampack Agency, Inc.
551 Fifth Avenue, Suite 1613
New York, NY 10176-0187 USA
e Lennart Sane Agency AB

Título original: *The spy*

1ª Impressão - 2012

Produção Editorial
Equipe Novo Conceito

Tradução: Henrique Amat Rego Monteiro
Preparação de Texto: Sylmara Beletti
Revisão de Texto: Elisabete B. Pereira e Helô Beraldo (coletivo pomar)
Projeto gráfico: Alberto Mateus
Diagramação: Crayon Editorial Ltda.
Capa: Equipe Novo Conceito

Este livro segue as regras da Nova Ortografia da Língua Portuguesa

Dados Internacionais de Catalogação na Publicação (CIP)
(Câmara Brasileira do Livro, SP, Brasil)

Cussler, Clive
O espião / Clive Cussler e Justin Scott ; tradução Henrique Amat Rego Monteiro. – Ribeirão Preto, SP : Novo Conceito Editora, 2012.

Título original: The spy
ISBN 978-85-63219-98-5

1. Ficção norte-americana I. Scott, Justin. II. Título.

12-00227 CDD-813

Índices para catálogo sistemático:
1. Ficção : Literatura norte-americana 813

Editora Novo Conceito

Rua Dr. Hugo Fortes, 1885 – Parque Industrial Lagoinha
14095-260 – Ribeirão Preto – SP
www.editoranovoconceito.com.br

Para Amber

A FILHA DO ARTILHEIRO

1

17 de março de 1908
Washington, D. C.

O Arsenal da Marinha, em Washington, dormia como uma cidade antiga guardada por muros compactos e um rio. Alguns funcionários idosos o vigiavam, arrastando-se entre os sensores de tempo elétricos, que registravam suas rondas por entre as fábricas, depósitos, oficinas e alojamentos. Do lado de fora do perímetro, elevava-se uma colina com as casas dos operários na semiescuridão. O domo do Capitólio e o monumento a Washington coroavam o cenário, cintilando sob a Lua cheia como formações de gelo polar. Um apito soou. Um trem aproximava-se, expelindo vapor e badalando seu sino.

As sentinelas do Corpo de Fuzileiros Navais da Marinha americana abriram o Portão Ferroviário Norte.

Ninguém viu Yamamoto Kenta escondido sob o vagão-plataforma de Baltimore e Ohio, que a locomotiva empurrava para dentro do estaleiro. As rodas do vagão gemiam sob o peso da carga de chapas de blindagem de 355 milímetros proveniente de Bethlehem, Pensilvânia. Os guarda-freios acoplaram o vagão em um ramal lateral e a máquina retrocedeu.

Yamamoto esgueirou-se pelos dormentes de madeira e o balastro de cascalho entre os trilhos. Permaneceu imóvel até ter certeza de estar sozinho. Depois, seguiu pelo caminho que levava até o conjunto de edifícios de três andares de tijolo e ferro em que se alojava a Fábrica de Canhões.

Dentro, o luar filtrava-se pelos janelões no alto e a incandescência cor de rubi das fornalhas iluminava o espaço, ermo como uma enorme caverna. Guindastes rolantes avultavam em meio às sombras que se projetavam para cima. Sobre o piso, os canhões colossais, de 50 toneladas, dos couraçados da classe *dreadnought* amontoavam-se como toras de uma floresta de aço arrasada pela passagem de um furacão causticante.

Yamamoto, um japonês de meia-idade, dono de uma cabeleira negra reluzente entremeada por fios grisalhos e uma postura resoluta e austera, seguiu um percurso deliberado através dos caminhos batidos pelos vigias, examinando as máquinas-ferramentas para moldar canhões, as máquinas de raiar os canos do armamento e as fornalhas. Dedicou uma atenção especial aos poços profundos, escavados no chão, com suas paredes bojudas forradas de tijolos refratários afunilando-se a perder de vista, onde os canos dos canhões eram montados sob o aperto das abraçadeiras de aço ao redor de tubos de 15 metros de comprimento. Seus olhos eram aguçados, treinados em "visitas" clandestinas semelhantes à Vickers e à Krupp — as fábricas de canhões navais britânica e alemã — e às indústrias de material bélico do czar da Rússia em São Petersburgo.

No almoxarifado do laboratório, que fornecia os suprimentos para os engenheiros e cientistas, uma fechadura Yale antiquada bloqueava a porta de entrada. Yamamoto arrombou-a rapidamente. Dentro, vasculhou os armários à procura de iodo. Despejou 170 gramas dos cristais negro-azulados brilhantes no interior de um envelope. Depois rabiscou "cristais de iodo, 170 gramas" em uma folha de requisição, assinando com as iniciais "AL", de Arthur Langner, o lendário chefe projetista da Fábrica de Canhões.

Em uma ala distante do vasto edifício, Yamamoto localizou a caixa de munição de teste com a qual os especialistas em blindagem simulavam ataques com torpedos para medir o impacto assustadoramente potente das explosões subaquáticas. Remexeu o conteúdo do seu compartimento. As potências marítimas envolvidas na corrida internacional para a construção dos modernos couraçados *dreadnought* entregavam-se febrilmente a experiências com torpedos armados com TNT, mas ele notou que os americanos ainda testavam formulações baseadas em propelentes de algodão-pólvora. Apoderou-se de uma sacola de seda contendo pólvora sem fumaça do tipo cordite MD.

Ao abrir um quartinho de limpeza para pilhar uma garrafa de amônia, escutou os passos de um vigia que se aproximava. Escondeu-se no quartinho até os ruídos desaparecerem à distância, entre os canhões.

Rápido e silencioso, Yamamoto galgou agilmente os degraus da escada.

A sala de desenho de Arthur Langner, cuja porta não estava trancada, era o estúdio de criação de um excêntrico cujo gênio abarcava tanto a guerra quanto a arte. Plantas de culatras de rosqueamento graduado e esboços visionários de granadas, capazes de efeitos esmagadores de que ainda nem se ouvira falar, dividiam a área de trabalho com um cavalete de pintura, estantes com romances, um violoncelo e um piano de cauda.

Sobre o piano, Yamamoto deixou a cordite, o iodo e a amônia, e passou uma hora inteira examinando as escrivaninhas de desenho.

— Sejam os olhos do Japão! — ele pregava na escola de espionagem da Sociedade do Mar Negro, nas raras ocasiões em que o dever permitia seu regresso à pátria. — Aproveitem todas as oportunidades para observar, não importa se a sua missão suprema seja enganar, sabotar ou assassinar.

O que Yamamoto viu o impressionou. Os canhões de 12 polegadas alinhados na fábrica podiam lançar granadas a mais de 11 quilômetros, capazes de perfurar 254 milímetros da blindagem mais resistente já produzida. Porém, no estúdio de desenho, onde as novas ideias eram concebidas e desenvolvidas, os americanos guardavam esboços preliminares de canhões de 15 polegadas e até mesmo de 16 polegadas, monstros de mais de 20 metros de comprimento, capazes de disparar uma tonelada de explosivos para além da curvatura da Terra. Ninguém sabia ainda como determinar o ângulo de visada com uma arma dessas, quando as distâncias eram grandes demais para permitir o cálculo do alcance "plotando" os impactos fora do alvo, mas todo aquele produto de uma imaginação fértil ali exposto era uma advertência de que seria apenas uma questão de tempo até que a "Nova Marinha" americana inventasse conceitos originais para o controle de tiro.

Yamamoto estofou a escrivaninha de projetos de canhões com um maço de papel-moeda — 50 certificados de ouro de 20 dólares americanos —, quantia consideravelmente maior do que qualquer um dos experientes trabalhadores do Arsenal ganhava durante o ano inteiro.

A Marinha americana já era a terceira maior do mundo, só perdendo para Inglaterra e Alemanha. A Frota do Atlântico Norte — descaradamente rebatizada como a "Grande Frota Branca" — desfraldava arrogantemente sua bandeira ao redor do mundo. No entanto, a Grã-Bretanha, a Alemanha, a Rússia e a França não eram inimigas dos Estados Unidos. A verdadeira missão da Grande Frota Branca era ameaçar o Império do Japão com aço puro. Os Estados Unidos pretendiam comandar o Oceano Pacífico de São Francisco a Tóquio.

O Japão não permitiria isso, pensou Yamamoto, com um sorriso cheio de orgulho.

Havia passado apenas três anos desde que a Guerra Russo-Japonesa forjara em sangue o novo senhor do Pacífico Ocidental. A poderosa Rússia tentara medir forças com o Japão. Agora, o Império do Japão ocupava Port Arthur. E a frota russa do Báltico jazia sob 90 metros de água, no fundo do estreito de Tsushima — graças, em boa parte, aos espiões japoneses que se infiltraram na Marinha russa.

No momento em que fechou a gaveta da escrivaninha com o dinheiro, Yamamoto teve uma inexplicável sensação de estar sendo observado. Procurou por cima da escrivaninha até encontrar o olhar corajoso de uma mulher deslumbrante, cujo retrato repousava em uma moldura prateada. Reconheceu a filha de Langner, com seu cabelo escuro, e admirou-se de o fotógrafo ter registrado com tanta fidelidade aqueles olhos cativantes. Sobre a foto, ela escrevera: "Para o papai, o 'artilheiro' que 'nada teme'!".

Yamamoto voltou a atenção para as prateleiras de livros de Langner. Volumes encadernados de requerimentos de patentes disputavam espaço com romances. Os formulários dos requerimentos preenchidos recentemente tinham sido escritos à máquina. Yamamoto destacou um volume depois do outro, chegando até o último ano, em que os formulários haviam sido preenchidos à mão. Espalhou um desses sobre a escrivaninha de projetos, depois pegou uma folha de papel de uma gaveta lateral e uma caneta-tinteiro Waterman com a pena de ouro. Confrontando repetidamente a amostra de caligrafia, ele forjou uma carta breve e incoerente. Terminando com as palavras "Perdoe-me", rabiscou a assinatura de Arthur Langner.

Levou o iodo e a amônia para o banheiro do estúdio de desenho. Com a coronha da sua pistola de bolso Nambu, esmagou os cristais de iodo sobre a bancada de mármore do lavatório e recolheu o pó resultante dentro de uma caneca de barbear. Limpou a culatra da arma com a toalha de rosto, deixando uma mancha arroxeada sobre o tecido. Em seguida, despejou a amônia sobre o pó de iodo, mexendo com a escova dental de Langner até obter uma pasta espessa de iodeto de nitrogênio.

Abriu a tampa do piano de cauda, estendeu a mão até a extremidade mais distante do teclado e espalhou a pasta sobre as cordas muito próximas umas das outras. Depois de seco, o preparado se tornaria instável e extremamente sensível ao mínimo impacto. Uma suave vibração desencadearia uma forte explosão, acompanhada de um clarão. Isoladamente, a explosão causaria poucos danos além do interior do piano, mas, como detonador, era fatal.

Imediatamente acima das cordas, no alto da chapa de ferro fundido, ele acomodou a sacola de seda. A sacola continha pólvora sem fumaça de cordite MD suficiente para disparar uma granada de 340 gramas a mais de três quilômetros de distância.

* *

Yamamoto Kenta deixou a Fábrica de Canhões do mesmo modo como entrara, os olhos ainda ardendo em consequência do efeito da amônia. De repente, as coisas deram errado. O Portão Ferroviário Norte achava-se bloqueado por uma concentração inesperada de atividade no meio da noite. Com um estardalhaço frenético, locomotivas empurravam vagões de carga para dentro e para fora, acompanhadas por uma turba de funcionários da ferrovia. Ele recuou para dentro do Arsenal. Passando pela usina de geração de força, atravessou um labirinto de caminhos, entre edifícios e pátios de armazenagem. Orientando-se pelas chaminés da usina e por um par de torres de antenas de rádio experimentais, cuja silhueta recortava-se contra o céu enluarado, atravessou um parque e os jardins que margeavam as belas casas de tijolos, nas quais dormiam as famílias do comandante e dos oficiais do Arsenal.

Nesse ponto, o terreno começava a se elevar. A Noroeste, Yamamoto divisou o Capitólio assomando sobre a cidade. Viu-o como outro símbolo do temível poderio americano. Que outro país seria capaz de erguer o maior domo de ferro fundido do mundo no mesmo momento em que passava por uma sangrenta guerra civil? Por um caminho estreito, aproximava-se de um portão lateral quando uma sentinela o surpreendeu.

Yamamoto só teve tempo de se esconder atrás de uma cerca viva.

Sua captura desgraçaria o Japão. Para todos os efeitos, ele se encontrava em Washington, D. C., para ajudar a catalogar a recente contribuição à Coleção Freer de Arte Asiática do Smithsonian Institution. O disfarce lhe permitia misturar-se ao corpo diplomático e a políticos poderosos, graças às suas esposas que, com suas veleidades artísticas, deleitavam-se a cada palavra sua sobre arte japonesa. Os verdadeiros especialistas do Smithsonian já o haviam deixado em situação desconfortável umas duas vezes. Ele alegara seu mau domínio do idioma inglês, adquirido apressadamente, para a falta de compreensão. Por ora, os especialistas pareciam ter aceitado a desculpa. Mas não haveria absolutamente nenhum argumento plausível para explicar um curador japonês de arte asiática surpreendido vagando no meio da noite pelo Arsenal da Marinha em Washington.

O vigia surgiu no caminho, as botas rangendo contra o cascalho. Yamamoto recuou mais ainda, segurando a pistola como último recurso. Um disparo de arma de fogo despertaria os guardas dos Fuzileiros Navais nos alojamentos próximos ao portão principal. Por trás, empurrou os arbustos, procurando uma abertura nos ramos que o levasse até o outro lado.

O vigia não tinha qualquer motivo para, ao passar por ali, examinar atrás da cerca viva, mas Yamamoto continuou empurrando a folhagem e, então, um galho partiu-se. O vigia estacou. Olhou na direção do ruído. Nesse instante exato, o luar banhou os rostos dos dois.

O espião japonês viu-o nitidamente — um marinheiro reformado, um "velho marujo", que complementava a magra aposentadoria com o trabalho de vigia noturno. Tinha o rosto gasto, os olhos descoloridos pelos anos seguidos sob o Sol tropical, as costas encurvadas. O homem empertigou-se ante a visão da figura esguia, meio escondida entre a sebe. De repente, o reformado não era mais um velho que devia gritar por ajuda, mas um guerreiro experiente, transportado de volta ao seu tempo de "homem do mar", de ombros largos e membros ágeis, na plena maré da vida. Com a voz enérgica, que antes atingia o topo do mastro, perguntou:

— Mas que diabos você está fazendo aqui?

Yamamoto esgueirou-se para trás da cerca viva e correu. O vigia embrenhou-se por entre os arbustos da cerca e, à medida que lutava para se desenroscar, urrava como um touro. Yamamoto ouviu os gritos de resposta a distância. Mudando de caminho, correu ao longo do muro alto. Quando se preparava para a "visita", ele descobrira que a altura do muro fora aumentada depois da invasão de alguns saqueadores, quando o Arsenal fora inundado pelo Rio Potomac. Contava agora com o dobro do tamanho original.

Botas socaram o cascalho. O velho marujo berrou. Lanternas elétricas acenderam-se em todas as direções. Num instante, Yamamoto vislumbrou a salvação em uma árvore que crescia junto ao muro. Aderindo suas solas de borracha indiana enrugada à casca úmida do tronco, ele subiu rapidamente até o galho mais próximo, escalou outros dois ramos acima e saltou sobre o muro. Ainda podia ouvir os gritos atrás do muro. A rua que passava abaixo seguia deserta para a cidade. Ele saltou, amortecendo a queda com os joelhos flexionados.

* *

No distrito de Buzzard Point, onde começava a 1st Street, Yamamoto saltou para bordo de um barco a motor de 18 pés, impulsionado por um motor Pierce "silencioso" de 2 cavalos. O piloto manobrou em direção à correnteza e desceu o Rio Potomac. Finalmente, o véu da neblina fechou-se ao redor do barco e Yamamoto deu um suspiro de alívio.

Refugiando-se do frio da popa no cubículo sob a proa, ele refletiu sobre os acontecimentos. Esta passara perto, mas a missão não sofrera nenhum revés. O caminho onde o vigia noturno o flagrara distava, no mínimo, 800 metros da Fábrica de Canhões. Nem importava se o velho teria visto o seu rosto. Os americanos desdenhavam ironicamente dos asiáticos. Poucos eram capazes de distinguir, por seus traços físicos, japoneses de chineses. Como os imigrantes chineses eram muito mais numerosos do que os japoneses, o vigia relataria uma invasão de um chinês miserável — um viciado em ópio, pensou, com um sorriso de alívio. Ou então, riu ainda em silêncio, um infame perseguidor de escravas brancas, quem sabe tentando raptar uma das filhas do comandante.

Mais uns nove quilômetros rio abaixo e ele desembarcou em Alexandria, na Virgínia.

Esperou que o barco partisse do píer de madeira. Depois, seguiu apressado pela margem e entrou em um depósito às escuras, um lugar abarrotado de equipamento naval obsoleto, em meio à poeira e teias de aranha.

Nos fundos, um homem mais jovem, a quem Yamamoto rotulara, sarcasticamente, de "o espião", aguardava-o em uma sala mal iluminada que funcionava como escritório. Era vinte anos mais jovem do que Yamamoto e tinha uma aparência suficientemente comum para passar despercebido. Seu escritório também acumulava uma parafernália antiquada de guerras anteriores: facões cruzados sobre as paredes, uma Dahlgre de ferro fundido da época da Guerra Civil Americana, um canhão de carregar pela boca que fazia o piso afundar e, escorado atrás da escrivaninha, um velho holofote redondo de 60 centímetros de diâmetro, proveniente de um navio de guerra. Yamamoto viu o próprio rosto refletido naquele olho empoeirado.

Relatou a missão cumprida. Depois, com o espião fazendo apontamentos, contou em detalhes precisos tudo o que vira na Fábrica de Canhões.

— Grande parte daquilo tudo — disse, em conclusão — parecia velho e desgastado.

— Não me surpreende nem um pouco.

A Fábrica de Canhões, com trabalho em excesso e falta de investimentos, produzira todo o necessário para equipar a Grande Frota Branca em sua saída para o mar, de guindastes de munição a tubos de torpedos. Depois que os navios de guerra zarparam, o Arsenal passara a enviar regularmente a São Francisco sucessivas cargas ferroviárias, com peças de substituição, alças de mira, fechos de disparo, obturadores de culatra e suportes de canhão. Dentro de um mês, a frota ali se recuperaria da viagem de 14 mil milhas em torno do Cabo Horn, na América do Sul, e voltaria a se equipar no estaleiro e base naval de Mare Island para atravessar o Pacífico.

— Eu não os subestimaria — retrucou Yamamoto, sombrio. — Máquinas desgastadas são substituíveis.

— Se tiverem a coragem necessária.

— Pelo que vi, eles têm essa coragem. E imaginação suficiente. Só estão recobrando o fôlego.

O homem atrás da escrivaninha concluiu que Yamamoto Kenta deixava-se dominar — senão se desequilibrar — pelo temor da Marinha americana. Já ouvira essa conversa antes e sabia como mudar de assunto, apelando para o orgulho desmedido do japonês para fazê-lo sair dos trilhos.

— Nunca duvidei da sua percepção e da sua capacidade de observação. Mas estou impressionado com o alcance e a magnitude dos seus conhecimentos especializados: química, engenharia, falsificação de documentos. De um só golpe, você impediu o avanço da artilharia americana e enviou ao Congresso deles o recado de que a sua Marinha é corrupta.

Ele observou Yamamoto se inflar de orgulho. Até mesmo o agente mais capaz tinha seu tendão de Aquiles. O de Yamamoto era permitir-se cegar pela vaidade.

— Estou nesse jogo há muito tempo — concordou Yamamoto, com falsa modéstia.

Na verdade, pensou o homem atrás da escrivaninha, a química para o detonador de iodeto de nitrogênio era uma fórmula simples, que podia ser encontrada em qualquer enciclopédia para jovens vendida de porta em porta, o que não desmerecia as outras habilidades de Yamamoto, nem seu amplo e profundo conhecimento de guerra naval.

Depois de tê-lo abrandado, o homem preparou-se para testar o japonês.

— Na última semana, a bordo do *Lusitania* — disse ele —, encontrei por acaso um adido britânico. Você conhece o tipo. Aquele que se considera um "espião cavalheiresco"...

Com o seu impressionante talento natural para os sotaques, o homem imitou, sem o menor deslize, o modo de falar da aristocracia inglesa.

— "Os japoneses", proclamava o inglês a todos os presentes no salão de fumantes, "exibem uma aptidão natural para a espionagem e uma astúcia para se disfarçar e controlar que não se encontram no Ocidente".

Yamamoto riu.

— Essa fala é bem típica do comandante Abbington-Westlake, da Diretoria de Inteligência Naval do Almirantado, Divisão de Negócios Exteriores, que, no último verão, foi observado pintando uma aquarela do estuário de Long Island, a qual, por acaso, retratava o mais recente submarino americano da classe Viper. Você acredita que aquele tagarela queria fazer um cumprimento?

— A Marinha francesa, na qual ele se infiltrou com o maior sucesso no mês passado, dificilmente chamaria Abbington-Westlake de tagarela. Você ficou com o dinheiro?

— Como é que é?

— O dinheiro que devia pôr na escrivaninha de Arthur Langner. Guardou para si mesmo?

O japonês empertigou-se.

— É claro que não! Coloquei na escrivaninha.

— No Congresso, os inimigos da Marinha devem acreditar que seu projetista mais eminente, seu famoso Artilheiro, era culpado de aceitar propina. Aquele dinheiro era essencial para a nossa mensagem ao Congresso, para fazê-los imaginar que há algo de podre na Marinha. Você ficou com o dinheiro?

— Eu não devia me surpreender por você interrogar de forma tão degradante um aliado leal. Como tem o coração de um ladrão, supõe que todo mundo seja igual.

— Você ficou com o dinheiro? — repetiu o espião, acostumado a aparentar a mais perfeita calma, para mascarar a fria determinação.

— Pela última vez, não fiquei com o dinheiro. Você se sentiria mais seguro se eu jurasse em memória do meu velho amigo… o seu pai?

— Faça isso!

Com uma raiva mal disfarçada, Yamamoto fitou-o longamente.

— Juro pela memória do meu velho amigo, seu pai.

— Acho que acredito em você.

— Seu pai era um patriota — replicou Yamamoto friamente. — Você não passa de um mercenário.

— E você está na minha folha de pagamentos — foi a resposta ainda mais fria. — Agora, quando relatar ao seu governo as valiosas informações colhidas na Fábrica de Canhões do Arsenal da Marinha em Washington, *enquanto trabalhava para mim,* seu governo lhe pagará de novo.

— Não faço espionagem pelo dinheiro. Espiono pelo Império do Japão.

— E para mim.

**

— Uma boa manhã de domingo a todos os que preferem a bela música desacompanhada do sermão! — Arthur Langner cumprimentou os amigos na Fábrica de Canhões.

Num terno folgado e amarrotado como de costume, o cabelo grosso desgrenhado e os olhos muito vivos, o projetista mais eminente da Diretoria de Material Bélico Naval sorria como um homem que se interessava por tudo o que via e que gostava, acima de tudo, dos aspectos mais incomuns. O Artilheiro era vegetariano, declaradamente agnóstico e interessava-se pelas teorias sobre o inconsciente disseminadas pelo neurologista vienense Sigmund Freud.

Ele detinha as patentes de uma invenção a que chamara de *Electrical Vacuum Cleaning Machine*, posteriormente popularizada como "aspirador de pó". Estava sinceramente imbuído da ideia de que a engenharia científica aplicada à vida cotidiana libertaria as mulheres da solidão das tarefas domésticas. Acreditava também que as mulheres deveriam ter direito ao voto, a trabalhar fora de casa e, até mesmo, a praticar o controle da natalidade. Corriam fofocas maliciosas de que a sua bela filha, que frequentava os ambientes mais agitados de Washington e Nova York, seria a principal beneficiária desse pensamento.

— Um homem à beira da loucura — queixara-se o comandante do Arsenal.

Mas o chefe da Diretoria de Material Bélico, depois de observar os últimos testes de tiro com um canhão de 12 polegadas/calibre 50 nos Exercícios de Tiro do Atlântico em Sandy Hook, retrucara:

— Graças a Deus ele trabalha para nós e não para o inimigo.

Os músicos de câmara das manhãs de domingo, um grupo informal de funcionários da Fábrica de Canhões, riram em reconhecimento quando Langner gracejou:

— Só para garantir aos eventuais bisbilhoteiros de plantão que não somos fanáticos pagãos, vamos começar com "Amazing Grace". Em sol maior.

Sentou se ao piano de cauda.

— Poderia nos dar primeiro um lá, senhor? — pediu o violoncelista, um especialista em ogivas perfurantes de blindagens.

Langner tocou levemente o lá no centro do teclado para que o pessoal das cordas pudesse afinar os instrumentos. Rolou os olhos para o alto em um gesto de impaciência exagerado, enquanto os instrumentistas corriam os arcos sobre as cordas e ajustavam as cravelhas.

— Por acaso os cavalheiros estão tramando esboçar mais uma daquelas novas escalas atonais?

— Só mais um lá, se não for pedir demais, Arthur. Um pouco mais alto?

Langner teclou o lá central com mais força, uma vez após a outra. Por fim, os instrumentistas das cordas deram-se por satisfeitos.

O violoncelista começou as notas de abertura de "Amazing Grace".

No décimo compasso, os violinos — um trabalhador responsável pela propulsão de torpedos e um corpulento mecânico de caldeiras — assumiram, no verso "*once was lost* (uma vez que eu estava perdido)". Depois de tocarem o hino completo, prepararam-se para repeti-lo.

Langner ergueu as mãos grandes sobre o teclado, pisou no pedal central para soltar as notas e subiu o tom, em "*a wretch like me* (um miserável como eu)", para um acorde em sol mais agudo.

No interior do piano, a pasta de iodeto de nitrogênio de Yamamoto Kenta enrijecera-se numa crosta seca e volátil. Quando Langner dedilhou as teclas, imaginou os martelos precipitando-se sobre as cordas correspondentes ao sol, ao si e ao ré, fazendo-as vibrar. Subindo ainda mais na escala, as cordas das oitavas mais altas de sol, si e ré vibraram mais apaixonadamente e sacudiram o iodeto de nitrogênio.

A mistura detonou num rompante agudo, que arremessou uma nuvem arroxeada para fora da caixa do piano e detonou o saco de cordite. A cordite explodiu o piano em milhares de fragmentos de madeira, cordas e marfim, que crivaram a cabeça e o peito de Arthur Langner, matando-o instantaneamente.

2

Em 1908, a Agência de Detetives Van Dorn mantinha presença em todas as cidades americanas de maior importância e seus escritórios refletiam a natureza de cada localidade. A sede em Chicago alojava-se em uma suíte do palaciano Palmer House. Dusty Ogden, em Utah, um entroncamento ferroviário, servia-se de uma sala alugada, decorada com cartazes de delinquentes procurados. Os escritórios de Nova York situavam-se no suntuoso Knickerbocker Hotel, na 42nd Street. E em Washington, D. C., com sua preciosa proximidade ao Departamento de Justiça — uma importante fonte de negócios —, os detetives da Van Dorn trabalhavam no segundo andar do hotel mais elegante da capital federal, o novo Willard, na Pennsylvania Avenue, a dois quarteirões da Casa Branca.

Joseph Van Dorn em pessoa ocupava um escritório no local, numa sala confortável e isolada, forrada com painéis de nogueira e recheada com os equipamentos mais avançados para controle do pessoal em todo o âmbito da organização transcontinental que ele comandava. Além do telégrafo particular da agência, contava com três telefones modelo castiçal capazes de fazer ligações de longa distância tanto para o Oeste mais longínquo quanto para Chicago, um ditafone DeVeau, um teletipo de corda automática e um telefone elétrico de intercomunicação Kellogg. Através de uma vigia, um orifício disfarçado, ele podia observar e avaliar os clientes e os informantes presentes na sala de recepção. As janelas de canto proporcionavam uma vista privilegiada da frente do Willard e das entradas laterais.

Dessas janelas, uma semana depois da trágica morte de Arthur Langner na Fábrica de Canhões do Arsenal da Marinha, Van Dorn notou, apreensivo, duas mulheres descerem de um bonde, marcharem apressadas pela calçada movimentada e desaparecerem no interior do hotel.

A campainha do telefone de intercomunicação soou.

— A senhorita Langner está aqui — relatou o detetive de plantão no Willard, um funcionário de Van Dorn.

— Estou vendo — por essa visita ele não esperava.

O fundador da Agência de Detetives Van Dorn era um homenzarrão careca na casa dos 40 anos. Tinha um enérgico nariz romano, um rosto emoldurado por hirsutas suíças vermelhas e exibia as maneiras afáveis de um advogado ou homem de negócios que tivesse feito fortuna no início da vida e se comprazesse em gastá-la. Os olhos de pálpebras caídas mascaravam uma inteligência feroz; nas penitenciárias de todo o país, muitos dos criminosos aprisionados deviam aos seus agentes grandalhões a aplicação das respectivas algemas.

Embaixo, as duas mulheres atraíam as atenções masculinas ao cruzar o saguão de mármore e acabamentos dourados do Willard. A mais jovem, uma ruiva esguia de 18 ou 19 anos, elegantemente vestida, trazia um brilho animado nos olhos. A companheira, uma beldade alta de cabelos negros, seguia sóbria no traje escuro de luto, o chapéu adornado com penas pretas de gaivota, o rosto parcialmente velado. A ruiva caminhava ao seu lado, de braço dado, como se para lhe dar coragem.

Ao chegarem ao outro lado do saguão, porém, Dorothy Langner assumiu o controle, insistindo para que a companheira se sentasse em um sofá luxuoso ao pé da escada.

— Tem certeza de que não quer que a acompanhe?

— Não, obrigada, Katherine. Ficarei bem sozinha.

Dorothy Langner recolheu a saia comprida e subiu os degraus.

Katherine Kee inclinou o pescoço e observou, enquanto Dorothy parava na soleira da escada, levantava o véu e pressionava a testa de encontro ao pilar frio de mármore polido. Então, aprumou-se, recompondo-se, e seguiu pelo corredor, saindo da vista de Katherine e entrando na Agência de Detetives Van Dorn.

Joseph Van Dorn espiou através da vigia. O recepcionista era um homem imperturbável — não o fosse, não comandaria a mesa de entrada da Van Dorn —, mas pareceu tão assombrado diante da beldade que lhe apresentava o cartão que Van Dorn, carrancudo, concluiu que, naquele momento, uma quadrilha inteira de pistoleiros poderia ter entrado ali intempestivamente e saído com toda a mobília sem que o sujeito se desse conta disso.

— Sou Dorothy Langner — disse ela, em uma voz musical e decidida. — Tenho uma reunião marcada com o senhor Joseph Van Dorn.

Van Dorn saiu apressado para a sala de recepção e cumprimentou-a solícito.

— Senhorita Langner — disse ele, a ligeira entonação irlandesa na voz abrandando o sotaque mais áspero de Chicago —, posso lhe oferecer os meus mais sinceros préstimos?

— Obrigada, senhor Van Dorn. Agradeço por me receber.

Van Dorn guiou-a ao interior do seu santuário.

Dorothy Langner recusou a oferta de chá ou água e foi direto ao assunto.

— A Marinha divulgou uma história segundo a qual o meu pai se matou. Quero contratar sua agência de detetives para reabilitar o nome dele.

Van Dorn preparara-se como pudera para a difícil entrevista. Tinha muitas razões para duvidar da sanidade mental do pai dela. Mas ela era conhecida da sua futura esposa desde o Smith College, e ele sentia-se na obrigação de ouvir a pobre mulher.

— É claro que estou às suas ordens, mas...

— A Marinha diz que meu pai causou a explosão que o matou, mas ninguém lá quer me dizer como chegaram a isso.

— Eu não me fiaria muito que lhe contassem — atalhou Van Dorn. — Habitualmente, a Marinha é reservada. O que me surpreende é que eles sempre tendem a cuidar do seu pessoal.

— Meu pai deliberadamente conduzia a Fábrica de Canhões mais como uma instituição civil do que naval — replicou Dorothy Langner. — Uma operação mais comercial.

— E ainda assim — arriscou-se Van Dorn com cautela —, pelo que sei, recentemente as fábricas civis assumiram muitas de suas tarefas.

— Mas é claro que não! Os canhões de quatro e seis polegadas, talvez, mas não os dos couraçados *dreadnought*.

— Imagino se essa mudança não terá perturbado seu pai.

— Papai estava acostumado com as mudanças — ela respondeu secamente, acrescentando com um sorriso tímido: — Ele costumava dizer, parafraseando Shakespeare, em *Hamlet*: "As pedras e as setas do meu infortúnio são o mar de provações do Congresso e dos interesses locais". Era um homem com senso de humor, senhor Van Dorn. Sabia rir das situações e de si mesmo. Um homem assim não acaba com a própria vida.

— É claro — concordou Van Dorn gravemente.

A campainha do Kellogg soou de novo.

"Salvo pelo meu próprio gongo", concluiu Van Dorn, pensando em Bell. Encaminhou-se até a parede onde o aparelho achava-se fixado, pegou o fone e escutou.

— Mande-o entrar.

Para Dorothy Langner, ele acrescentou:

— Pedi a Isaac Bell, meu melhor agente, para deixar de lado um caso importante de assalto a banco e investigar as circunstâncias da morte do seu pai. Ele está pronto para relatar o que conseguiu descobrir até agora.

A porta se abriu. Um homem de terno branco entrou com uma agilidade de movimentos inesperada em alguém tão alto. Tinha mais de 1,85 metro de altura, era atlético — não devia pesar mais do que 80 quilos — e aparentava uns 30 anos de idade. O bigode espesso que lhe cobria o lábio superior era dourado, assim como o cabelo cheio, aparado com esmero. Seu rosto exibia a aparência sadia de um homem afeito à vida ao ar livre, acostumado ao Sol e ao vento.

Em suas grandes mãos ao lado do corpo, os dedos eram compridos e, as unhas, aparadas com precisão. Entretanto, um observador mais atento do que Dorothy Langner, angustiada em razão do luto, teria notado que as articulações da mão direita estavam vermelhas e inchadas.

— Senhorita Langner, permita-me apresentar-lhe o meu investigador chefe, Isaac Bell.

Isaac Bell avaliou a bonita jovem com um olhar rápido e penetrante. Vinte e poucos anos, estimou a idade. Inteligente e senhora de si. Abalada com a perda, mas ainda assim extraordinariamente atraente. Ela o encarava com expressão suplicante.

Os olhos intensamente azuis de Bell abrandaram-se por um instante. Eles se tornaram momentaneamente violeta, a dureza inquisidora velada por uma ternura repentina. Tirou o chapéu de aba larga em sinal de respeito e disse:

— Sinto por sua perda, senhorita Langner — e enxugou uma gota de sangue da mão com um lenço imaculadamente branco num movimento tão gracioso que passaria despercebido.

— Senhor Bell — ela falou —, soube de alguma coisa que poderá reabilitar o nome do meu pai?

Bell respondeu em voz baixa o suficiente para expressar simpatia pela tragédia pessoal dela. Foi amável, mas direto.

— Perdoe-me, mas devo informar que seu pai realmente retirou uma quantidade considerável de iodo do almoxarifado do laboratório.

— Ele era um engenheiro — protestou ela. — Um cientista. Retirava produtos químicos do laboratório todos os dias.

— O iodo em pó foi um componente essencial do explosivo que detonou a pólvora sem fumaça no piano dele. O outro foi a água amoniacal. O porteiro acusou a falta de uma garrafa do seu quartinho de limpeza.

— Qualquer um poderia tê-la tirado.

— Sim, é claro. Mas há indicações de que ele misturou os produtos químicos em seu banheiro particular. Manchas em uma toalha, um pó volátil na escova dentária, resíduos em sua caneca de barbear...

— Como pode saber de tudo isso? — indagou ela, piscando para conter as lágrimas iradas. — A Marinha não deixou eu sequer me aproximar do escritório dele. Mandou embora o meu advogado. Até mesmo impediu a polícia de entrar na Fábrica de Canhões!

— Tive o meu acesso — admitiu Bell.

Um secretário trajando colete, gravata-borboleta, em mangas de camisa e com uma pistola Colt semiautomática em um coldre de ombro entrou apressado.

— Desculpe, senhor Van Dorn! O comandante do Arsenal da Marinha em Washington está ao telefone e parece furioso.

— Diga ao operador para transferir a ligação para este telefone. Desculpe-me, senhorita Langner... Van Dorn falando. Boa tarde, comandante Dillon! Como tem passado? Não diga!

Van Dorn ouviu, lançando à senhorita Langner um sorriso tranquilizador.

— Bem, se me perdoa, senhor, essa descrição poderia corresponder à metade dos homens altos de Washington... Poderia até mesmo se encaixar em um cavalheiro bem aqui no meu escritório enquanto conversamos. Mas eu lhe asseguro que ele não está com a aparência de quem andou trocando socos com os Fuzileiros Navais dos Estados Unidos. A menos que a corporação seja constituída de fuzileiros menos educados do que no meu tempo.

Isaac Bell enfiou a mão no bolso.

Quando Joseph Van Dorn tornou a replicar ao telefone, foi com um risinho benévolo. Se o comandante pudesse ver a expressão dos seus olhos frios, teria recuado de imediato.

— Não, senhor. Não vou "entregar" um funcionário meu porque as suas sentinelas disseram ter pegado um detetive particular com a mão vermelha. Sem dúvida, o homem no meu escritório não foi "pego", uma vez que está parado bem aqui à´minha frente… Registrarei a sua queixa junto ao secretário da Marinha quando almoçarmos amanhã no Cosmos Club. Por favor, transmita os meus melhores cumprimentos à senhora Dillon.

Van Dorn recolocou o fone no gancho e disse:

— Aparentemente, um agente alto, de cabelo e bigode louros nocauteou algumas sentinelas que tentaram detê-lo no Arsenal da Marinha.

Bell exibiu uma fileira de dentes muito brancos.

— Imagino que as teria rendido em silêncio, se não tivessem tentado me agredir. — Ele se voltou para Dorothy Langner com a expressão mais branda: — Agora, senhorita Langner, preciso lhe mostrar uma coisa.

Ele exibiu uma impressão fotográfica ainda úmida pelo processo de revelação. Era uma fotografia ampliada do bilhete de suicídio de Langner. Conseguira obtê-la com o auxílio de uma câmera Kodak portátil 3A que a sua noiva — uma mulher envolvida com o meio do cinema — dera-lhe de presente. Bell ocultou a maior parte da fotografia com a mão, para poupar a senhorita Langner do texto alucinado.

— Esta é a caligrafia do seu pai?

Ela hesitou, observou com atenção, depois aquiesceu meio relutante.

— Parece a letra dele.

Bell examinou-a com intensidade.

— Está parecendo indecisa.

— É bem parecida, mas, não sei! Sim, é a letra dele.

— Compreendo que o seu pai estivesse trabalhando sob muita pressão para acelerar a produção. Os colegas que o admiravam bastante admitem que a tensão era demasiada, talvez além das suas forças.

— Isso é um absurdo! — ela retrucou com veemência. — Meu pai não estava fundindo sinos de igreja. Ele dirigia uma fábrica de canhões. *Ele* exigia velocidade. E, se aquilo fosse demais para ele, com certeza teria me dito. Nós nos tornamos muito mais ligados depois que minha mãe morreu.

— Mas a tragédia do suicídio — interrompeu Van Dorn — é que a vítima não vê outra saída em relação a algo que não consegue suportar. É a morte mais solitária.

— Ele não teria se matado daquele jeito.

— Por que não? — quis saber Isaac Bell.

Dorothy Langner fez uma pausa antes de responder, observando, apesar da angústia, que o detetive alto tinha um encanto incomum, uma elegância mesclada a uma rudeza quase primitiva. Era uma combinação que ela procurava nos homens, mas raramente encontrava.

— *Eu* comprei aquele piano para ele, para que voltasse a ter contato com a música. Para relaxar. Ele me amava demais para usar o meu presente como instrumento da própria morte.

Isaac Bell observou-a enquanto ela defendia a sua causa, a expressão convincente nos olhos azuis prateados.

— Papai estava satisfeito demais com o seu trabalho para se matar. Começou há 20 anos copiando os canhões britânicos de 4 polegadas. Hoje sua fábrica de canhões produz os melhores canhões de 12 polegadas do mundo. Imagine aprender a fabricar canhões navais capazes de ser precisos a mais de 18 quilômetros de distância. São quase 10 milhas náuticas, senhor Bell!

Bell estava concentrado, à espera de uma mudança de tom que pudesse expressar dúvida. Observava-lhe o rosto em busca de sinais de hesitação na descrição apaixonada da obra do homem morto.

— Quanto maior o canhão, mais violenta a força que é preciso controlar. Não há lugar para erros. É preciso manter o tubo reto como um fecho de luz. Seu diâmetro não pode variar um milésimo de centímetro. O raiamento exige a maestria artística de um Michelangelo; a contração da camisa do cilindro, a precisão de um relojoeiro. Meu pai *amava* seus canhões e todos os homens dedicados aos couraçados amam o seu trabalho. Um mago da propulsão a vapor como Alasdair MacDonald ama suas turbinas. Ronnie Wheeler, lá em Newport, ama seus torpedos. Farley Kent, seus cascos cada vez mais ligeiros. Ser dedicado produz uma alegria intensa, senhor Bell. Homens dessa natureza *não se matam*!

Joseph Van Dorn interveio novamente.

— Posso lhe assegurar que a investigação de Isaac Bell foi a mais completa...

— No entanto — Bell interrompeu —, e se a senhorita Langner estiver certa?

O chefe fitou-o surpreso.

Bell declarou:

— Com a permissão do senhor Van Dorn, vou investigar mais a fundo.

O rosto adorável de Dorothy Langner iluminou-se de esperança. Ela se voltou para o fundador da agência de detetives. Van Dorn abriu as mãos na direção dela.

— É claro! Isaac Bell poderá contar com todo o apoio da agência.

A expressão de gratidão dela era mais parecida com um desafio.

— Isso é tudo o que eu lhes peço, senhor Bell, senhor Van Dorn. Uma avaliação a fundo, que considere todos os fatos — um sorriso repentino iluminou-lhe o rosto como um raio de Sol, sugerindo a mulher animada e despreocupada que fora antes de a tragédia se abater sobre sua vida. — Não é isso, no mínimo, que posso esperar de uma agência de detetives cujo lema é "Nós nunca desistimos. Nunca!"?

— Aparentemente, também andou nos investigando — Bell retribuiu o sorriso.

Van Dorn acompanhou-a até a recepção, repetindo suas condolências.

Isaac Bell foi à janela que dava para a Pennsylvania Avenue. Observou Dorothy Langner sair do hotel com a ruiva esbelta que notara antes no saguão. Em qualquer outra companhia, a ruiva seria classificada de linda, mas, ao lado da filha do artilheiro, era meramente bonita.

Van Dorn retornou.

— O que o fez mudar de ideia, Isaac? O quanto ela amava o pai?

— Não. O quanto ela amava o trabalho dele.

Bell as examinou enquanto se apressavam a parar um bonde que se aproximava, recolhiam as saias compridas e saltavam a bordo. Dorothy Langner não olhou para trás. A ruiva, sim, elevando um olhar crítico em direção às janelas da Van Dorn, como se soubesse onde se fixar.

Van Dorn avaliava a fotografia.

— Nunca vi uma imagem tão nítida obtida de um filme. O contraste é tão vivo quanto em uma chapa de vidro.

— Marion me deu uma Kodak 3A. Cabe direitinho no meu sobretudo. Você devia torná-la um equipamento-padrão.

— Não a 75 dólares cada — retrucou o parcimonioso Van Dorn. — O pessoal pode se virar muito bem com as Brownies e pronto. O que está passando na sua cabeça, Isaac? Você parece preocupado.

— Creio que seria bom mandar o pessoal da contabilidade investigar os assuntos financeiros do pai dela.

— Por que isso?

— Encontraram um maço de dinheiro na escrivaninha dele, suficiente para sufocar uma vaca.

— Uma *propina*? — Van Dorn explodiu. — Uma propina? Não admira que a Marinha tenha se fechado em copas. Langner era um funcionário público com liberdade para escolher de que fundição compraria o aço! — abanou a cabeça, enojado. — O Congresso não se esqueceu dos protestos de três anos atrás quando o truste do aço fixou o preço das chapas de blindagem. Bem, isso explica por que a filha precisou descontraí-lo.

— Isso está parecendo — admitiu Isaac Bell — o caso de um homem inteligente que fez algo idiota, não conseguiu encarar a possibilidade de ser pego e se matou.

— Estou surpreso que tenha concordado em continuar a investigar.

— Ela é uma jovem apaixonada.

Van Dorn observou-o com curiosidade.

— Você é comprometido, Isaac.

Isaac Bell encarou o chefe com um sorriso inocente. Para um homem cosmopolita em vários sentidos, como era preciso para ser o flagelo dos criminosos, Joe Van Dorn era admiravelmente puritano quanto aos assuntos do coração.

— O fato de estar apaixonado por Marion Morgan não me torna cego à beleza. Nem imune à paixão. O que quero dizer, porém, é que a incrivelmente atraente senhorita Langner acredita *mesmo* no pai.

— A maioria das mães — retrucou Van Dorn causticamente — e todas as filhas duvidam quando um filho ou o pai envolve-se em atos criminosos.

— Alguma coisa nesta amostra da caligrafia afetou-a de modo estranho.

— Como conseguiu encontrar o bilhete de suicídio?

— A Marinha não sabia como proceder. Então, deixou tudo exatamente como estava, a não ser pelo corpo, e fechou a porta com um cadeado para manter os tiras do lado de fora.

— E como *você* conseguiu entrar?

— Era um cadeado Polhem antigo.

Van Dorn concordou com um movimento de cabeça. Bell não se intimidava por nenhum tipo de cadeado.

— Bem, não me surpreende a Marinha não saber o que fazer. Na verdade, imagino que ficaram paralisados de medo. Eles podem ter o presidente Roosevelt empenhado na construção de 48 navios de guerra, mas muita gente no Congresso planeja controlá-los.

Bell disse:

— Odeio abandonar John Scully sozinho, mas poderia me tirar do caso dos irmãos Frye enquanto cuido deste?

— Pois "sozinho" é como o detetive Scully gosta de ficar — Van Dorn resmungou. — O sujeito é independente demais para o meu gosto.

— E, ainda assim, um investigador muito previdente — Bell defendeu o colega.

Scully, um agente nada famoso por prestar contas regularmente, seguia um trio de assaltantes violentos na fronteira entre Ohio e Pensilvânia. Eles haviam se tornado célebres por deixar bilhetes escritos com o sangue das vítimas: "Cuidado com os irmãos Frye". Após roubarem seu primeiro banco um ano antes, em New Jersey, haviam fugido para o Oeste e assaltado muitos outros. Depois fizeram uma pausa durante o inverno. No momento, pilhavam o leste de Illinois, em uma sequência de assaltos sangrentos a bancos de cidades pequenas. Tão imprevisíveis quanto cruéis, usavam carros roubados para passar de um estado a outro, deixando os xerifes locais para trás.

— Você continuará encarregado do caso Frye, Isaac — declarou Van Dorn, sério. — Até o Congresso se decidir por financiar algum tipo de departamento nacional de investigações, o Departamento de Justiça continuará a nos pagar generosamente para capturar criminosos nas fronteiras estaduais e não pretendo deixar que um rebelde independente como Scully o desaponte.

— Como quiser, senhor — replicou Bell formalmente. — Mas prometeu à senhorita Langner todo o apoio da agência.

— Tudo bem! Vou deslocar alguns homens para ajudar o Scully por pouco tempo. Mas você continua sendo o responsável e não deve demorar muito para confirmar a veracidade do bilhete de suicídio de Langner.

— Será que o seu amigo, o secretário da Marinha, me conseguiria um passe de acesso ao Arsenal? Quero trocar umas ideias com os fuzileiros.

— O quê? — O chefe sorriu. — Uma nova competição?

Bell retribuiu o sorriso com ironia, mas logo ficou sério.

— Se o senhor Langner *não* se matou, alguém fez um bom trabalho em assassiná-lo e manchar sua reputação. Os fuzileiros guardam os portões do Arsenal da Marinha. Devem ter visto alguém sair na noite anterior.

3

— **Mais calcário!** — gritou Chad Gordon. Cobiçando com o olhar a mais nova torrente de ferro derretido jorrar como fogo líquido do buraco da torneira para dentro da concha, o engenheiro metalúrgico da Diretoria de Material Bélico Naval murmurou triunfante: — Casco 44, aqui vamos nós!

"Só conversa fiada e nenhum casco" era a acusação regularmente impingida a Chad Gordon por correr riscos que nenhum homem em sã consciência correria com o metal fundido a mais de 1.600 graus.

Mas ninguém negava que o grande astro da fundição naval merecia o seu alto-forno em um canto remoto da fábrica de aço em Bethlehem, Pensilvânia, onde fazia experimentos 18 horas por dia com o objetivo de criar ferro-gusa de baixo teor de carbono para ser transformado em chapas blindadas resistentes a torpedos. A empresa precisara contratar duas equipes independentes de trabalhadores, uma vez que até mesmo os imigrantes pobres, acostumados a trabalhar como cães, não conseguiam acompanhar seu ritmo.

Nesta enevoada noite de março, o segundo turno consistia em um contramestre americano, Bob Hall, e uma turma que Hall classificava como o usual grupo de estrangeiros — quatro húngaros e um alemão sombrio substituindo um húngaro faltoso. O máximo que Bob Hall conseguira entender da sua arenga incompreensível era que o faltoso caíra em um poço ou fora atropelado por uma locomotiva, tanto fazia.

O alemão atendia por Hans. Dizia ter trabalhado na fundição Krupp, no Vale do Ruhr. Isso era o bastante para Hall admiti-lo como contramestre. Hans era forte, parecia conhecer o ofício e entender mais inglês do que os quatro húngaros juntos. Além disso, Gordon não dava a mínima, mesmo que o alemão tivesse vindo direto do inferno, desde que trabalhasse duro.

Depois de sete horas de turno, uma suspensão de metal parcialmente solidificado formara-se junto ao topo da fornalha e ameaçava bloquear o duto de ventilação por onde escapavam os voláteis gases quentes liberados. O contramestre Hall sugerira desimpedir o duto antes que o volume da suspensão aumentasse. Chad Gordon afastou-o bruscamente e ordenou:

— Eu disse: "mais calcário".

O alemão esperava por essa oportunidade.

Rapidamente, subiu pela escada até o topo da fornalha, onde estavam posicionados os carrinhos de mão com mais material. Cada um desses carrinhos continha uma carga de 544 quilos de minério de ferro, ou coque, o calcário dolomítico com um conteúdo anormalmente elevado de magnésia com que Chad Gordon, preocupado com a dureza, contava para fortalecer o metal.

O alemão segurou o carrinho de calcário dolomítico e rolou-o sobre as duas rodas até a boca da fornalha.

— Espere pela fervura — rugiu o contramestre da base, onde as impurezas fundidas rolavam pela fenda da escória. O ferro fundido e a escória no fundo da fornalha rugiam a plenos 1.600 graus de temperatura. Mas o minério e o coque no alto mal tinham alcançado 370 graus.

Hans pareceu não ouvi-lo quando derrubou o calcário dentro da fornalha e desceu apressado pela escada.

— Seu lunático! — gritou o contramestre. — Não é o bastante. Você bloqueou o cano de ventilação.

Hans deu de ombros e passou pelo contramestre.

— Não se preocupem com a suspensão — gritou Chad Gordon, sem se incomodar em olhar para cima. — Ela vai cair.

O contramestre não estava de acordo. A suspensão impedia a saída dos gases explosivos de dentro da fornalha. A carga de Hans só servira para deixar a situação pior do que estava. Muito pior. Ele gritou para os húngaros:

— Subam lá e desimpeçam o cano de escape!

Os húngaros hesitaram. Mesmo que não entendessem bem o inglês, conheciam o perigo representado pelos gases inflamáveis acumulados acima da fornalha. O punho cerrado e os gestos irados de Hall em direção à escada fizeram com que os húngaros se adiantassem, atrapalhados, em direção ao alto da fornalha, carregando pés de cabra e picaretas. No entanto, assim que começaram a romper a suspensão, ela caiu por si mesma numa peça única, exatamente como Gordon previra. Mas não o calcário do carrinho, que se empilhara na superfície fria e bloqueara o escape. Quando a suspensão despencou, a rajada súbita do ar exterior que entrou na fornalha combinou-se ao calor que vinha de baixo e inflamou os gases aprisionados.

Os gases explodiram com um rugido que arrancou o teto do edifício e arremessou para o alto um conversor Bessemer, que foi lançado a uns 50 metros de distância. O deslocamento de ar da explosão arrancou as botas e as roupas dos húngaros e incinerou seus corpos. Toneladas de detritos em feroz suspensão despencaram pelos lados da fornalha. Como uma cachoeira em chamas, os detritos envolveram o contramestre e Chad Gordon completamente.

O alemão correu, sufocado pelo cheiro de carne queimada. Com os olhos arregalados de horror pelo que havia desencadeado, fugiu aterrorizado diante da perspectiva de que o metal incandescente também o alcançasse. Ninguém notou o homem em fuga, sozinho, quando todos os outros homens na usina gigantesca dispersaram-se correndo. Trabalhadores dos outros altos-fornos fugiam do cenário de morte dirigindo vagões e carrinhos carregados de feridos para as ambulâncias improvisadas. Até mesmo os seguranças que guardavam o portão ignoraram Hans ao se precipitarem na direção contrária à que ele seguia.

O alemão olhou para trás. As chamas elevavam-se no céu noturno. Os edifícios ao redor do alto-forno desmoronavam em ruínas. As paredes desabavam, os tetos despencavam e, por todo lado, só se via fogo.

Ele praguejou em voz alta, espantado com a destruição imensa que provocara.

**

Na manhã seguinte, depois de trocar as roupas de trabalho por um sóbrio terno preto e exausto pela noite insone, pensando em quantos haviam perecido, Hans desceu de um trem do metrô na estação do National Mall, em Washington, D. C. Correu os olhos pelas bancas de jornais em busca de manchetes sobre o acidente. Não havia nenhuma. A fabricação de aço era um negócio perigoso. Operários morriam todos os dias. Só os jornais locais nas cidades das usinas incomodavam-se em relacionar os mortos — e geralmente só os contramestres — para seus leitores de língua inglesa.

Hans tomou o *ferryboat* para Alexandria, Virgínia, e andou apressado pela orla do rio até a área do depósito. O espião que o mandara à usina de aço o esperava em seu curioso esconderijo de armas obsoletas.

Ele ouviu atentamente o relato de Hans. Fez perguntas detalhadas sobre os elementos que Chad Gordon agregara à sua liga de ferro. Instruído e perspicaz, tirou de Hans detalhes que o alemão mal notara na ocasião.

O espião foi pródigo em elogios e pagou em dinheiro a quantia prometida.

— Não é pelo dinheiro — disse o alemão, guardando-o no bolso.

— É claro que não.

— É porque, quando vier a guerra, os americanos ficarão do lado dos britânicos.

— Isso está fora de questão. As democracias desprezam a Alemanha.

— Mas eu não gosto de matar — Hans protestou. Olhando morbidamente para a lente do antigo holofote de navio atrás da escrivaninha do espião, viu seu rosto refletido no vidro como uma caveira em decomposição.

Surpreendeu-se quando o espião respondeu em alemão, com um sotaque do Norte do país. Presumira que o homem fosse americano, tão perfeito era seu inglês. Em vez disso, ele falava como um compatriota.

— Você não teve escolha, *mein Freund.* A chapa de blindagem de Chad Gordon teria dado aos navios inimigos uma vantagem injusta. Logo os americanos lançarão couraçados *dreadnought*. Você gostaria que os couraçados deles afundassem os navios alemães? Matassem marinheiros alemães? Bombardeassem os portos alemães?

— Você está certo, *mein Herr* — respondeu Hans. — É claro.

O espião sorriu como se simpatizasse com as apreensões humanas de Hans. Mas, no recesso dos próprios pensamentos, ele riu. "Deus abençoe os alemães simples", pensou. Por mais que sua indústria crescesse, por mais que suas forças armadas se fortalecessem, por mais moderna que sua Marinha se tornasse, por mais alto que seu Kaiser alardeasse: "*Mein Feld ist die Welt* (Meu campo é o mundo)", tudo o que eles mais temiam era ficar em desvantagem.

E esse medo constante de serem inferiorizados tornava-os fáceis de comandar.

Seu campo é o mundo, *Herr* Kaiser? Com os diabos que é. Seu campo é cheio de cordeiros.

4

— Foi um chinês — disse o cabo Black, dos Fuzileiros Navais, soltando uma baforada de um charuto de dois dólares.

— Se você acredita na Patrulha dos Coroas — bafejou o soldado Little, por sua vez.

— Ele está falando dos vigias noturnos.

Isaac Bell indicou que entendera que a "Patrulha dos Coroas" era a dos marinheiros reformados empregados como vigias noturnos para guardar a área interna do Arsenal da Marinha, enquanto os Fuzileiros Navais controlavam os portões.

Ele e os jovens e robustos fuzileiros achavam-se sentados em torno de uma mesa redonda no O'Leary's Saloon, na E Street. Depois de uma generosa rodada de bebidas, os rapazes já levavam na esportiva o encontro anterior, demonstrando a Bell um respeito relutante por suas habilidades de pugilista e perdoando os olhos roxos e os dentes frouxos. Por insistência de Bell, arremataram um almoço de bifes com batatas fritas e, de sobremesa, torta de maçã. Agora, copos de uísque na mão e a fumaça dos charutos cubanos de Bell azulando o ar, estavam à vontade para falar.

O comandante, eles contaram, pedira uma lista de todas as pessoas que passaram pelos portões na noite em que Arthur Langner morrera. Nenhum dos nomes levantara suspeita alguma. Bell faria com que Joe Van Dorn lhe arranjasse um jeito de espiar a lista para confirmar o julgamento do comandante.

Um vigia noturno informara sobre um intruso. Aparentemente, seu relato nem sequer chegara ao conhecimento do comandante, não ultrapassando, na cadeia de comando, o sargento da guarda do portão, que considerara aquilo um absurdo.

Bell perguntou:

— Se fosse verdade o que informou a Patrulha dos Coroas, por que vocês imaginam que um chinês entraria no Arsenal da Marinha?

— Vai ver que ia roubar alguma coisa.

— Ou veio atrás de garotas.

— Que garotas?

— As filhas dos oficiais. As que moram no Arsenal.

O soldado Little olhou ao redor para se assegurar de que ninguém estivesse escutando. O sujeito mais próximo achava-se curvado sobre o chão, roncando sem parar.

— O comandante tem duas belezinhas que eu não me importaria em conhecer melhor.

— Compreendo — disse Bell, abafando um sorriso. A ideia de um chinês com intenções românticas infiltrando-se em uma base da Marinha americana depois de escalar um muro de 3 metros de altura, guardado pelos Fuzileiros Navais em todos os portões e por vigias do lado de dentro, não sugeria um caminho produtivo de investigação. No entanto, lembrou a si mesmo, embora um detetive devesse sempre ser cético, o cético sensato não descartaria nenhuma possibilidade sem antes analisá-la.

— Quem foi o velho de vigia naquela noite que contou isso a vocês? — perguntou.

— Ele não contou para nós. Contou para o sargento.

— O nome dele é Eddison — disse Black.

— Big John Eddison — acrescentou Little.

— Que idade ele tem?

— Parece ter uns cem.

— É um velhão assim, quase da sua altura, senhor Bell.

— Onde posso encontrá-lo?

— Tem uma pensão onde os velhos marinheiros se hospedam.

Bell encontrou a pensão de Eddison na F Street, a uma curta caminhada do Arsenal da Marinha. A varanda da frente, cheia de cadeiras de balanço, achava-se vazia naquela tarde fria. Ele entrou e se apresentou à senhoria, que arrumava a comprida mesa para o jantar. Ela exibia um forte sotaque sulista e seu rosto ainda era bonito, apesar das rugas adquiridas nos anos de trabalho árduo.

— O senhor Eddison? — falou com sotaque arrastado. — Ele é um velho bonachão. Jamais causou problema algum, ao contrário de alguns de seus companheiros que eu poderia enumerar.

— E ele está, no momento?

— O senhor Eddison dorme até tarde, considerando que trabalha à noite.

— A senhora se importaria se eu o esperasse aqui? — indagou Bell, com um sorriso que revelou o brilho de seus dentes perfeitos e iluminou seus olhos azuis.

A senhoria afastou do queixo uma mecha do cabelo grisalho e retribuiu o sorriso.

— Vou lhe trazer uma xícara de café.

— Não quero dar trabalho.

— Não é trabalho nenhum, senhor Bell. Considere-se no Sul agora. Minha mãe se remexeria no túmulo se soubesse que deixei um cavalheiro sentado na minha sala sem uma xícara de café.

Quinze minutos depois, sem exagerar demais a verdade, Bell pôde dizer:

— Este é o café mais saboroso que bebo desde que a *minha* mãe me levou a uma confeitaria em Viena, na Áustria, quando eu ainda era um menino.

— Bem, sabe o que estou pensando em fazer? Vou trazer um bule cheio e perguntar ao senhor Eddison se ele gostaria de tomar uma xícara com o senhor.

John Eddison seria ainda mais alto do que ele, Bell avaliou, se a idade não lhe curvasse as costas. Tinha mãos grandes e braços compridos que deviam ter sido potentes em sua época, um tufo de cabelos brancos, olhos claros aguados, o nariz enorme que os idosos geralmente desenvolvem e uma boca firme, engastada em uma papada flácida.

Bell estendeu a mão.

— Sou Isaac Bell, investigador da Van Dorn.

— Não me diga — Eddison sorriu de lado e Bell concluiu que o avanço da idade lhe mascarara o temperamento vivo. — Bem, eu não adivinharia. Mas a história seria bem outra, quando eu era mais jovem. Em que posso ajudá-lo, filho?

— Estive falando com o cabo Black e o soldado Little da guarda dos Fuzileiros Navais e...

— Sabe o que dizemos sobre os Fuzileiros Navais na Marinha? — Eddison interrompeu.

— Não, senhor.

— São marinheiros capazes de bater a cabeça quatro vezes contra a mesma viga só para demonstrar que estão qualificados para os Fuzileiros Navais.

Bell deu uma risada.

— Eles me disseram que o senhor disse ter surpreendido um invasor no Arsenal da Marinha.

— Isso mesmo. Mas ele fugiu. Eles não acreditaram em mim.

— Um chinês.

— Não, não era um chinês.

— Não? De onde será que o Black e o Little tiraram a ideia de que o invasor era um chinês?

— Eu o avisei sobre os Fuzileiros — Eddison sorriu. — Você deu risada.

— Com que tipo de homem o invasor se parecia?

— Com um japa.

— Japonês?

— Eu disse ao sargento daqueles tontos. Parece que o sargento deles tinha um chinês na cabeça. Mas, como eu disse, não acho que o sargento acreditou que vi alguém... Chinês, japonês... Ele não acreditou em mim e ponto final. Pensa que sou um velho estúpido tendo alucinações. O sargento me perguntou se andei bebendo. Diabos, faz uns 40 anos que não tomo um gole!

Bell refletiu sobre a pergunta seguinte com todo o cuidado. Conhecera poucos americanos capazes de distinguir um japonês de um chinês.

— O senhor o observou bem?

— Isso mesmo.

— Tive a impressão de que estava escuro.

— A lua brilhou bem no rosto dele.

— E o senhor estava muito próximo?

Eddison levantou a mão grande e enrugada.

— Um pouco mais perto e eu teria apertado estes dedos ao redor do pescoço dele.

— O que o fez pensar que ele se parecia com um japonês?

— Os olhos, a boca, o nariz, os lábios, o cabelo — disparou o velho, em resposta.

De novo, Bell controlou o ceticismo com cautela.

— Algumas pessoas dizem ter dificuldade de distinguir as duas raças.

— Algumas pessoas não estiveram no Japão.

— E o senhor esteve?

Eddison empertigou-se na cadeira.

— Entrei no porto de Uraga com o comodoro Matthew Perry quando ele abriu o Japão ao comércio americano.

— Isso foi há 60 anos! — Se essa não fosse uma história de velhos marinheiros, Eddison era ainda mais velho do que parecia.

— Cinquenta e sete. Eu era um gajeiro na fragata a vapor *Susquehanna*, de Perry. E também fui um dos remadores da chalupa do comodoro. Levamos o Velho a remo até Yokosuka. Tínhamos japas saindo pelas orelhas.

Bell sorriu.

— Parece, então, que o senhor é bastante capaz de distinguir um japonês de um chinês.

— Como eu disse.

— Poderia me dizer onde pegou o invasor?

— Quase o peguei.

— Lembra se isso aconteceu muito longe da Fábrica de Canhões?

Eddison encolheu os ombros.

— Uns 900 metros.

— Meia milha — Bell refletiu.

— Meia milha *náutica* — Eddison corrigiu.

— Daria um pouquinho mais.

— Filho, aposto que está especulando se o japa teve alguma coisa a ver com a explosão no estúdio de desenho do senhor Langner.

— O senhor acha que teve?

— Não dá para saber. Como eu disse, o japa estava a 900 metros da Fábrica de Canhões.

— Qual o tamanho do Arsenal? — indagou Bell.

O velho marinheiro coçou o queixo e olhou para longe.

— Eu diria que, entre os muros e o rio, o Arsenal deve ocupar um pouco mais de 40 hectares, mais de 400 metros quadrados.

— Quarenta hectares… Quase tão grande quanto uma pequena fazenda de gado para a produção de leite no Norte do país.

— Cheio de fábricas, fundições, pátios de manobras e — ele acrescentou, com um olhar significativo — mais mansões e jardins, onde o peguei invadindo.

— O que o senhor acha que ele estava fazendo lá?

John Eddison sorriu.

— Eu não acho. Eu *sei.*

— O que o senhor sabe que ele estava fazendo lá?

— Ele estava bem perto das mansões dos oficiais. As filhas do comandante são mocinhas graciosas. E esses japas gostam das mocinhas.

5

Havia dias em que até mesmo um gênio como Grover Lakewood era grato por desfrutar um tempo longe do laboratório, a fim de aliviar a cabeça das complexidades de calcular a pontaria de um canhão em direção a um alvo em movimento, a partir de um navio também em movimento. O especialista em controle de tiro passava a maior parte dos dias e muitas noites inventando uma infinidade de cálculos para neutralizar os efeitos de rolagem, arfagem, guinada e curvas de trajetória. Era um trabalho absolutamente fascinante, intensificado ainda mais pelo fato de que Lakewood precisava inventar métodos pelos quais as mentes comuns dos marujos pudessem aplicar seus cálculos no meio de uma batalha, com os canhões trovejando, as ondas quebrando e os estilhaços de aço silvando através da fumaça.

Nos períodos de folga, ele brincava com fórmulas ainda não inventadas, para enfrentar os desafios de rolamentos pelo través — imaginando os navios disparando à frente em vez de pelos costados —, e tentava considerar alcances cada vez maiores dos grandes canhões e das trajetórias cada vez mais baixas de granadas de alta velocidade. Às vezes, precisava se colocar de cabeça para baixo, como um saleiro, para esvaziar o cérebro.

O montanhismo proporcionava esse descanso.

O dia de escalada começava com uma viagem de trem até Ridgefield, Connecticut, depois continuava com uma viagem de carro em um Ford alugado, atravessando a divisa do estado de Nova York até o Johnson Park, na região de Westchester e, então, uma caminhada de 3 quilômetros até uma elevação remota, chamada Monte Agar, tudo culminando em uma escalada lenta e difícil pelo paredão de pedra até o topo do penhasco. A viagem de trem era uma oportunidade para simplesmente olhar pela janela por duas horas e observar as mudanças na paisagem da cidade para o campo. Dirigir o carro requeria toda a sua atenção pelas estradas esburacadas. A caminhada enchia os seus pulmões de ar fresco e ativava a circulação. A escalada exigia uma concentração absoluta, para evitar uma queda do penhasco e um mergulho fatal, de cabeça, até o fundo.

Aquele fim de semana, inesperadamente quente para um início de primavera, atraíra todos os tipos de amantes de caminhadas para o parque. Avançando com determinação em seu paletó xadrez, bermudas e botas, Lakewood passou por uma senhora em seu "passeio terapêutico", trocou sonoros bons-dias com os diversos caminhantes e observou, nostalgicamente, um casal de mãos dadas.

Lakewood era um homem muito atraente, de compleição robusta e um sorriso fácil, mas o trabalho excessivo, de seis a sete dias por semana — geralmente dormindo em uma cama desmontável no laboratório —, dificultava o contato com garotas. E, por alguma razão, as sobrinhas e as filhas que as esposas dos engenheiros mais velhos levavam lá para conhecê-lo não eram beldades que chegassem a interessá-lo. Normalmente, não se incomodava com isso. Era ocupado demais para se sentir solitário. Uma vez ou outra, quando via um jovem casal, pensava: "Um dia terei essa sorte também".

Embrenhou-se no parque até se encontrar sozinho em uma trilha estreita, que atravessava a floresta densa. Avistou movimento à frente e ficou desapontado, pois esperava ter o penhasco só para si, para se concentrar na escalada em paz e sossego.

A pessoa à frente parou e sentou-se sobre o tronco de uma árvore caída. Ele se aproximou e não demorou a notar que se tratava de uma garota — aliás, uma garota de compleição delicada e muito bonita, vestida para escalar, com calça e botas de cano alto como as suas. O cabelo ruivo caía-lhe solto por baixo do chapéu de aba larga e, quando ela voltou a cabeça, ao notar sua aproximação, seu cabelo brilhou à luz do Sol, num clarão parecido com a explosão de uma granada.

Ela se parecia com uma irlandesa, a pele muito alva, o nariz pequeno e arrebitado, um sorriso maroto e olhos azuis cintilantes, e ele subitamente lembrou-se de tê-la conhecido antes, no último verão… Qual era mesmo o nome dela? Vamos ver, onde tinham se encontrado... Sim! No "piquenique da empresa", patrocinado pelo capitão Lowell Falconer, o herói da Guerra Hispano-Americana a quem Lakewood prestava contas sobre suas descobertas telemétricas.

Qual era o nome dela?

Ele estava perto o bastante agora para acenar e dizer "olá". Ela o observava com aquele sorriso travesso, e os olhos se iluminaram ao reconhecê-lo, embora parecesse tão confusa quanto ele próprio.

— Interessante encontrar você aqui — disse ela, com um toque de curiosidade.

— Oi — disse Lakewood.

— A última vez que nos vimos foi na praia?

— Em Fire Island — disse Lakewood. — Na caldeirada do capitão Falconer.

— Ah, é mesmo — disse ela, parecendo aliviada. — Eu sabia que o conhecia de algum lugar.

Lakewood vasculhou a memória, instigando a si mesmo: "*Lakewood*! Se você é capaz de acertar uma granada de 12 polegadas e 230 quilos, a partir de um navio, em um couraçado navegando a 60 nós, em meio à rolagem de um mar com ondas de 3 metros de altura, então deveria ser capaz de se lembrar do nome dessa adorável beldade sorridente, que parece saída de uma vinheta das famosas Gibson Girls, o tipo de beleza feminina da época eduardiana do início do século XX, imortalizada nos desenhos de Charles Dan Gibson".

— Senhorita Dee — disse ele, estalando os dedos —, Katherine Dee.

E depois, porque a mãe lhe dera a educação devida, tirou o chapéu e estendeu a mão, dizendo:

— Grover Lakewood. É muito bom tornar a vê-la.

Ela alargou ainda mais o sorriso, sem ocultar o quanto lhe agradava ter sido reconhecida, e o brilho solar no cabelo cintilante pareceu migrar para seus olhos. Lakewood pensou que tinha morrido e ido para o céu.

— Mas que coincidência maravilhosa! — ela exclamou. — O que *você* está fazendo aqui?

— Vim escalar — disse Lakewood. — Escalar o rochedo.

Ela o fitou com certa descrença.

— Ora, *isso* sim é que parece uma coincidência.

— Como assim, o que quer dizer?

— Bem, foi por isso que vim aqui. Pretendia escalar o penhasco que fica ali no fim do caminho — ela arqueou uma sobrancelha tão clara que era quase invisível. — Você me seguiu até aqui?

— O quê? — Lakewood enrubesceu e começou a gaguejar. — Não, eu...

Katherine Dee deu uma risada.

— Estou caçoando de você. Não quis dizer que me seguiu. Como poderia saber que me encontraria aqui? Não. É uma perfeita coincidência — de novo, ela inclinou a cabeça. — Mas não totalmente... Você se lembra de quando conversamos lá no barco?

Lakewood concordou. Não haviam conversado tanto quanto queria. Ela parecia conhecer todo mundo a bordo do iate do capitão e zanzara de uma pessoa para outra, falando sem parar. Mas ele se lembrava.

— Concluímos que gostaríamos de nos encontrar ao ar livre.

— Muito embora eu precisasse usar um chapéu para me proteger do sol por causa da minha pele muito branca.

Naquele dia de verão, era possível ver uma porção bem mais generosa da pele branca. Lakewood lembrava-se dos braços redondos e firmes, desnudos até quase os ombros, o pescoço benfeito, os tornozelos...

— Vamos, então? — indagou ela.

— O quê?

— Escalar as rochas.

— Sim! Sim. Sim, vamos...

Eles seguiram pelo caminho à frente, roçando os ombros quando a trilha se estreitava. Toda vez que se tocavam, Lakewood estremecia. E ele já estava completamente enamorado quando ela perguntou:

— Você ainda trabalha para o capitão?

— Ah, sim...

— Acho que me lembro de você ter comentado alguma coisa sobre canhões.

— Na verdade, na Marinha, eles os chamam de peças de artilharia. Mas também falam canhões.

— Verdade? Não sabia dessas sutilezas. Você disse "eles". Você não é da Marinha?

— Não, ocupo um cargo civil. Mas respondo ao capitão Falconer.

— Ele me pareceu um homem tão agradável!

Lakewood sorriu.

— "Agradável" não é a primeira palavra que me ocorre quando penso no capitão Falconer. Impetuoso, exigente e intimidador seriam as características mais próximas da realidade.

— Alguém me disse que o considerava inspirador.

— Isso ele é.

Ela disse:

— Estou tentando me lembrar de quem falou isso. Era um homem muito bonito, mais velho do que você, acho.

Lakewood sentiu uma punhalada de ciúme. Katherine Dee referia-se a Ron Wheeler, o astro da Estação Naval de Torpedos, em Newport, por quem todas as garotas se apaixonavam.

— A maioria deles tem mais idade do que eu — ele respondeu, esperando fugir do assunto sobre o bonitão do Wheeler.

Katherine tranquilizou-o com um sorriso caloroso.

— Bem, ele não importa, mas me lembro de ter chamado você de "menino prodígio".

Lakewood deu uma risada.

— Por que você ri? O capitão Falconer disse a mesma coisa, e ele é um herói da Guerra Hispano-Americana. Você é um menino prodígio?

— Não! Só comecei bem cedo, só isso. O meu campo de estudos é novo. Eu o peguei no começo.

— Como é que os canhões podem ser uma coisa nova? Canhões sempre existiram...

Lakewood parou de caminhar e voltou-se para encará-la.

— Essa é boa! Não, nem sempre existiram canhões como as peças de artilharia atuais. Os canhões raiados têm um alcance enorme, que nunca se imaginou antes. Porque ainda outro dia eu estava a bordo de um couraçado ao largo de Sandy Hook e...

— Você esteve em um *couraçado?*

— Ah, claro! Saio neles o tempo todo.

— Verdade?

— Nos Exercícios de Tiro do Atlântico. Ainda na semana passada, o oficial de artilharia me disse: "Os novos couraçados podem atingir Yonkers daqui".

Os lindos olhos de Katherine se arregalaram.

— Yonkers, a cidade no condado de Westchester, Nova York? Essa eu não sabia. Quer dizer, da última vez que naveguei para Nova York a bordo do *Lusitania,* estava um dia claro, não dava para ver Yonkers do oceano.

"O *Lusitania*?", pensou Lakewood. Além de bonita, ela devia ser rica.

— Bem, é difícil ver Yonkers, mas no mar pode-se localizar um navio a essa distância. A proeza é atingi-lo.

Eles retomaram a caminhada, roçando os ombros quando a trilha se estreitava, enquanto ele comentava como a invenção da pólvora sem fumaça permitia que os observadores de tiro vissem mais longe porque o navio ficava menos encoberto pela fumaça dos canhões.

— Os observadores de tiro calculam a distância com os canhões. Eles a avaliam pela posição do impacto, se o tiro caiu antes ou depois do alvo. Você provavelmente já leu no jornal que é por isso que todos os navios equipados com canhões potentes, todos do mesmo calibre, ajustam a mira de todos por um.

Ela parecia muito mais interessada do que se esperaria de uma garota bonita e o acompanhava de olhos bem abertos, parando várias vezes para fitá-lo, como hipnotizada.

Lakewood continuou falando.

Não comentaria sobre nada que fosse secreto, disse a si mesmo. Nada sobre as mais recentes agulhas de telemetria giroscópicas que permitiam uma "pontaria contínua" para "bloquear a rolagem". Nada sobre o controle de tiro que não se pudesse ler nos jornais. Ele se gabou de que passara a se interessar pelo montanhismo enquanto subia por um "mastro de observação" que a Marinha estava desenvolvendo para identificar os impactos de granadas a distâncias maiores. Mas ele *não* disse que os construtores faziam experimentos com tubulações trançadas de aço leve para tornar o mastro imune aos impactos das granadas. E *não* revelou que os mastros de observação também eram projetados para serem plataformas para os equipamentos de telemetria mais avançados. Nem mencionou os motores hidráulicos acoplados à agulha giroscópica, para elevar os canhões de torre. E certamente não disse uma palavra sobre o Casco 44.

— Estou confusa — ela falou com um sorriso caloroso. — Talvez você me ajude a entender. Um homem me disse que os navios transatlânticos são muito maiores do que os couraçados. Ele disse que o *Lusitania* e o *Mauritania* são navios de 44 mil toneladas, mas que o *Michigan*, da Marinha, só teria 16 mil.

— Os transatlânticos são hotéis flutuantes — respondeu Lakewood, com certo desprezo. — Os couraçados são fortalezas.

— Mas o *Lusitania* e o *Mauritania* navegam mais rápido a vapor do que os couraçados. Ele os chamou de navios "velozes como cães de caça".

— Bem, se você pensar no *Lusitania* e no *Mauritania* como cães de caça, imagine o couraçado como um lobo.

Ela riu.

— Agora estou entendendo. E o seu trabalho é dar dentes ao lobo.

— O meu trabalho — Lakewood corrigiu-a com orgulho — é afiar os dentes do lobo.

Ela tornou a rir. Depois o segurou pelo braço.

— Então, qual é o trabalho do capitão Falconer?

Grover Lakewood refletiu cuidadosamente antes de responder. Qualquer um podia entender a verdade oficial. Diariamente, publicavam-se artigos sobre todos os aspectos da corrida em torno dos couraçados, desde o alto custo da glória nacional até os lançamentos de gala, sem contar os espiões estrangeiros de meia-tigela que viviam enfiando o nariz no estaleiro da Marinha no Brooklyn, dizendo-se jornalistas.

— O capitão Falconer é um inspetor especial da Marinha para a prática de tiro ao alvo. Ele se tornou um especialista em artilharia depois da Batalha de Santiago. Muito embora tenhamos afundado todos os navios espanhóis em Cuba, nossos canhões só acertaram dois por cento dos disparos. O capitão Falconer jurou que ia melhorar esse desempenho.

A encosta íngreme do Monte Agar erguia-se imponente à frente deles.

— Ah, veja! — disse Katherine. — A montanha inteira é só nossa. Não há ninguém aqui além de nós... — eles pararam junto ao sopé do penhasco.

— Aquele homem louco que se matou explodindo o piano não estava envolvido com couraçados?

— Como você ficou sabendo disso? — indagou Lakewood. A Marinha mantivera a tragédia fora dos jornais, admitindo apenas que ocorrera uma explosão na Fábrica de Canhões!

— Todo mundo em Washington comenta o assunto — disse Katherine.

— E é lá que você mora?

— Eu fui visitar uma amiga. Você conhecia o sujeito?

— Sim, ele era um bom homem — respondeu Lakewood, erguendo os olhos para o rochedo, estudando uma rota. — Na verdade, ele estava no iate do capitão naquele dia.

— Não acredito que o conheci!

— Foi uma coisa muito triste. Uma perda irreparável.

Katherine Dee revelou-se uma alpinista capaz. Lakewood mal conseguia acompanhá-la. Ele era um novato no esporte e reparou que os dedos dela eram tão fortes que era capaz de sustentar o peso do corpo só com uma das mãos. E, com isso, podia gingar o corpo para alcançar o próximo ponto de apoio.

— Você escala como um macaco.

— Esse não é um cumprimento muito gentil — ela fingiu fazer um beicinho enquanto esperava que ele a acompanhasse. — Quem quer se parecer com um macaco?

Lakewood concluiu que era melhor economizar o fôlego. Quando estavam a uns 25 metros do chão e as copas das árvores pareciam plumas esvoaçantes lá em baixo, ela repentinamente saltou à frente dele.

— Diga, onde aprendeu a escalar desse modo?

— As freiras do colégio nos levavam para escalar o Matterhorn, nos Alpes.

Naquele momento, Grover Lakewood estava com as mãos espalmadas, agarrando-se a fendas de ambos os lados, enquanto tateava para escorar os dedos dos pés. Katherine Dee alcançara uma posição a uns 5 metros diretamente acima dele. Ela sorria.

— Oi, senhor Lakewood!

Ele virou o pescoço para vê-la. Ela parecia estar segurando uma tartaruga gigantesca com as fortes mãos muito alvas, o que era improvável, já que, no início do ano, não se podia encontrar uma tartaruga assim. Era um grande fragmento de rocha.

— Cuidado com isso! — ele gritou.

Tarde demais.

A rocha escorregou das mãos dela. Não, não escorregou! Ela *abrira* as mãos.

6

O bilhete de suicídio de Langner continuava incomodando Isaac Bell.

Ele usou o passe obtido com o secretário da Marinha para tornar a entrar na Fábrica de Canhões, abriu o cadeado Polhem do estúdio de desenho outra vez e procurou a escrivaninha de Langner. Uma pilha de papéis especiais feitos à mão, que Langner aparentemente reservava para a correspondência importante, combinava com o papel em que o bilhete de suicídio fora escrito. Ao lado dele, achava-se a caneta-tinteiro Waterman.

Bell guardou a caneta no bolso e, no caminho de volta, parou no laboratório químico onde a Van Dorn mantinha uma conta. Então, tomou um bonde de Capitol Hill para o Lincoln Park, um bairro que prosperava à medida que os moradores de Washington mudavam-se para as encostas de Hill para fugir das áreas pantanosas à margem do Rio Potomac, que cheiravam mal no calor do verão.

Bell encontrou a casa de Langner bem diante do parque. Era uma casa de dois andares, de tijolos aparentes, semelhante às vizinhas alinhadas ao longo da rua, com venezianas verdes e uma cerca de ferro forjado contornando um pequeno jardim na frente. O auditor da Van Dorn, que investigara os assuntos financeiros de Arthur Langner, não descobrira nenhuma evidência de rendas particulares. Langner devia ter comprado essa casa nova com o salário da Fábrica de Canhões, o qual, notara o auditor, equivalia ao dos diretores de mais alto escalão do setor particular da indústria.

A casa parecia recém-construída — assim como todas as demais, exceto um punhado de edifícios de madeira nas ruas laterais — e exibia janelas altas. A alvenaria seguia uma ornamentação típica, alargando-se em direção ao alto até uma cornija dentada. Mas, no interior, Bell, em um rápido exame, observou que a casa era tudo, menos típica. Era decorada num estilo bastante moderno, com estantes e armários embutidos, lâmpadas elétricas e ventiladores no teto. A mobília também era da última moda e muito cara — leve, ainda que com peças resistentes fabricadas por Charles Rennie Mackintosh, um artesão de Glasgow. Onde, Bell teve de se perguntar, Langner conseguira o dinheiro para pagar pela mobília de Mackintosh?

Dorothy não se vestia mais de preto, mas usava uma cor cinza prateada que combinava com seus olhos e o cabelo preto. Um homem seguiu-a para dentro da sala de visitas. Ela o apresentou como "Meu amigo Ted Whitmark".

Bell classificou Whitmark como um típico vendedor, jovial e agradável de se conviver. Ele era a imagem do sucesso, com um sorriso radiante no rosto bonito, roupas caras e uma gravata vermelha com a insígnia do Harvard College.

— Mais do que um amigo, eu diria — falou Whitmark em voz calorosa, enquanto apertava a mão de Bell com energia. — Mais próximo de um noivo, se é que me entende — acrescentou, apertando um pouco mais a mão, para dar ênfase.

— Meus parabéns — disse Bell, retribuindo o aperto de mão.

Whitmark soltou-lhe a mão com um sorriso afável e fez uma piada.

— Que aperto de mão! O que faz nas horas vagas, põe ferraduras em cavalos?

— Poderia nos dar licença por um instante, senhor Whitmark? — indagou Bell. — Senhorita Langner, o senhor Van Dorn pediu-me para vir lhe falar.

— Não temos nenhum segredo aqui — disse Whitmark. — Pelo menos, nenhum que seja do interesse de um detetive.

— Está tudo bem, Ted — disse Dorothy, pousando uma das mãos no braço do rapaz e dirigindo-lhe um sorriso bondoso. — Tenho uma garrafa de gim na cozinha. Por que não prepara uns coquetéis enquanto o senhor Bell faz o seu relatório?

Ted Whitmark pareceu não gostar, mas não teve outra escolha a não ser sair, o que fez com uma observação séria:

— Não tome demais o tempo dela, Bell. A pobre garota ainda está se recuperando do choque pela morte do pai.

— Isso vai levar apenas um minuto — Bell assegurou-lhe.

Dorothy fechou as portas deslizantes.

— Obrigada! Ted lisonjeia-me com seu ciúme.

— Imagino — disse Bell —, ele deve ter muitas boas qualidades para ter conquistado a sua mão.

Muito séria, ela fitou Bell.

— Não estou com pressa de nada — informou. E o detetive não pôde deixar de interpretar a resposta como uma declaração direta, e lisonjeira, de interesse por uma mulher tão atraente.

— Em que Ted trabalha? — indagou Bell, mudando diplomaticamente de assunto.

— Ted vende mantimentos para a Marinha. Na verdade, ele vai partir, em breve, para São Francisco. Vai preparar o provisionamento para a Grande Frota Branca, que está para chegar. É casado, senhor Bell?

— Estou noivo.

Um sorriso indecifrável passou por aqueles belos lábios.

— Que pena!

— Para ser inteiramente franco — disse Bell —, não é uma pena. Sou um homem de muita sorte.

— Ser inteiramente franco é uma bela qualidade em um homem. Esta visita de hoje é por razões mais importantes do que *não* flertar comigo?

Bell mostrou-lhe a caneta-tinteiro.

— Reconhece isto?

O rosto dela se anuviou.

— É claro. É a caneta do meu pai. Eu mesma lhe dei como presente de aniversário.

Bell estendeu-a para ela.

— Pode ficar com ela, então. Tirei-a da escrivaninha dele.

— Por quê?

— Para confirmar que a usou para escrever aquela carta.

— A famosa carta suicida? Qualquer um poderia ter escrito aquilo.

— Não exatamente qualquer um. Ou o seu pai ou um falsificador habilidoso.

— Conhece a minha posição sobre esse assunto. Não acredito que ele tenha se matado.

— Vou continuar investigando.

— E quanto ao papel em que a carta foi escrita?

— Era dele.

— Entendo... E a tinta? — disse ela, subitamente irada. — Como sabemos que foi escrita com a mesma tinta desta caneta? Talvez não tenha sido usada esta caneta. Eu a comprei em uma papelaria. A Waterman Company deve vender milhares.

— Já levei amostras da tinta desta caneta e da carta a um laboratório químico para me certificar se a tinta é diferente.

— Obrigada! — disse ela, o semblante abalado. — Não é provável que seja, é?

— Temo que não, Dorothy.

— Mas, se a tinta for da caneta dele, isso ainda não prova que ele escreveu aquela carta.

— Não, além de todas as outras dúvidas — Bell concordou. — Mas devo lhe dizer francamente que, embora todos esses fatos devam ser investigados, é pouco provável que nos forneçam uma resposta definitiva.

— O que o fará? — indagou ela. Parecia repentinamente perplexa. As lágrimas cintilavam nos olhos.

Isaac Bell foi tocado pelo sofrimento e pela confusão dela. Tomou-lhe as mãos nas suas.

— O que quer que exista, se existir, descobriremos.

— O pessoal da Van Dorn nunca desiste? — perguntou ela, com um sorriso corajoso.

— Nunca — prometeu Bell, ainda que, no íntimo, tivesse cada vez menos esperança de poder amenizar aquela dor.

Ela apertou as mãos dele. Quando finalmente as soltou, deu um passo à frente e beijou-lhe o rosto.

— Obrigada! Isso é tudo o que posso pedir.

— Manterei contato — disse Bell.

— Ficaria para um coquetel?

— Não posso, obrigado! Sou esperado em Nova York.

Enquanto ela o acompanhava até a porta, Bell relanceou o olhar para a sala de jantar e comentou:

— Esta é uma mesa esplêndida. É uma Mackintosh?

— Com certeza — respondeu ela com orgulho. — Papai costumava dizer que, se para comprar uma obra de arte que não pudesse pagar precisasse passar só com feijão no jantar, então passaria só com feijão no jantar.

Bell imaginou se Langner não se cansara do feijão e aceitara uma propina de uma usina de aço. Ao passar pelo portão, olhou para trás. Dorothy estava parada na soleira, olhando para o vasto mundo, ele pensou, como uma princesa de contos de fadas encerrada em uma torre.

* *

O expresso Royal Limited da B. & O. Railroad era o trem mais rápido e luxuoso de Washington até Nova York. Quando a noite escureceu as janelas de cristal de chumbo, Isaac Bell usou a viagem sossegada para avaliar a caçada aos irmãos Frye. Os ladrões de banco interestaduais que os detetives da Van Dorn vinham perseguindo por Illinois, Indiana e Ohio tinham desaparecido em algum lugar a Leste da Pensilvânia. Assim como o detetive John Scully.

O jantar a bordo do Royal, equivalente ao do Delmonico's ou do novo Plaza Hotel, era servido em um vagão-restaurante forrado de mogno. Bell pediu peixe-vermelho à Maryland e meia garrafa de Mumm, e refletiu sobre como Dorothy Langner lembrava-lhe sua noiva. Sem dúvida, caso não estivesse de luto pelo pai, Dorothy seria uma mulher espirituosa e interessante, muito parecida com Marion Morgan. As mulheres tinham uma vida semelhante: ambas perderam a mãe quando jovens e receberam uma educação melhor do que a maioria das mulheres, graças ao amor devotado do pai, ansioso para que a filha exercitasse plenamente seus talentos.

Fisicamente, Marion e Dorothy não podiam ser mais diferentes. O cabelo de Dorothy era uma cascata preta reluzente, o de Marion era amarelo como palha brilhante; os olhos de Dorothy eram de um azul acinzentado atraente, os de Marion, de um verde irresistível. Ambas eram altas, esguias e flexíveis. E as duas, pensou ele com um sorriso, eram capazes de parar o trânsito ao apenas pisar na rua.

Bell verificou o relógio de bolso de ouro enquanto o Royal parava no terminal em Jersey City. Nove em ponto. Tarde demais para fazer uma visita à Marion em seu hotel em Fort Lee, se ela fosse gravar algum filme no dia seguinte. Pior para ele. Marion estava dirigindo um filme de média-metragem sobre ladrões de banco fictícios, enquanto ele perseguia os ladrões de verdade. Porém, o drama cinematográfico, ele aprendera só de observá-la trabalhando, extraía grande parte do planejamento e dos detalhes de casos verídicos. E, para isso, a garota precisava descansar.

Quando saltou do trem, ele correu os olhos pelas bancas de jornais e pelos exemplares que os garotos ofereciam. As manchetes competiam pela atenção do público. Metade proclamava uma fantástica variedade de ameaças japonesas à Grande Frota Branca, caso — segredavam os rumores — o presidente Roosevelt ordenasse o fechamento das ilhas japonesas. Metade atribuía o assassinato de um professor de Nova York a escravas brancas chinesas. Mas eram as previsões meteorológicas que Bell estava procurando, esperando por uma previsão de tempo ruim.

— Excelente! — ele exclamou em voz alta. O Instituto de Meteorologia previa céu nublado e chuva.

Marion não precisaria levantar ao amanhecer para aproveitar todos os possíveis raios de Sol disponíveis.

Ele saiu apressado do terminal. A corrida de quase 27 quilômetros até Fort Lee levaria, no mínimo, uma hora, mas poderia haver uma opção melhor. A polícia municipal de New Jersey estava fazendo experiências com uma patrulha motorizada, semelhante à de Nova York do outro lado do rio, e, como ele esperava, um de seus automóveis Ford de seis cilindros achava-se estacionado em frente ao terminal, dirigido por um sargento e patrulheiro que pertencera à Divisão Montada.

— Van Dorn — Bell dirigiu-se ao sargento, que parecia um tanto perdido sem o seu cavalo. — Dou 20 dólares para me levar ao Cella's Park Hotel, em Fort Lee.

Dez teriam sido suficientes. Por 20, o sargento ligou a sirene.

**

A chuva começou quando o Ford da polícia motorizada chegou ao alto de Palisades. Atravessando o lamaçal, a viatura desceu pela Main Street de Fort Lee, derrapou ao longo dos trilhos do bonde e passou rapidamente pelo estúdio de cinema, cujas paredes envidraçadas cintilaram sob o efeito dos faróis fracos. Do lado de fora do povoado, eles estacionaram em frente ao Cella's, um grande edifício de dois andares emoldurado de branco e plantado sobre um campo de piquenique.

Bell atravessou o pórtico da entrada em grandes passadas, com um grande sorriso no rosto. O salão de jantar, que se transformava em bar à noite, ainda estava aberto e fervilhava com o movimento, enquanto atores, diretores e cinegrafistas reconheciam que, sem a luz do Sol para filmar, o dia seguinte estaria perdido. Um grupo de cantores afinados reunia-se ao redor do piano harmonizando:

"Você pode ir até onde quiser comigo
No meu alegre Oldsmobile."

Bell avistou Marion em uma mesa de canto e seu coração quase parou. Ela ria, conversando animadamente com duas outras diretoras de cinema que ele já conhecia: Christina Bialobrzesky, que alegava ser uma condessa polonesa, mas cujo sotaque parecia, aos ouvidos de Bell, de Nova Orleans, e uma morena de olhos escuros, Mademoiselle Duvall de Pathé Frères.

Marion ergueu os olhos. Ao vê-lo parado na porta, levantou-se com ímpeto e um sorriso radiante. Bell atravessou o salão correndo. Ela o encontrou na metade do caminho e ele a tomou nos braços e a beijou.

— Mas que surpresa maravilhosa! — ela exclamou. Ainda usava a roupa de trabalho: um vestido acinturado, com saia comprida e jaqueta apertada. O cabelo louro estava preso atrás, fora do caminho, num rabo de cavalo, expondo o pescoço esguio e gracioso.

— Você está linda!

— Mentiroso! Estou assim desde as cinco da manhã!

— Você sabe que eu nunca minto. Você está deslumbrante!

— Bem, você também. E então… Quer comer alguma coisa?

— Jantei no trem.

— Venha cá. Junte-se a nós. Ou prefere que sentemos sozinhos?

— Vou cumprimentá-las primeiro.

O dono do hotel se aproximou, animado com as lembranças agradáveis da última visita de Bell, e esfregou as mãos.

— Champanhe de novo, senhor Bell?

— Mas é claro.

— Para a mesa?

— Para o salão!

— Isaac! — disse Marion. — Há 50 pessoas aqui.

— Nada na personalidade do meu avô Isaiah indicaria que não posso gastar um pouco dos seus 5 milhões de dólares num brinde à beleza da senhorita Marion Morgan. Além do mais, dizem que vovô tinha uma queda por belas mulheres.

— Então 5 milhões não foi só o que você herdou!

— E, quando estiverem embriagados, não notarão quando nos esgueirarmos para a escada até seu quarto.

Ela o puxou pela mão. Christina e Mademoiselle Duval também usavam ainda a roupa de trabalho, embora a exuberante francesa vestisse suas habituais calças de montaria. Ela beijou as bochechas de Bell e chamou-o de "Eee-zahk".

— Esta semana nós três vamos filmar sobre *ladrons de banc*, Eee-zahk. Você precisa me dar algumas dicas de policial.

— Ela quer mais do que dicas — Marion sussurrou, com um sorriso irônico.

— Os *ladrons de banc* não são um símbolo da liberdade *americaine*? — insistiu Mademoiselle Duvall.

Bell respondeu-lhe com um sorriso sombrio.

— Ladrões de banco são símbolos de morte e horror. O trio que estou perseguindo no momento geralmente atira em todo mundo que estiver no prédio.

— Porque eles têm medo de ser reconhecidos — disse a diretora francesa. — Meus *ladrons de banc* não vão atirar em ninguém porque são pobres e conhecidos dos pobres.

Christina rolou os olhos para o alto.

— Como Robin Hood? — ela indagou, um tanto acidamente.

— Já que o público os conhece — sugeriu Marion —, você poderia fazê-los usar máscaras.

— Uma máscara só pode esconder um estranho — disse Mademoiselle Duvall. — Mesmo que eu usasse uma máscara — ela demonstrou com seu lenço, cobrindo com a seda seu nariz gaulês e a boca sensual, de modo que só os olhos fossem visíveis —, Eee-zahk me reconheceria pelo olhar.

— Isso porque você fica lançando olhares para ele — riu-se Marion.

A expressão de Isaac Bell mudou abruptamente.

— Não é culpa minha! Eee-zahk é bonito demais para que eu me contenha. Para isso, precisaria cobrir até os olhos.

Nesse momento, elas perceberam seu semblante endurecer. Ele pareceu distante e frio. Mademoiselle Duvall estendeu a mão e tocou-lhe o braço.

— *Chéri* — ela se desculpou —, você ficou tão sério! Perdoe se meu comportamento foi *inapproprié.*

— Não se preocupe com isso — disse Bell, dando-lhe tapinhas distraidamente enquanto apertava a mão de Marion fortemente por baixo da mesa. — Mas você me deu uma ideia estranha. Algo em que pensar.

— Chega de pensar esta noite — disse Marion.

Bell levantou-se.

— Desculpem-me. Preciso passar um telegrama.

O hotel tinha um telefone, que ele usou para ligar para o escritório de Nova York e ditar um telegrama a ser enviado aos cuidados de John Scully e a todos os postos da Van Dorn na região onde o detetive fora visto pela última vez.

NOME MUDADO. FRYE VOLTARAM PARA CASA,
PERTO PRIMEIRO TRABALHO EM NEW JERSEY.

Sorrindo, Marion esperava-o no saguão, perto da escada.

— Eu dei boa-noite por você.

7

— **Vá até o Greenwich Village** e traga aqui o doutor Cruson — ordenou Isaac Bell ao aprendiz, quando entrou apressado no escritório da Van Dorn no Knickerbocker, logo cedo na manhã seguinte. — Pode tomar um táxi nos dois trajetos. Vá, já!

O doutor Daniel Cruson era um especialista em caligrafias.

O aprendiz saiu correndo.

Bell leu seus telegramas. O laboratório em Washington confirmava que a tinta no bilhete de Arthur Langner era a mesma da caneta de Langner. Ele não estava surpreso.

Um telegrama da Pensilvânia demonstrava as falhas na investigação estilo lobo solitário de John Scully. Os agentes que Joe Van Dorn designara para auxiliar Scully, enquanto Bell investigava a morte de Arthur Langner, tinham enviado:

NÃO ENCONTRAMOS SCULLY.
CONTINUAMOS PROCURANDO.
RESPOSTA A/C WESTERN UNION SCRANTON E FILADÉLFIA.

Bell resmungou uma blasfêmia em meio a um suspiro. Eles tinham se dividido para aumentar as chances de encontrar Scully. Se não o encontrassem até o meio-dia, teria a obrigação de informar ao chefe que os detetives designados para ajudar Scully a rastrear os irmãos Frye estavam mesmo era procurando Scully.

Bell ligou para o agente de pesquisas que trouxera para o caso. Grady Forrer era um homenzarrão grisalho, com o peito e a barriga enormes. Ele era como aquele amigo que você gostaria de ter ao lado em uma briga de bar; no entanto, o que nele mais impressionava era a feroz determinação em observar os mínimos detalhes e sua memória prodigiosa.

— Você descobriu onde ficava a casa daqueles gambás raivosos? — indagou Bell. — Onde eles cresceram?

O pesquisador abanou a cabeça.

— Estou quebrando a cabeça, Isaac. Não consigo descobrir de onde saíram os irmãos Frye em lugar algum de New Jersey. Procurei por primos. Nada.

Bell disse:

— Tive uma ideia a esse respeito. E se eles mudaram de nome na época da primeira fuga? Aquele primeiro roubo foi no meio do estado, se não me engano. Um banco de economias de fazendeiros em East Brunswick.

— Uma cidadezinha caipira a meio caminho para Princeton.

— Nós sempre atribuímos à sua ferocidade os ataques aos caixas de banco e aos clientes. Mas e se esses três fossem estúpidos o bastante para roubar o banco mais próximo de onde moravam?

Grady Forrer empertigou-se.

— E se assassinaram as testemunhas porque seriam reconhecidos, mesmo se estivessem usando máscaras? Talvez as testemunhas os conhecessem como pessoas do lugar… O Joãozinho do fim da rua cresceu e conseguiu uma arma. Lembra-se do primeiro bilhete deles, escrito com sangue: "Cuidado com os irmãos Frye"?

— Então, talvez não tenham sido tão estúpidos, afinal de contas — admirou-se o pesquisador. — Daí por diante, todo mundo passou a chamá-los de "Irmãos Frye".

— Exatamente como queriam que pensássemos. Encontre uma família próxima daquele banco de East Brunswick com três irmãos ou primos que tenham desaparecido de repente. Até mesmo dois irmãos e, quem sabe, um vizinho.

Bell mandou telegramas aos agentes enviados para ajudar Scully e ao próprio Scully, instruindo-os a se dirigirem para East Brunswick.

"*Merci, Mademoiselle Duvall!* E quem mais tem guiado meus pensamentos?"

O que o levou direto à fotografia do bilhete de suicídio de Arthur Langner. Ele a colocou ao lado de outro instantâneo, de um dos requerimentos de patente manuscritos de Langner, que fizera na manhã anterior. Examinou as duas imagens com uma lupa, procurando incoerências que pudessem sugerir uma falsificação. Não conseguiu encontrar nenhuma. Mas não era um especialista, por isso mandara chamar o especialista em caligrafias de Greenwich Village.

O doutor Daniel Cruson preferia o título mais sonoro de "grafologista". A barba branca e as sobrancelhas espessas combinavam com um homem que desfiava teorias elevadas sobre o "discurso terapêutico" europeu dos doutores Freud e Jung. Era também dado a declarações do tipo: "O complexo rouba a luz e o alimento ao ego", motivo pelo qual Bell o evitava sempre que podia. Mas Cruson tinha um talento aguçado para a falsificação. Tão aguçado que Bell suspeitava de que o "Doutor Grafologia" juntava os meios aos fins, forjando ocasionalmente um cheque bancário.

Cruson inspecionou a fotografia do bilhete de suicídio com uma lente de aumento, depois prendeu uma lupa de joalheiro no olho e repetiu o processo. Por fim, recostou-se na cadeira, abanando a cabeça.

Bell indagou:

— Vê incoerências na caligrafia que possam sugerir que foi escrito por um falsário?

Cruson disse:

— Você é o detetive.

— Você sabe que eu sou — disse Bell, bruscamente, para evitar uma discussão inútil.

— Tem alguma familiaridade com a obra de Sir William Herschel?

— Identificação de digitais?

— Mas Sir William também acreditava que a caligrafia expõe o caráter.

— Estou menos interessado no caráter do que na falsificação.

Cruson não ouviu.

— A partir desta mera amostra, posso dizer que o homem que escreveu este bilhete era excêntrico, tinha um elevado senso artístico e também era uma pessoa muito dramática. Dado a gestos grandiosos. Profundamente sensível, com sentimentos profundos que poderiam ser avassaladores.

— Em outras palavras — interrompeu Bell sombriamente, admitindo que teria de relatar o pior à Dorothy Langner —, o tipo emocional com alta probabilidade de cometer suicídio.

— É muito trágico tirar a própria vida tão jovem.

— Langner não era jovem.

— Se tivesse tempo, com a análise psicológica, poderia ter investigado as causas do seu sofrimento e aprendido a controlar os impulsos autodestrutivos.

— Langner não era jovem — repetiu Bell.

— Ele era muito jovem.

— Ele tinha 60 anos de idade.

— Impossível! Observe o talhe desta letra. Veja o fluxo afoito e fácil. A escrita de um homem mais velho se contrai... As letras tornam-se menores e se desgarram, como se as mãos se enrijecessem com a idade. Esta é, além de qualquer dúvida, a caligrafia de um homem na casa dos 20 anos.

— Na casa dos 20? — repetiu Bell, subitamente eletrizado.

— Com menos de 30 anos, isso eu lhe garanto.

Bell tinha uma memória fotográfica. Em uma fração de segundos, retornou mentalmente ao escritório de Arthur Langner. Viu as estantes alinhadas com os volumes encadernados dos requerimentos de patentes de Langner. Precisara abrir vários para encontrar uma amostra para fotografar. Os anteriores a 1885 haviam sido preenchidos à mão. Os mais recentes estavam datilografados.

— Arthur Langner tocava piano. Seus dedos podiam ter mais elasticidade do que os do homem mais ou menos da idade dele.

Cruson encolheu os ombros.

— Não sou nem músico nem fisiologista.

— Mas, se os dedos dele não fossem mais flexíveis, então isto poderia ser uma fraude.

Cruson bufou.

— Certamente, você não me chamou aqui para analisar a personalidade de um falsário. Quanto mais habilidosa a falsificação, menos irá me dizer sobre a personalidade do seu autor.

— Não o chamei aqui para você analisar a personalidade de um suposto falsário, mas para confirmar se isto é uma falsificação. Agora você está me dizendo que o falsário cometeu um erro. Ele copiou a letra de Langner de uma amostra antiga da sua caligrafia. Obrigado, doutor Cruson! Você abriu uma nova possibilidade para esse caso. A menos que o virtuosismo ao piano tenha conservado a caligrafia como a de quando era jovem, isto aqui é uma fraude e Arthur Langner foi assassinado.

Um secretário da Van Dorn entrou afobado, agitando uma folha de papel amarela.

— *Scully!*

O telegrama do solitário John Scully, que ele colocou na mão de Bell, era tipicamente lacônico.

RECEBI SEU TELEGRAMA. PENSEI O MESMO.
SUPOSTOS FRYE VIZINHOS CERCADOS OESTE DE EAST BRUNSWICK.
FORÇA POLICIAL LOCAL SEUS PRIMOS.
IMPORTA-SE EM DAR UMA MÃO?

— "Cercados"? — indagou Bell. — Será que Mike e Eddie se encontraram com ele?

— Não, senhor. Ele fez tudo sozinho, como sempre.

Parecia que Scully descobrira os nomes verdadeiros dos Frye e os seguira até onde moravam, só para descobrir que os ladrões de bancos eram parentes de um xerife malandro que os ajudaria a fugir. Nesse caso, até mesmo o excelente Scully encontrava-se diante de uma situação mais difícil do que podia se encarregar.

Bell correu os olhos rapidamente pelo resto do telegrama em busca de um endereço.

FAZENDA WILLIARD.
ESTRADA PARA CRANBURY, A 16 KM OESTE DE STONE CHURCH.
TOMAR A SAÍDA ASSINALADA.
CAMINHÃO DE LEITE A 1,6 KM.

Um lugar no meio do nada no interior de New Jersey. Levaria um dia inteiro para chegar lá fazendo as baldeações pelos trens locais.

— Telefone para a garagem de Weehawken e peça para aprontarem meu carro!

Bell pegou uma pesada sacola de golfe e desceu apressado pela escada do Knickerbocker. Saltou para dentro de um táxi e ordenou ao motorista para levá-lo ao píer, na entrada da 42nd Street. Lá, embarcou no *ferryboat* para Weehawken, em New Jersey, onde deixara estacionado seu Locomobile vermelho.

8

O bar do Comodoro Tommy, na West 39th Street, curvava-se como uma fortaleza no térreo e no porão de um prédio de tijolos em mau estado, a uns 400 metros do píer de onde o *ferryboat* de Isaac Bell zarpara. Sua porta era estreita, as janelas gradeadas. Como se fosse o Congresso, a Casa Branca e o Departamento de Guerra somados, ele governava a favela do West Side a que os nova-iorquinos chamavam de Hell's Kitchen. Nenhum policial punha os olhos em seu interior havia anos.

Comodoro Tommy Thompson, o forte e cabeçudo proprietário do bar, era o chefão da gangue dos Gophers. Ele coletava tributos de criminosos do tráfico de drogas, da prostituição e das dívidas de apostas, dos batedores de carteira e dos ladrões, transferia uma parte do suborno à polícia e arrecadava votos para a máquina política do Partido Democrata. Também dominava o lucrativo negócio de roubar os vagões de carga da ferrovia New York Central, sendo o apelido de "Comodoro" um testemunho do nível de sucesso em seu campo de atuação — rivalizava com o do magnata das ferrovias, o comodoro Cornelius Vanderbilt, em sua própria atividade —, e a alcunha "Gophers", uma ironia que se popularizara desde 1857, representava os magnatas ferroviários desonestos e inescrupulosos.

Mas esse tipo de negócio estava prestes a encontrar um final sangrento, suspeitava o Comodoro Tommy, assim que a ferrovia organizasse uma força particular capaz de expulsar os ladrões de trens de Nova York. Portanto, ele já fazia planos. Era por isso que, enquanto o *ferryboat* de Isaac Bell atravessava rapidamente o Rio Hudson, Comodoro Thompson selava, com um aperto de mãos, um novo acordo com uma dupla de chineses "podados" — chineses americanizados e com maiores pretensões, que cortavam as tranças tradicionalmente usadas por seus compatriotas imigrantes.

Harry Wing e Louis Loh eram assassinos de aluguel da próspera sociedade secreta chinesa Hip Sing. Falavam bem o inglês, costumavam vestir-se com ternos elegantes e eram, Thompson estava certo disso, mortíferos por trás da expressão branda dos rostos lisos e bem barbeados. Reconhecera as duas almas gêmeas no instante em que se aproximaram. A exemplo dos golpistas da gangue dos Gophers, a Hip Sing lucrava com o controle do mercado negro e do contrabando à base da força, de subornos e de disciplina. E, como a gangue de Tommy, a Hip Sing vinha eliminando os rivais e se fortalecendo.

O acordo que lhe haviam proposto era irresistível: a gangue dos Gophers, de Tommy Thompson, permitiria que os gângsteres chineses instalassem casas de ópio no West Side de Manhattan. Por metade dos lucros, o Comodoro protegeria a operação, forneceria as garotas e pagaria os tiras. Harry Wing e Louis Loh atrairiam, para a sociedade secreta Hip Sing, clientes brancos de classe média com dinheiro para gastar — os casuais "usuários da branquinha", os consumidores de drogas que temiam aventurar-se pelos becos escuros de Chinatown. Um "negócio justo", como diria o presidente Teddy Roosevelt, em referência à sua política econômica do "Square Deal". "Feito justamente", cantaria Sophie Tucker.

**

A patrulha motorizada de Newark, New Jersey, tentou alcançar Isaac Bell em um Packard.

Seu Locomobile 1906, um carro de corridas movido a gasolina, era pintado no mesmo tom de vermelho que o dos bombeiros. Ele pedira a cor de fábrica para que os motoristas mais lentos tivessem oportunidade de vê-lo a tempo de sair do caminho. Mas a cor e o escapamento trovejante do Locomobile tendiam a chamar a atenção da polícia.

Antes de chegar a East Orange, já deixara os tiras de Newark na poeira.

Em Elizabeth, partiram atrás dele de motocicleta. Bell perdeu a máquina de vista muito antes de Roselle. E, agora, o interior abria-se à sua frente.

O Locomobile fora construído para as pistas de corrida e detinha muitos recordes. Os para-choques e os faróis, equipamentos de fábrica para a direção na cidade, não o domesticavam. Nas mãos de um homem com nervos de aço, paixão pela velocidade e reflexos de um gato, o grande motor de 16 litros permitia uma velocidade fantástica nas estradas vicinais de New Jersey, e ele se projetava através das cidades modorrentas como um meteoro.

Vestido das botas até o queixo com um guarda-pó comprido de linho, óculos de proteção nos olhos, a cabeça descoberta para poder ouvir cada nuance do troar do motor de quatro cilindros, Bell acionava o câmbio, a embreagem e a buzina em uma sincronia cadenciada, acelerando nas retas, esgueirando-se nas curvas, buzinando para os fazendeiros, para o gado e para os veículos mais lentos que ultrapassava. Aproveitaria imensamente a viagem não fosse pela preocupação com John Scully. Deixara o detetive solitário em uma enrascada. O fato de o próprio Scully ter-se metido sozinho naquela situação nada significava. Como chefe do caso, era ele o responsável por cuidar do seu pessoal.

Ele dirigia com as mãos grandes na parte inferior da direção radial. Nas cidades, quando precisava diminuir a velocidade, tinha de usar as duas mãos para controlar, em etapas, a fera desembestada. Mas, quando adquiria velocidade nas estradas das fazendas, o motor reagia maravilhosamente ao seu comando. Uma das mãos era suficiente, enquanto a outra bombeava repetidamente a pressão do combustível e acionava a buzina. Ele raramente usava os freios. Não fazia muito sentido. O pessoal de Bridgeport, Connecticut, que construíra o Locomobile, instalara um sistema de frenagem que funcionava em paralelo com o câmbio — uma ideia despretensiosa adicional, que praticamente dispensava o uso dos freios. Isaac Bell não se incomodava.

No momento em que saiu rugindo de Woodbridge, um Mercedes GP de dois lugares e 120 cavalos tentou, por todos os meios, ultrapassá-lo. Bell pisou fundo no pedal do acelerador do Locomobile e continuou sendo o dono da estrada.

9

— **O que é isso?** — indagou o Comodoro Tommy Thompson.

— Diz ele que tem uma proposta a lhe fazer.

Os capangas de Tommy, dois lutadores de nariz quebrado que haviam assassinado muitos de seus rivais ao longo dos anos, postavam-se lado a lado de um cavalheiro refinado que haviam escoltado para dentro do escritório nos fundos do prédio.

Em um silêncio frio, Tommy Thompson avaliou o que parecia ser um genuíno grã-fino da 5th Avenue. Era um homem de constituição média, mais ou menos da sua idade, 30 anos. Altura mediana, com uma cara bengala de castão dourado, um caro casaco preto com gola de veludo, um caro chapéu de pele, luvas de pelica. O calor irradiava do fogão a carvão e o homem descalçou as luvas calmamente, revelando um anel grosso com pedras preciosas engastadas, e desabotoou o casaco. Por baixo do casaco, o líder da gangue dos Gophers pôde ver uma corrente de relógio de ouro maciço, grossa o bastante para deter um cavalo de cervejaria, e um terno de lã azul-escuro. Tommy seria capaz de se divertir com três coristas por uma semana em Atlantic City pelo que aquele bacana pagara pelas botinas.

O grã-fino não disse uma palavra. Permaneceu totalmente imóvel depois de tirar as luvas e abrir o casaco, a não ser quando ergueu uma das mãos para alisar a extremidade do bigode fino com o polegar, o qual, em seguida, enganchou no bolso do colete.

Um belo cliente, concluiu o Comodoro Tommy. Concluiu também que, mesmo que todos os tiras de Nova York contribuíssem para essa finalidade, ainda assim não conseguiriam produzir um detetive disfarçado com tal apresentação. Mesmo que fossem capazes de levantar a grana, não havia um tira na cidade que pudesse aparentar aquela cara de alguém nascido com uma estrela na testa. Então, o chefe da gangue perguntou:

— O que você quer?

— Imagino — indagou o grã-fino — que você seja realmente o líder da gangue dos Gophers...

O Comodoro Tommy foi cauteloso, de novo. O grã-fino não era um completo estranho em relação ao Hell's Kitchen. Pronunciara o nome da gangue corretamente — como "gufers". Não como os jornais escreviam para os leitores da 5th Avenue. Onde será que aprendera a dizer "gufers"?

— Eu perguntei o que você quer.

— Quero pagar 5 mil dólares pelos serviços de três assassinos.

Tommy Thompson endireitou-se na cadeira. Cinco mil dólares era uma *bela* soma de dinheiro. Tanto dinheiro que ele se esqueceu da pronúncia de Gophers e jogou a cautela pelos ares.

— Quem você quer assassinado?

— Um escocês chamado Alasdair MacDonald precisa ser morto em Camden, New Jersey. Os assassinos devem ser peritos com facas.

— Ah, é mesmo?

— Tenho o dinheiro aqui comigo — disse o grã-fino. — Pago adiantado e confiarei que fará o serviço.

Tommy Thompson voltou-se para seus capangas. Os brutamontes riam com cinismo, sem perder o ar sisudo. O grã-fino acabara de cometer o erro fatal de admitir que trazia a grana consigo.

— Peguem os 5 mil dólares dele — ordenou Tommy. — Peguem o relógio. Peguem o anel. Peguem a bengala com o castão de ouro, o casaco, o chapéu de pele, o terno e as botinas, e atirem esse filho da puta no rio.

Eles se adiantaram ao mesmo tempo, com uma rapidez surpreendente para homens daquela envergadura.

O casaco e o terno feito sob medida do grã-fino ocultavam uma compleição robusta. A imobilidade da sua postura mascarava uma velocidade inesperada. No tempo de uma batida de coração, um capanga jazia espalhado no chão, atordoado e ensanguentado. O outro implorava perdão com uma voz que era mais um gemido esganiçado. O grã-fino enroscara a cabeça do capanga sob um braço, enquanto pressionava o polegar contra um de seus olhos.

O Comodoro Tommy engoliu em seco num reconhecimento impressionado.

Ajustada sobre a unha do polegar do grã-fino, luzia uma goiva tão aguçada quanto uma navalha. Sua extremidade pressionava o canto do olho do capanga e estava claro ao gângster lamuriento — e ao Comodoro Tommy — que, com um leve movimento do polegar, o grã-fino faria saltar o olho da cabeça do homem como um bago de uva.

— *Jésus,* Jésus, *Jésus* — Tommy ofegou, exclamando com o sotaque típico dos dublinenses. — Você é Brian O'Shay!

Ante a pronúncia daquele nome, o capanga, cujo olho estava a uma fração de centímetro de ser extraído da órbita, começou a chorar. O outro, no chão, ainda esforçando-se para respirar, soluçou:

— Não pode ser. Olhos O'Shay está morto.

— Se estava — disse o Comodoro Tommy —, então acabou de ressuscitar.

O líder da gangue dos Gophers parecia maravilhado.

Brian "Olhos" O'Shay desaparecera 15 anos antes. Não era de admirar que conhecesse os Gophers. Se Olhos não tivesse desaparecido, eles ainda estariam se enfrentando pelo comando do Hell's Kitchen. Mal saído da infância, O'Shay tornara-se um mestre no armamento da gangue — atiradeira, cano de chumbo, soqueira e botinas de ponta afiada — e até mesmo passara a mão em um revólver da polícia. Mas O'Shay era mais temido por arrancar os olhos dos adversários com uma unha de cobre especialmente ajustada sobre o polegar.

— Você subiu na vida — disse Tommy, superando o choque. — Essa goiva parece ser de prata pura.

— Aço inoxidável — disse O'Shay. — Mantém o fio e não se corrói.

— Então você voltou. E rico o bastante para pagar as pessoas para matar em seu lugar.

— Não vou repetir a oferta.

— Aceito o trabalho.

Olhos O'Shay moveu-se rapidamente, arranhando a bochecha do capanga no momento em que o soltava. O homem gritou, levando as mãos imediatamente ao rosto. Ele piscou, retirou as mãos e olhou para o sangue. Então piscou de novo e sorriu agradecido. O sangue corria do corte que lhe atravessava a bochecha até a mandíbula, mas os olhos continuavam intactos.

— Levantem-se — ordenou o Comodoro Tommy. — Vocês dois. Encontrem o Homem de Gelo. Digam a ele para trazer Kelly e Butler.

Os dois saíram apressados, deixando Tommy Thompson sozinho com O'Shay. Tommy disse:

— Isso deve pôr fim aos rumores de que o matei.

— Você não conseguiria nem no seu dia de sorte, Tommy.

O chefe da gangue dos Gophers protestou, indignado com o insulto e o desacato subentendido.

— Por que está falando assim? Éramos parceiros.

— Às vezes.

Eles permaneceram em silêncio, antigos rivais avaliando-se.

— Você voltou — murmurou Tommy. — Jésus Cristo, de onde?

O'Shay não respondeu.

Cinco minutos se passaram. Dez.

Kelly e Butler entraram lado a lado no escritório do Comodoro, seguidos por Homem de Gelo Weeks.

Brian O'Shay fitou-os.

Novos integrantes típicos da gangue dos Gophers, ele pensou, homens baixos, atarracados. E o progresso não era uma coisa maravilhosa? Tommy era uma criatura primitiva nos velhos tempos, quando força e corpulência mandavam. Agora os bastões e canos de chumbo cediam lugar às armas de fogo. Kelly, Butler e Weeks tinham uma compleição semelhante à dele, mas estavam vestidos com afetação na última moda dos gângsteres — ternos apertados, coletes vistosos, gravatas floridas. Kelly e Butler usavam sapatos amarelos lustrosos com meias lilás. Weeks, o Homem de Gelo, vestia uma calça justa, azul-claro. Ele era o sujeito frio que ficaria por trás, esperando que os esquentados se arrebentassem e, depois, daria o bote em sua presa. Em seus sonhos, o Comodoro teria uma morte rápida e o Homem de Gelo Weeks assumiria a gangue dos Gophers.

O'Shay tirou do casaco três canivetes borboleta, com dois cabos giratórios, usados em artes marciais, e estendeu um a cada um dos homens. Eram fabricados na Alemanha, com um acabamento primoroso, rápidos de abrir e com a lâmina afiada. Kelly, Butler e Weeks os seguraram boquiabertos.

— Deixem-nos no homem quando fizerem o trabalho — ordenou O'Shay, com um olhar de relance para o Comodoro, que o secundou com um olhar velado. — Se eu vir vocês com eles, quebro seus pescoços.

O'Shay abriu uma carteira gorda e tirou três passagens de ida e volta a Camden, New Jersey.

— MacDonald — disse ele — costuma aparecer no Salão de Dança Del Rossi depois que escurece. O lugar fica no distrito de Gloucester.

— Qual é o jeito dele? — quis saber Weeks.

— Como uma avalanche — disse O'Shay. — Vocês não vão errar.

— Vamos indo! — ordenou o Comodoro Tommy. — Não voltem enquanto ele não estiver morto.

— Quando vamos ser pagos? — indagou Weeks.

— Quando ele estiver morto.

Os assassinos tomaram o rumo do *ferryboat* para a ferrovia.

O'Shay tirou um envelope volumoso do sobretudo e contou 50 notas de 100 dólares, que foi depositando sobre a escrivaninha de Tommy Thompson. Thompson contou tudo de novo e enfiou o dinheiro no bolso da calça.

— É um prazer fazer negócio com você.

O'Shay disse:

— Vou ter mais serviço para aqueles tipos de língua afiada também.

O semblante do Comodoro Tommy endureceu.

— Em que tipos de língua afiada estaria pensando, Brian O'Shay?

— Aqueles dois tipos maneiros da Hip Sing.

— Essa não! Como ficou sabendo deles?

— Não se deixe enganar pelos puxa-sacos, Tommy. Ainda estou à sua frente e sempre estarei.

O'Shay deu meia-volta e saiu a passos largos em direção ao bar.

Tommy Thompson estalou os dedos. Um garoto chamado Paddy, o Rato, apareceu, vindo de uma porta lateral. Era magro e cinzento. Nas ruas, era quase invisível, a exemplo do animal daninho que lhe emprestava o apelido.

— Siga O'Shay. Descubra onde mora e por qual apelido se faz chamar.

Paddy, o Rato, seguiu O'Shay no sentido Leste, ao longo da 39th Street. O belo casaco e o chapéu de pele pareciam brilhar enquanto ele abria caminho por entre os pobres malvestidos que perambulavam sobre o calçamento sujo da rua. Ele atravessou a 10th Avenue e a 9th, onde se desviou sem esforço de um bêbado que cambaleava em sua direção, vindo das sombras do viaduto da ferrovia. Assim que passou pela 7th, parou na frente de uma garagem de aluguel de carros e olhou através dos painéis de vidro da janela.

Paddy esgueirou-se por trás de uma parelha de cavalos de uma charrete. Escudado pelo corpo dos animais, acariciando-lhes o peito volumoso para acalmá-los, o garoto ficou imaginando como seguiria O'Shay se ele alugasse um automóvel.

O'Shay voltou-se abruptamente e partiu apressado.

Paddy se sentiu desconfortável quando o bairro mudou. Novos edifícios eram construídos, além de escritórios e hotéis altos. O grande edifício da Metropolitan Opera House erguia-se inacabado, como um palácio. Se os tiras o vissem, correriam com ele por invadir o bairro da classe alta. O'Shay aproximava-se da Broadway. De repente, desapareceu.

Paddy, o Rato, partiu em uma corrida desesperada. Não poderia voltar ao Hell's Kitchen sem informar o endereço de O'Shay. Lá estava ele! Com um suspiro de alívio, entrou em um beco ao lado do teatro em construção. No fim do beco, viu a parte traseira de um casaco preto dobrar a esquina. Correu até lá e derrapou, virando a esquina, diretamente de encontro a um punho que o atirou na lama.

O'Shay inclinou-se sobre ele. Paddy, o Rato, viu um lampejo de aço. Uma picada aguda de dor explodiu em seu olho direito. Ele compreendeu instantaneamente o que O'Shay lhe fizera e gritou desesperado.

— Abra a mão! — disse O'Shay.

Como ele não abrisse, o aço picou o olho remanescente.

— Vai perder este aqui também se não abrir a mão.

Paddy, o Rato, abriu a mão. Estremeceu quando sentiu O'Shay pressionar alguma coisa redonda e terrível contra a palma de sua mão e fechar os seus dedos ao redor dela quase com delicadeza.

— Dê isso ao Tommy.

**

O'Shay deixou o garoto lamuriando-se no beco e refez o mesmo caminho até a 39th Street. Deteve-se nas sombras, imóvel como uma estátua, até ter certeza de que o pequeno fuinha não tinha um parceiro o observando. Então continuou, no sentido Leste, pelo elevado da 6th Avenue, verificou a retaguarda, caminhou em direção à 5th Avenue e virou em direção ao centro da cidade, ainda examinando os reflexos nas janelas.

Um tira irlandês, de bigode, que orientava o trânsito, gritou para uma carroça de carga parar, para que o cavalheiro bem-vestido atravessasse a 34th Street. Os porteiros — cujo uniforme azul e dourado deixaria orgulhoso um comandante de um couraçado fortemente armado — mexeram-se quando notaram sua aproximação.

O'Shay retribuiu os frios cumprimentos e entrou solenemente no Waldorf-Astoria Hotel.

10

Isaac Bell avistou o lenço vermelho de John Scully amarrado a uma cerca. Manobrou o Locomobile para a estradinha que o lenço assinalava, tirando o pedal do acelerador pela primeira vez desde que deixara Weehawken, e cortou a corrente, o que reduziu o escapamento trovejante a um murmúrio oco.

Subiu por uma colina escarpada e dirigiu por 1.600 metros através dos campos arados da fazenda, que esperavam pelo plantio de primavera. O engenhoso Scully conseguira um caminhão de coleta de leite, exatamente o tipo de veículo que não ficaria fora de lugar nas estradas de fazendas de New Jersey. Bell diminuiu e estacionou discretamente ao lado do caminhão, de modo que o Locomobile não fosse visto da estrada. Então, pegou a sacola de golfe do assento do passageiro e carregou-a até o topo da colina, onde o detetive da Van Dorn encontrava-se deitado sobre a grama marrom.

O lacônico solitário era um homem baixo e rechonchudo, com um rosto redondo, que poderia passar por um colega confiável de pregadores, vendedores de loja, arrombadores de cofre ou assassinos. Treze quilos de gordura disfarçavam camadas de músculos rijos como rocha, e seu sorriso acanhado ocultava um raciocínio mais rápido do que uma armadilha de urso. Ele observava a casa ao sopé da colina com um binóculo. Da chaminé da cozinha, subia uma coluna de fumaça. Do lado de fora, achava-se estacionado um grande carro de passeio Marmon, um veículo possante, coberto de lama e poeira.

— O que tem na sacola? — Scully cumprimentou Bell.

— Alguns tacos de meia distância — Bell sorriu com ironia, tirando um par de espingardas de coronha larga Browning Auto-5, calibre 12. — Quantos estão na casa?

— Três ao todo.

— Alguém mora ali?

— Não houve fumaça antes de chegarem.

Bell aquiesceu, satisfeito por não haver inocentes a serem surpreendidos no fogo cruzado. Scully passou-lhe o binóculo. Ele examinou a casa e o automóvel.

— Aquele é o Marmon que eles roubaram em Ohio?

— Poderia ser outro. Eles parecem gostar dos Marmons.

— Como conseguiu a localização deles?

— Segui seu palpite sobre o primeiro trabalho deles. O verdadeiro nome dos irmãos é Williard, e, se eu e você fôssemos a metade dos espertos que pensamos que somos, teríamos dado com eles um mês atrás.

— Não posso discutir isso — admitiu Bell. — Por que não começamos o negócio deixando o carro deles fora de ação?

— Nunca acertaríamos nele daqui com essas espingardas de cartucho, o chumbo se espalha.

Bell puxou da sacola de golfe um antigo rifle Sharps calibre 50, usado na caça a búfalos. Os olhos de John Scully brilharam como duas esferas de aço polidas.

— Onde conseguiu esse canhão?

— Nosso cara do escritório no Knickerbocker "aliviou-o" de um vaqueiro que participava do Pawnee Bill Wild West Show e que se embebedou em Times Square — Bell nivelou o cano para abri-lo, carregou um cartucho de pólvora negra e apontou o rifle pesado na direção do Marmon.

— Tente não fazê-lo pegar fogo — Scully advertiu. — Está carregado com os saques deles.

— Só vou dificultar a saída.

— Espere aí, o que é aquilo que vem chegando?

Um Ford K, de seis cilindros, sacolejava pela pista que ia dar na casa de fazenda. Exibia um pequeno holofote montado sobre o radiador.

— Essa não — disse Scully. — É o primo policial.

Dois homens com estrela de xerife no casaco saltaram do Ford carregando cestos. Scully observou-os através das lentes.

— Estão trazendo o jantar. Mais dois, somam cinco.

— Tem espaço no seu caminhão de leite?

— Se os espremermos bem…

— O que acha se dermos tempo para eles se distraírem enchendo a barriga?

— Não deixa de ser um plano — disse Scully, sem interromper a observação da casa.

Bell observou a estrada para a casa e voltou-se várias vezes para se assegurar de que não vinham mais parentes pela estrada de trás por onde viera.

Imaginava de onde Dorothy Langner conseguira o dinheiro para comprar o piano para o pai quando se lembrou de que ela lhe dera o instrumento recentemente.

Scully tornou-se inesperadamente falador.

— Sabe, Isaac — ele disse, gesticulando na direção da casa de fazenda lá embaixo e dos dois automóveis —, para trabalhos como esse não seria bom se alguém inventasse uma metralhadora leve o bastante para se carregar com facilidade?

— Uma "sub" metralhadora?

— Exatamente. Uma submetralhadora. Mas onde se carregaria toda aquela água para resfriar o cano?

— Não seria preciso se ela disparasse munição de pistola.

Scully concordou pensativo.

— Um carregador de tambor a deixaria mais compacta.

— Vamos dar início ao espetáculo? — indagou Bell, levantando o Sharps. Os dois detetives olharam para as árvores atrás da casa, para onde os irmãos Frye correriam quando Bell inutilizasse os carros.

— Espere eu ir para aquele lado primeiro — disse Scully. Fazendo o que dissera, ele saiu gingando colina abaixo, parecendo, pensou Bell, um pedreiro apressando-se para o trabalho. Ele fez sinal quando entrou em posição.

Bell apoiou os cotovelos no chão, recuou o cão de percussão até o ponto máximo e apontou o Sharps para o capô do motor do Marmon. Comprimiu suavemente o gatilho. A bala pesada fez o Marmon balançar sobre os pneus. O estrondo do disparo do rifle ecoou como artilharia pesada e uma nuvem de fumaça preta jorrou da boca da arma e rolou colina abaixo. Bell recarregou e disparou de novo. Outra vez o Marmon sacolejou e um pneu da frente arriou. Ele voltou sua atenção para o carro de polícia.

De olhos arregalados, os policiais brotaram de dentro da casa, segurando as pistolas. Os ladrões de banco permaneceram no interior. Canos de rifle projetaram-se da janela. Uma salva de tiros de uma Winchester de acionamento por alavanca rugiu na direção da fumaça de pólvora negra que subia do Sharps de Isaac Bell.

Bell ignorou o zumbido do chumbo passando pela sua cabeça, recarregou metodicamente o Sharps de tiro único e disparou contra o capô do motor do Ford. O vapor esguichou do radiador quente. Agora suas presas estavam a pé.

Os três ladrões de banco disparavam da casa, os rifles soltando labaredas.

Bell recarregou e disparou, recarregou e disparou. Uma arma comprida saiu voando e um homem cambaleou, agarrando o braço. Outro se virou e correu na direção das árvores. Rápidos disparos estrondearam da espingarda de carregamento automático calibre 12 de Scully e fizeram o homem mudar de ideia. Ele parou bruscamente, olhou freneticamente ao redor, deixou a arma cair e ergueu as mãos para o ar. Os policiais, segurando as pistolas, imobilizaram-se. Bell levantou-se, apontando o Sharps através da fumaça negra. Scully saiu de trás das árvores, apontando a espingarda.

— A minha é uma automática calibre 12 — falou Scully, sem maiores formalidades. — O cara no alto do morro tem um rifle Sharps. Já estava na hora de os meninos criarem juízo.

Os policiais baixaram as pistolas. O terceiro Frye carregou um novo cartucho na câmara da sua Winchester e fez pontaria. Bell enquadrou-o em seu ângulo de visão, mas Scully atirou primeiro, inclinando o cano da espingarda para cima para aumentar o raio de alcance. Os projéteis da carga espalharam-se com a distância. A maioria passou pelo ladrão de banco. Dois deles acertaram-lhe o ombro.

**

Nenhum dos homens atingidos estava mortalmente ferido. Bell assegurou-se de que não sangrassem até morrer e os algemou com os outros no caminhão de leite de Scully. Começaram a descer a colina, Scully dirigindo o caminhão, Bell, seu Locomobile, guardando a traseira. Assim que chegaram à estrada pedagiada de Cranbury, Mike e Eddie, os homens da Van

Dorn designados para ajudar Scully, apareceram em um Oldsmobile, e a caravana encaminhou-se a Trenton, para entregar os ladrões de banco e os tiras desonestos ao promotor público do estado.

Duas horas depois, aproximando-se de Trenton, Bell viu uma placa na estrada que refrescou sua memória fotográfica. A placa continha uma série de nomes de cidades e de estradas com as palavras acompanhadas de setas apontando para o Sul: a estrada pedagiada de Hamilton, a rodovia de Bordentown, a estrada de Burlington e a estrada pedagiada de Westfield, para Camden.

Arthur Langner fizera alguns apontamentos em um calendário de parede. Dois dias antes de morrer, havia se encontrado com Alasdair MacDonald, o especialista em turbinas de propulsão que fora contratado pela Diretoria de Engenharia de Turbinas a Vapor da Marinha. A fábrica de MacDonald ficava em Camden.

Como alegara Dorothy Langner, seu pai amava seus canhões. Assim como Farley Kent amava seus cascos e Alasdair MacDonald, suas turbinas. Um mago, assim ela chamara MacDonald, indicando que era do mesmo nível que o pai. Bell imaginou o que mais os dois homens teriam em comum.

Ele acionou a buzina do Locomobile. O Oldsmobile e o caminhão de leite derraparam na poeira ao parar bruscamente.

— Tenho de ver um sujeito em Camden — Bell informou a Scully.

— Precisa de ajuda?

— Preciso! Assim que entregar esse bando, poderia ir até o estaleiro da Marinha no Brooklyn? Lá, no estúdio de desenho, trabalha um arquiteto naval chamado Farley Kent. Veja se está tudo bem com ele.

Bell virou o Locomobile para o Sul.

**

NOS SUPRIMENTOS DE CAMDEN
O MUNDO CONFIA

o cartaz cumprimentou Isaac Bell quando ele entrou na cidade industrial, que ocupava a margem leste do Rio Delaware, em frente à Filadélfia. Ele passou por fábricas que produziam de tudo, de charutos a medicamentos, linóleo, terracota e sopas. Mas era o estaleiro que dominava a paisagem.

Com o incoerente nome de New York Shipbuilding Company, o estaleiro estendia-se entre o Delaware e o Newton Creek, com modernos passeios cobertos e guindastes gigantescos elevando-se para o céu enfumaçado. Do outro lado do rio, espalhavam-se os estaleiros Cramp Ship Builders e o Estaleiro da Marinha da Filadélfia.

A noite caiu antes que Bell encontrasse o espaço da MacDonald Marine Steam Turbine Company à beira do rio, em meio a um labirinto de fábricas menores que supriam o estaleiro com artigos especializados. Estacionou o Locomobile junto aos portões e pediu para ver Alasdair MacDonald. MacDonald não estava. Um recepcionista atencioso informou:

— Poderá encontrar o professor em Gloucester City, a apenas alguns quarteirões daqui.

— Por que o chama de professor?

— Porque ele é muito inteligente. Ele era um aprendiz do inventor da turbina naval, Charles Parsons, que revolucionou a propulsão dos navios mais velozes. Na época em que o professor veio para os Estados Unidos, sabia mais sobre turbinas do que o próprio Parsons.

— Em que lugar em Gloucester City?

— No Salão de Dança Del Rossi... Não que ele vá lá para dançar. Lá é mais um bar do que um salão de dança, se entende o que quero dizer.

— Conheci estabelecimentos parecidos no Oeste — disse Bell, com indiferença.

— Entre pela King Street. Não vai errar.

Gloucester City ficava logo depois de Camden, descendo o rio. Uma cidade seguia-se a outra sem interrupção. A King Street ficava perto do rio. Bares, restaurantes baratos e pensões recebiam os trabalhadores dos estaleiros e do movimentado porto da cidade. O Del Rossi era inconfundível, como prometera o recepcionista da MacDonald, exibindo uma frente falsa que imitava um palco em arco, como nos teatros da Broadway.

O interior era uma bagunça, com o piano sendo tocado no volume mais alto que Bell já ouvira, mulheres soltando risadas esganiçadas, garçons suados abrindo o gargalo das garrafas e despejando o conteúdo com pressa, leões de chácara exaustos, e marinheiros e trabalhadores dos estaleiros espalhados de parede a parede — uns quinhentos homens no mínimo —, determinados a vencer a corrida para se embebedarem mais rápido. Bell examinou o salão sobre o mar de rostos incendiados embaixo de nuvens de fumaça azulada. Os únicos ocupantes que não estavam em mangas de camisa eram ele próprio, em seu terno branco, um sujeito grisalho e bonitão, com um casaco vermelho comprido, que ele imaginou ser o proprietário, e um trio de gângsteres afetando uma falsa elegância, metidos em chapéus-cocos marrons, camisas lilás, coletes vistosos e gravatas listradas. Bell não conseguia ver seus sapatos, mas desconfiou que fossem amarelos.

Ele abriu caminho com os ombros largos na direção do casacão vermelho.

— Senhor Del Rossi — gritou acima do estrépito, estendendo a mão.

— Boa noite, senhor! Pode me chamar de Angelo.

— Isaac.

Eles se apertaram as mãos. A mão de Del Rossi era macia, mas ostentava marcas antigas de queimaduras e de cortes cicatrizados do trabalho em navios durante a juventude.

— Noite agitada.

— Deus salve a nossa "Nova Marinha". É assim todas as noites. A New York Ship lança o *Michigan* no mês que vem e acabou de montar a quilha de um contratorpedeiro de 28 nós. Do outro lado do rio, o Estaleiro da Marinha da Filadélfia está construindo uma nova doca seca, a Cramp vai lançar o *South Caroline* nesse verão, além de ter assinado um contrato para *seis* contratorpedeiros de 700 toneladas... Seis, veja bem, *seis.* Em que posso servi-lo, senhor?

— Estou procurando um sujeito chamado Alasdair MacDonald.

Del Rossi franziu o cenho.

— O professor? Siga o ruído dos punhos amassando mandíbulas — ele respondeu, inclinando a cabeça na direção do canto oposto à porta.

— Com licença. Acho melhor ir até lá antes que alguém o derrube.

— Isso é pouco provável — disse Del Rossi. — Ele foi campeão dos pesos-pesados da Marinha Real.

Bell avaliou MacDonald enquanto abria caminho pelo salão e teve uma impressão imediata do escocês grandalhão. Ele parecia estar na casa dos 40 anos, era alto, com um semblante resoluto e músculos que se avolumavam sob a camisa encharcada de suor. Exibia diversas cicatrizes de boxeador sobre as sobrancelhas — mas nenhuma outra marca no restante do rosto, observou Bell — e mãos enormes, com articulações salientes. Numa delas, trazia um copo; na outra, uma garrafa de uísque, e, quando Bell se aproximou, ele encheu o copo e depositou a garrafa sobre o bar atrás de si, os olhos fixos na multidão. Esta se abriu de repente, explosivamente, e um brutamontes de uns 140 quilos avançou sobre MacDonald com uma fúria assassina nos olhos.

MacDonald acompanhou-o com um sorriso irônico, como se tudo aquilo não passasse de uma piada. Ingeriu um grande gole do copo e depois, sem aparentar pressa, fechou a mão vazia num punho enorme e desferiu um soco tão rápido que Bell quase não o viu.

O brutamontes desmoronou no chão coberto de serragem. MacDonald baixou os olhos para ele afavelmente. Tinha um forte sotaque escocês.

— Jake, meu amigo, você é o garoto mais gentil até a bebida correr por suas veias — para o grupo ao redor, ele perguntou: — Alguém poderia acompanhar o Jake até em casa?

Os amigos de Jake o carregaram. Bell apresentou-se a Alasdair MacDonald, que, ele deduziu, estava mais bêbado do que parecia.

— Eu o conheço, garoto?

— Isaac Bell — ele repetiu. — Dorothy Langner me disse que você era um amigo especial do pai dela.

— Era mesmo. Pobre Artie! Quando fabricaram o Artilheiro, destruíram o molde. Tome uma bebida!

Ele pediu um copo, encheu-o até a borda e entregou-o a Bell com o brinde típico escocês.

— *Slanj.*

— *Slan-uh, va* — disse Bell, e virou de vez a bebida áspera, do mesmo modo que MacDonald.

— Como vai indo a garota?

— Dorothy está se prendendo à esperança de que o pai não tenha se matado nem aceitado propina.

— Não sei quanto a se matar... As montanhas escurecem os vales. Mas de uma coisa eu sei bem: o Artilheiro enfiaria a mão em uma prancha de perfurar em vez de estendê-la para receber uma propina.

— Vocês trabalharam juntos?

— Digamos, simplesmente, que nos admirávamos.

— Imagino que tivessem objetivos parecidos.

— Nós dois amávamos couraçados, se é isso o que quer dizer. Ame-os ou os odeie, os couraçados são a maravilha da nossa época.

Bell notou que MacDonald, bêbado ou não, respondia às suas perguntas habilmente. Recuou um pouco, dizendo:

— Imagino que deva estar acompanhando o progresso da Grande Frota Branca com muito interesse.

Alasdair resfolegou com ironia.

— A vitória no mar depende da artilharia, da blindagem e da velocidade. É preciso atirar mais longe do que o inimigo, sobreviver mais aos ataques e avançar mais rápido. Segundo esses padrões, a Grande Frota Branca encontra-se desesperadamente ultrapassada.

Ele derramou mais bebida no copo de Bell e tornou a encher o próprio.

— O HMS *Dreadnought* da Inglaterra e as cópias alemãs desse couraçado têm maior alcance, uma blindagem mais resistente e uma velocidade impressionante. Nossa "frota", que é simplesmente a velha Esquadra do Atlântico requentada, não passa de um bando de couraçados *pré-dreadnought.*

— Qual é a diferença?

— Um couraçado *pré-dreadnought* é como um lutador peso-médio que aprendeu a lutar boxe na faculdade. Ele não tem a menor chance no ringue contra um peso-pesado como Jack Johnson — MacDonald sorriu desafiadoramente para Bell, cujo peso sobrepujava em uns 20 quilos.

— A menos que ele tenha se formado no West Side de Chicago — Bell devolveu o desafio.

— E tenha conseguido mais alguns quilos de músculos — reconheceu MacDonald com ar de aprovação.

Por mais impossível que parecesse, o piano de repente tocou mais alto. Alguém bateu num tambor. A multidão abriu caminho para que Angelo Del Rossi montasse um palco baixo do outro lado do bar. Ele tirou de dentro do casaco uma batuta de maestro.

Os garçons e leões de chácara deixaram de lado as bandejas e os cassetetes e pegaram banjos, violões e acordeões. As garçonetes saltaram para cima do palco e tiraram o avental, revelando vestidos tão curtos que a polícia de qualquer cidade com mais de uma igreja daria uma batida no local. Del Rossi levantou a batuta. Os músicos estrondearam a canção "Come On Down", de George M. Cohan, e as mulheres dançaram o que a Bell pareceu uma excelente imitação do cancã parisiense.

— O que estava dizendo? — ele gritou.

— Eu estava?

— Sobre os couraçados que você e o Artilheiro...

— Considere o *Michigan.* Quando entrar finalmente em serviço, nosso couraçado mais novo terá a melhor disposição de canhões do mundo, todas as peças grandes em torres sobrepostas. Mas a blindagem fina e os motores a pistão de calhambeque o condenam a ser um *semidreadnought*, no máximo... Um alvo de treinamento para os *dreadnoughts* ingleses e alemães.

MacDonald esvaziou o copo.

— O mais terrível de tudo foi a Diretoria de Material Bélico perder um construtor de canhões como Artie Langner. As diretorias técnicas odeiam mudanças. Artie forçou a mudança... Não me faça começar a falar, garoto. Este foi um mês horrível para os couraçados americanos.

— Além da morte de Artie Langner? — instigou Bell.

— O Artilheiro foi apenas o primeiro a morrer. Uma semana depois, perdemos Chad Gordon, nosso melhor especialista em blindagem da Usina Metalúrgica de Bethlehem. Um acidente horrível. Seis caras foram assados vivos... Chad e todos os seus operários. Então, na semana passada, aquele maldito idiota do Grover Lakewood caiu de uma montanha. O melhor especialista em controle de tiro do mercado. E um rapaz danado de bom. Que futuro ele nos deixou... Morto em um estúpido acidente de alpinismo.

— Espere um pouco! — disse Bell. — Está me dizendo que os *três* engenheiros especializados em couraçados *dreadnought* morreram, todos no último mês?

— Parece até uma praga, não é? — MacDonald passou a mão grande sobre o peito num sinal da cruz. — Eu nunca diria que os nossos *dreadnoughts* estão azarados. Mas, pelo bem da Marinha dos Estados Unidos, espero com todas as forças que Farley Kent e Ron Wheeler não sejam os próximos.

— Cascos no estaleiro da Marinha no Brooklyn — disse Bell. — Torpedos em Newport.

MacDonald encarou-o seriamente.

— Você está por dentro.

— Dorothy Langner mencionou Kent e Wheeler. Entendi que eram colegas de Langner.

— Colegas? — MacDonald deu uma risada. — Essa é a piada da corrida dos *dreadnoughts*, não está vendo?

— Não, não estou. O que está querendo dizer?

— É como num jogo de prestidigitação com três conchas e uma ervilha embaixo de uma das conchas, cheia de dinamite. Farley Kent cria compartimentos estanques para proteger o casco dos torpedos. Mas, lá em Newport, Ron Wheeler *melhora* os torpedos, produz um torpedo de longo alcance que carrega mais explosivos, talvez até encontre um jeito de armá-los com TNT. Então o Artie tem de, tinha de, aumentar o alcance dos canhões para que o navio acertasse mais longe, e Chad Gordon tinha de fundir uma blindagem mais resistente para receber os impactos. É por isso que eu bebo… — MacDonald tornou a encher os copos. — Só Deus sabe como vamos prosseguir sem esses caras.

— Mas você disse que a velocidade também é vital! O que me diz de você na Engenharia de Turbinas a Vapor? — indagou Bell. — Dizem que você é um mago das turbinas. A perda de Alasdair MacDonald não seria tão devastadora para o programa dos *dreadnoughts?*

MacDonald deu uma risada.

— Sou indestrutível.

Outra luta começou no meio do salão de danças.

— Com licença, Isaac — disse MacDonald, e encaminhou-se diretamente naquela direção.

Bell foi abrindo caminho atrás dele. Os gângsteres vestidos de modo espalhafatoso que vira quando chegara pairavam em torno do ringue improvisado de homens aplaudindo. MacDonald trocava socos com um jovem peso-pesado que tinha os braços de um ferreiro e um jogo de pés admirável. O escocês parecia mais lento do que o homem mais jovem. Mas Bell viu que Alasdair MacDonald permitia ao adversário desferir socos e assim avaliava suas condições. Agia de maneira tão sutil que nenhum dos golpes provocava qualquer dano. De repente, Alasdair pareceu ter aprendido tudo o que precisava. Num instante, mostrou-se rápido e mortal, desferindo golpes diferentes. Bell teve de admitir que os golpes tinham mais classe do que os que ele trocava quando lutava por Yale e lembrou-se, com um sorriso agradecido, de Joe Van Dorn orientando-o numa "pós-graduação" pelos salões de Chicago.

O ferreiro oscilou. MacDonald terminou com ele com um cruzado forte apenas o suficiente para arrematar o serviço, depois o ajudou a se levantar, deu-lhe uns tapinhas nas costas e gritou para que todos ouvissem:

— Você foi muito bem, garoto. É só uma questão de sorte... Isaac, você reparou no jogo de pés deste camarada? Não acha que ele tem futuro no ringue?

— Ele teria derrubado o senhor Jim Corbett no auge.

O ferreiro recebeu o cumprimento com um sorriso e olhos brilhantes.

MacDonald, cujos próprios olhos ainda observavam incessantemente a multidão, notou que os gângsteres se aproximavam decididamente na sua direção.

— Ah, eis mais um adversário... Mais dois. Não deu tempo nem de descansar. Tudo bem, garotos, vocês são raquíticos, mas são dois. Venham receber o que procuram.

Eles não eram exatamente raquíticos, embora MacDonald os sobrepujasse facilmente, mas eles avançaram com segurança e posicionaram bem as mãos. E, quando atacaram, ficou claro que não era a primeira vez que atuavam em equipe. Lutadores de rua talentosos, avaliou-os Bell, garotos duros de favela que lutaram muito para subir na hierarquia das gangues. Gângsteres bem formados agora, prontos para uma noite de desordem. Bell aproximou-se mais para o caso de as coisas saírem do controle.

Lançando pragas obscenas contra Alasdair MacDonald, eles o atacaram ao mesmo tempo, de ambos os lados. Pareceu haver qualquer coisa de depravado no ataque orquestrado que irritou o escocês. Com o rosto vermelho, ele fingiu uma retirada, o que os atraiu para a frente, para receber um murro de esquerda e outro devastador de direita. Um gângster cambaleou para trás, o sangue brotando do nariz. O outro se encolheu, segurando a orelha.

Bell viu o aço brilhar por trás de Alasdair MacDonald.

11

Isaac Bell alcançou rapidamente sua pistola de dois disparos e canos duplos, escondida embaixo do chapéu, e, num movimento quase imperceptível, atirou no terceiro gângster, que investia contra as costas de Alasdair MacDonald com uma faca. O alvo estava próximo, o tiro foi direto na mosca. A pesada bala calibre 44 deteve o homem no mesmo instante, e a lâmina caiu de sua mão. Mas, mesmo quando o estrondo da arma de fogo fez com que todos os demais procurassem se proteger, o engomadinho com o nariz ensanguentado avançou com outra faca contra a barriga do escocês.

MacDonald ficou boquiaberto, impressionado que uma briga amigável tivesse se tornado mortífera.

Isaac Bell compreendeu que estava testemunhando uma tentativa premeditada de assassinato. Um espectador em fuga bloqueava-lhe a visão. Bell empurrou-o para fora do caminho e atirou de novo. Acima do nariz ensanguentado de MacDonald, no rosto do homem que manejava a faca, um orifício vermelho abriu-se entre seus olhos. A faca caiu a poucos centímetros do cinto de Alasdair MacDonald.

A pistola de Bell estava vazia.

O assassino remanescente, que caíra no chão, levantou-se atrás de MacDonald com uma facilidade tal que mostrava não ter sido nem ferido, nem prejudicado pelo golpe que ele lhe acertara na orelha. Uma faca de lâmina comprida apareceu aberta na sua mão. Bell já estava puxando sua Browning nº 2 semiautomática debaixo do paletó. O assassino avançou com a faca contra as costas de MacDonald. Segurando a pistola junto ao corpo para protegê-la dos homens que corriam, Bell disparou. O tiro acertaria o cérebro do assassino, ele sabia, mas alguém se chocou contra ele no momento em que puxava o gatilho.

Ele não errou por muito. O disparo perfurou o ombro direito do engomadinho. Mas se a precisão certeira da Browning houvesse detido o movimento, o assassino teria ficado só com a mão esquerda. Porém, mesmo que a bala de calibre 38 o desequilibrasse, ele manteve o impulso e conseguiu enfiar a lâmina nas costas largas de Alasdair MacDonald.

MacDonald ainda parecia perplexo. Seus olhos encontraram os de Bell no mesmo nível quando o detetive o segurou entre os braços.

— Eles tentaram me matar! — maravilhou-se.

Bell foi soltando o peso repentinamente morto sobre o chão coberto de serragem e ajoelhou-se ao lado dele.

— Chamem um médico! — gritou Bell. — Chamem uma ambulância.

— Garoto!

— Não fale — disse Bell.

O sangue se espalhava rapidamente, tão rápido que a serragem flutuava sobre ele em vez de absorvê-lo.

— Me dê a sua mão, Isaac.

Bell tomou na sua a mão imensa espalmada.

— Por favor, me dê a sua mão.

— Já lhe dei, Alasdair... *Chamem um médico!*

Angelo Del Rossi ajoelhou-se ao lado deles.

— O médico está a caminho. Ele é um dos bons. Você vai ficar bom, professor. Não vai, Bell?

— É claro — Bell mentiu.

MacDonald segurou a mão de Bell convulsivamente e sussurrou alguma coisa que Bell não ouviu. Ele se inclinou, aproximando-se mais.

— O que foi que disse, Alasdair?

— Escute...

— Não consigo escutá-lo.

Mas o grande escocês nada disse. Bell sussurrou-lhe ao ouvido:

— Eles vieram atrás de você, Alasdair. Por quê?

MacDonald abriu os olhos. Arregalou-os quando, de repente, compreendeu e sussurrou:

— Casco 44.

— O quê?

MacDonald fechou os olhos como se adormecesse.

— Sou o médico. Saiam da frente.

Bell afastou-se para o lado. O médico, jovem, rápido e aparentemente competente, mediu o pulso de MacDonald.

— A pulsação bate como um relógio de estação. A ambulância já está a caminho. Alguns de vocês me ajudem a carregá-lo.

— Eu carrego — disse Bell.

— Ele pesa 90 quilos.

— Saiam da frente.

Isaac Bell pegou o boxeador caído nos braços, levantou-se e carregou MacDonald, passando pela porta até chegar à calçada, onde continuou segurando-o enquanto esperavam pela ambulância. Os tiras de Camden afastavam a multidão. Um detetive da polícia perguntou o nome de Bell.

— Isaac Bell. Agente da Van Dorn.

— Bela pontaria lá dentro, senhor Bell.

— Você reconheceu o homem morto?

— Nunca vi mais gordo.

— Será alguém de fora? Filadélfia?

— Eles tinham passagens de Nova York nos bolsos. Importa-se de me dizer como se envolveu nisso?

— Vou lhe contar tudo o que puder, o que não é muita coisa, assim que deixar este sujeito no hospital.

— Vou lhe esperar na delegacia. Diga ao sargento na entrada que quer falar com Barney George.

Uma ambulância motorizada, montada sobre o chassi do novo Modelo T, estacionou em frente ao salão de dança. Assim que Bell colocou MacDonald dentro do carro, o boxeador segurou sua mão de novo. Bell entrou ao lado dele, junto com o médico, e seguiu para o hospital. Enquanto um cirurgião se ocupava do escocês na sala de cirurgia, Bell telefonou para Nova York e deu ordens para que John Scully, que estava observando o desenhista de cascos Farley Kent, fosse advertido e para que agentes fossem despachados para a Estação Naval de Torpedos, em Newport, a fim de proteger Ron Wheeler.

Três homens da maior importância para o programa americano de *dreadnoughts* tinham morrido e um quarto achava-se à beira da morte. Mas, se ele não houvesse testemunhado o ataque a Alasdair MacDonald, isso teria sido noticiado como um acontecimento imprevisto, comum em uma briga de salão, em vez de uma tentativa de assassinato. Já havia a possibilidade de que Langner fora assassinado. E se a explosão da caldeira em Bethlehem, de que MacDonald lhe falara, não tivesse sido um acidente? E o acidente de alpinismo em Westchester, não teria sido um assassinato também?

Bell ficou ao lado da cama do homem durante a noite e toda a manhã.

De repente, ao meio-dia, Alasdair MacDonald estufou o peito volumoso com uma respiração entrecortada e soltou um suspiro prolongado. Bell gritou pelo médico. Mas sabia que não havia esperança. Mortificado, e profundamente revoltado, Bell foi até a delegacia de polícia de Camden e relatou ao detetive George sua participação na tentativa infrutífera de impedir o ataque.

— Você recuperou as facas deles? — indagou Bell quando terminou.

— Todas as três. — George mostrou-as a Bell. O sangue de Alasdair MacDonald secara sobre a lâmina que o matara. — Coisa mais estranha, não acha?

Bell pegou uma, das duas que não estavam manchadas, e examinou-a.

— Isso é um Butterflymesser.

— Um o quê?

— Um canivete dobrável alemão, inspirado num canivete-borboleta Balisong. Bastante raro fora das ilhas Filipinas.

— Eu que o diga. Nunca vi antes. Alemão, você disse?

Bell mostrou-lhe a marca do fabricante gravada na lâmina do canivete.

— "Bontgen e Sabin de Solingen". A pergunta é: onde será que conseguiram isso? — ele encarou o detetive de Camden. — Quanto dinheiro encontrou no bolso dos homens mortos?

O detetive olhou de lado. Então, mostrou as páginas do bloco em que fizera as anotações sobre o caso.

— Ah, sim, aqui está... Menos de dez pratas cada um.

Com os olhos frios, a voz sombria, Bell disse:

— Não estou interessado em recuperar o que poderia ter sido extraviado antes de ter sido registrado como evidência. Mas o número correto, a verdadeira quantia em dinheiro que estava no bolso deles, vai indicar se foram pagos pelo assassinato. Essa quantia, comentada em particular entre você e mim, será uma dica importante para a minha investigação.

O tira de Camden fingiu reler seus apontamentos.

— Um tinha 8 dólares e 25 centavos. Os outros tinham 7 dólares, 10 centavos e 5 centavos.

Isaac Bell baixou o olhar sombrio para o Butterflymesser que estava segurando. Com um movimento peculiar do pulso, ele fez com que a lâmina se abrisse. Ela brilhou como gelo. Ele pareceu examiná-la, imaginando como poderia usá-la. O detetive George, embora estivesse em seu local de trabalho, umedeceu nervosamente os lábios.

Bell disse:

— Um trabalhador ganha cerca de 500 dólares por ano. Um ano de salário para matar um homem poderia parecer a quantia certa para uma pessoa má, que cometeria esse ato por dinheiro. Portanto, me ajudaria saber se aqueles dois assassinos que não escaparam portavam uma quantia dessas em dinheiro.

O detetive George soltou um suspiro de alívio.

— Posso lhe garantir, nenhum deles trazia essa quantia.

Bell o encarou de novo. O detetive George parecia satisfeito por não ter mentido.

Finalmente, Bell indagou:

— Se importaria se eu ficasse com um desses canivetes?

— Preciso lhe pedir para assinar um recibo, mas não o que matou o nosso homem. Vamos precisar para o julgamento, se chegarmos a pegar o filho da puta, que, muito provavelmente, não deve voltar a Camden.

— Ele vai voltar — prometeu Isaac Bell. — Acorrentado.

12

— **"Nervo" Dave Kelly,** aquele em quem você fez um buraco na cabeça, e "Balde de Sangue" Dick Butler receberam ordens de um cabeça chamado Irv Weeks, o "Homem de Gelo", por conta de ter olhos azuis como gelo e o coração e a alma combinando. Weeks é, de longe, mais esperto do que Kelly e Butler, e considerando como você o descreveu, esperando na retaguarda por uma chance, aposto o quanto quiser que foi Weeks quem fugiu.

— Com a minha bala no ombro.

— O Homem de Gelo é um cara durão. Se ela não o matar, pode apostar que saltou para dentro de um trem de carga de volta a Nova York e pagou uma parteira para arrancá-la.

Harry Warren, o especialista em gangues de Nova York da Van Dorn, descera do trem em resposta ao telefonema de Bell e fora direto para o Necrotério Municipal de Camden, onde identificara os assassinos que Bell alvejara como integrantes da gangue dos Gophers, do Hell's Kitchen. Warren encontrara-se com Bell na delegacia. Os dois agentes da Van Dorn confabulavam num cercado reservado aos detetives.

— Harry, quem poderia mandar esses malditos desordeiros de Nova York até Camden?

— Tommy Thompson, o "Comodoro", o chefão dos Gophers.

— Quer dizer que ele contrata assassinatos por encomenda?

— É como você diz, Tommy faz isso. Mas não há nada que impeça esses caras de serem contratados por outras pessoas, desde que paguem a Tommy a parte dele. Os tiras de Camden encontraram alguma bolada nos corpos? Ou, devo perguntar, eles *admitem* ter encontrado alguma bolada nos corpos?

— Eles dizem que não — replicou Bell. — Deixei claro que estamos atrás de peixes maiores do que tiras ladrões e, pela resposta que recebi, estou razoavelmente certo de que as quantias foram pequenas. Vai ver que seriam pagos depois ou que o chefão ficou com o grosso da bolada…

— As duas coisas — disse Harry Warren. Ele se concentrou. — Mas é estranho, Isaac. Esses rapazes de gangues normalmente agem na região onde moram. Como eu digo, Tommy faz qualquer coisa por grana, mas os Gophers e os da sua laia tendem a não se aventurar muito longe da vizinhança. Metade deles não chegaria nem ao Brooklyn, muito menos cruzaria a divisa do estado.

— Descubra por que fizeram isso dessa vez.

— Vou tentar dar um aperto no Weeks assim que souber onde ele está se recuperando e…

— Não o aperte. Mande-o para mim.

— Tudo bem, Isaac. Mas não espere muita coisa. Ninguém guarda os registros de um negócio desse tipo. Por tudo o que sabemos, pode ser um assunto pessoal. Talvez MacDonald tenha exagerado em amassar muitas fuças por aí.

— Você já ouviu falar de algum gângster de Nova York usando um Butterflymesser?

— Você quer dizer o canivete dobrável filipino?

Bell mostrou-lhe o Butterflymesser.

— Ah, sei, havia um cheirador que entrou para o Exército para fugir dos tiras, terminou lutando na insurreição filipina. Ele trouxe um desses de lá e matou com ele um jogador que lhe devia dinheiro. Pelo menos é o que dizem, mas aposto que foi pela cocaína. Você sabe como uma "cheirada" os deixa paranoicos.

— Em outras palavras, o Butterflymesser não é comum em Nova York.

— Aquele cheirador foi o único de que ouvi falar.

* *

Bell voltou apressadamente para Nova York.

Contratou um motorista e mecânico para dirigir seu Locomobile de volta, enquanto tomava um trem. Uma lancha da polícia, oferecida pelo detetive George, que teve o maior prazer em ajudá-lo a partir de Camden, transportou-o pelo Rio Delaware até a Filadélfia, onde Bell tomou um expresso da Pennsylvania Railroad. Quando chegou ao Knickerbocker Hotel, a luz do céu da tarde brilhava sobre o teto de cobre verde, mas, perto da rua, a fachada renascentista francesa de tijolos vermelhos já escurecia.

Ele fez uma ligação interurbana para Joseph Van Dorn em Washington.

— Excelente trabalho com os irmãos Frye! — cumprimentou-o Van Dorn. — Acabei de jantar com o procurador-geral, e ele está muito satisfeito.

— Agradeça a John Scully. Eu apenas lhe dei uma mãozinha.

— Quanto tempo mais você vai precisar para desvendar o suicídio de Langner?

— A coisa é maior do que Langner — retrucou Bell, e contou a Van Dorn o que transpirara.

— Quatro assassinatos? — perguntou Van Dorn, incrédulo.

— Um com certeza, o que testemunhei. Outro provavelmente, o de Langner.

— Dependendo de quanto crédito você dê àquele maluco do Cruson.

— E quanto aos outros dois, precisamos investigar.

— Tudo está ligado aos couraçados? — indagou Van Dorn, ainda incrédulo.

— Todas as vítimas trabalhavam no programa dos *dreadnoughts.*

— *Se* todos forem vítimas, quem estará por trás disso?

— Eu não sei.

— Também suponho que não saiba por quê.

— Ainda não.

Van Dorn suspirou.

— De que você precisa, Isaac?

— Do Serviço de Proteção da Van Dorn para guardar Farley e Wheeler.

— De quem devo cobrar por esses serviços?

— Guarde na manga até eu descobrir quem é o cliente — respondeu Bell secamente.

— Muito engraçado. De que mais precisa?

**

Bell deu as instruções para a equipe de agentes da Van Dorn postos a seu serviço — temporariamente, como ficara claro no telefonema com o chefe. Depois tomou o metrô até o centro da cidade e um bonde para atravessar a ponte do Brooklyn. John Scully encontrou-o em uma lanchonete na Sand Street, a um pulinho dos portões iguais aos de uma fortaleza, do estaleiro da Marinha no Brooklyn.

O restaurante barato estava começando a encher enquanto os turnos do dia terminavam no estaleiro e nas fábricas vizinhas, e caldeireiros, forjadores, tanqueiros, calibradores e modeladores, maquinistas, caldeireiros de cobre, encanadores e bombeiros hidráulicos acorriam para o jantar.

Scully disse:

— Até onde descobri, Kent está a toda. Tudo o que ele faz é trabalhar e, depois, trabalhar um pouco mais. Dedicado como um missionário. Disseram que é difícil ele se afastar da prancheta. Tem um quarto ao lado do estúdio de desenho, onde passa a maioria das noites.

— Onde ele passa o resto das noites?

— No Hotel St. George, quando uma certa dama de Washington vem à cidade.

— Quem é ela?

— Bem, isso é o mais engraçado. Ela é a filha do seu detonador de pianos.

— Dorothy Langner?

— O que você acha disso?

— Acho que Farley Kent é um homem de sorte.

**

O Estaleiro da Marinha, no Brooklyn, contornava uma grande baía do East River, entre a ponte do Brooklyn e a Williamsburg Bridge. Designado o "estaleiro de couraçados" e oficialmente chamado de Arsenal da Marinha de Nova York, suas fábricas, fundições, docas secas e carreiras de estaleiro empregavam 6 mil trabalhadores. Muros altos de tijolos e portões de ferro encerravam o dobro da área do Arsenal da Marinha em Washington. Isaac Bell mostrou seu passe da Marinha no portão da Sand Street, que era flanqueado por estátuas de águias.

Ele encontrou o estúdio de desenho de Farley Kent em um edifício que parecia minúsculo em meio a dois enormes galões de construção de navios e seus guindastes de ponte. A noite escurecera as janelas altas e os projetistas trabalhavam sob lâmpadas elétricas. Kent era jovem, mal saído da casa dos 20 anos, e estava profundamente abalado com o assassinato de Alasdair MacDonald. Ele lamentou que a morte de MacDonald prejudicaria seriamente o desenvolvimento de turbinas de grandes navios nos Estados Unidos.

— Vai passar muito tempo até que a Marinha dos Estados Unidos seja capaz de instalar turbinas avançadas em nossos *dreadnoughts*.

— O que é Casco 44? — indagou Bell.

Kent desviou o olhar.

— Casco 44?

— Alasdair MacDonald deu a entender que é importante.

— Sinto muito, mas não sei sobre o que você está falando.

— Ele falou livremente sobre Arthur Langner, Ron Wheeler e Chad Gordon. E também a seu respeito, senhor Kent. Sem dúvida, vocês cinco trabalhavam muito juntos. Estou certo de que sabe o que significa Casco 44.

— Eu já lhe disse. Não sei sobre o que está falando.

Bell observou-o friamente. Kent desviava o olhar do seu rosto sério.

— "Casco 44" — disse o detetive — foram as últimas palavras do seu amigo antes de morrer. Ele teria me contado o significado se não tivesse morrido. Agora, é com você.

— Não posso... Eu não sei.

Os traços de Bell endureceram até parecer que o rosto dele fora talhado em pedra.

— Aquele homem forte segurou a minha mão como uma criança e tentou me dizer por que foi assassinado. Ele não conseguiu proferir as palavras. Você consegue. *Diga-me!*

Kent saltou para o corredor e gritou, chamando as sentinelas.

Seis fuzileiros navais escoltaram Bell para fora dos portões, o sargento mostrando-se muito polido, mas indiferente ao passe de Bell.

— Recomendo, senhor, que telefone para marcar uma reunião com o comandante do Arsenal.

Scully o esperava na lanchonete.

— Por que não janta alguma coisa? A comida até que não é ruim. Eu fico de olho no Kent.

— Falo com você em 15 minutos.

Bell não conseguia se lembrar de quando comera pela última vez. Estava acabando de levantar o sanduíche do prato quando Scully voltou correndo e apontou para a porta.

— Kent saiu pelo portão como um cavalo de corridas favorito no dérbi de Kentucky. Seguiu para o Leste pela Sand. Está usando um chapéu-coco preto alto e um casacão cor de canela.

— Eu o vi.

— Essa é a direção do Hotel St. George. Parece que a dama está de volta à cidade. Vou cortar caminho até o St. George pela Nassau, para o caso de você perdê-lo — sem esperar pela resposta de Bell, o independente Scully desapareceu na curva da esquina.

Bell seguiu Kent. Procurou ficar a meio quarteirão de distância atrás dele, protegido pelas multidões que entravam e saíam dos bares e restaurantes e pelos passageiros embarcando e desembarcando dos bondes. O chapéu-coco do arquiteto naval era fácil de seguir em um lugar onde a maioria dos homens usava bonés de tecido comum. Seu casaco cor de canela se destacava entre os sobretudos escuros e os jaquetões de lã grossa usados pelos marinheiros.

A Sand Street atravessava um distrito de fábricas e armazéns na sua rota entre o estaleiro da Marinha e a ponte do Brooklyn. O frio úmido da noite trazia aromas de chocolate, café torrado, fumaça de carvão, sal marinho e o odor áspero e pungente de curtos-circuitos elétricos dos fios dos bondes. Bell viu bares e salões de jogos suficientes para rivalizar com a Barbary Coast, a costa ainda "selvagem" de São Francisco.

Kent surpreendeu-o na enorme estação de Sand Street, onde os bondes, trens elevados e uma linha de ônibus elétricos em construção convergiam para a ponte do Brooklyn. Em vez de passar por baixo da estação e continuar em frente até Heights e o Hotel St. George, o arquiteto naval subitamente passou por uma abertura no muro de pedra que sustentava uma rampa para a ponte do Brooklyn e subiu apressado pela escada. Bell desviou de um ônibus elétrico e partiu atrás dele. Hordas desciam como enxurrada pelos degraus, bloqueando-lhe a vista. Ele abriu caminho à força até o alto. Lá conseguiu ver Farley Kent caminhando em direção a Manhattan pelo passeio de madeira no centro da ponte. Era muita coisa por uma dama no Hotel St. George.

A passarela de madeira era flanqueada pela ferrovia elevada e pelos trilhos dos ônibus elétricos, e estava apinhada com o movimento do começo da noite de homens voltando para casa do trabalho em Manhattan. Trens e bondes passavam quase se chocando. Vinham carregados de gente de todo tipo e Bell — que passara muitos anos perseguindo criminosos em lombo de cavalo nos espaços abertos do Oeste — entendia aqueles que preferiam caminhar no frio, até mesmo incomodados pelo rangido constante e pelo rumor das rodas dos trens.

Kent olhou de relance por sobre o ombro. Bell tirou o característico chapéu branco de abas largas e moveu-se de um lado para o outro, escondendo-se atrás da multidão. Sua presa seguia apressada contra o trânsito a pé, a cabeça baixa, olhando para as tábuas do chão e ignorando o panorama impressionante das luzes dos arranha-céus de Nova York e o tapete de lanternas vermelhas, verdes e brancas exibidas pelos rebocadores, escunas, vapores e *ferryboats* deslocando-se pelo East River, uns 60 metros abaixo da ponte.

A escadaria no lado de Manhattan descia para o distrito de City Hall. No instante em que atingiu o pavimento, Kent girou nos calcanhares e voltou apressado na direção do rio que acabara de atravessar. Bell o seguiu e, quando se aproximaram da beira do rio, imaginou o que Kent pretendia fazer. A South Street, que passava embaixo da ponte e seguia paralela ao East River, era bordejada por uma floresta de mastros e gurupés de navios. Atracadouros compridos e armazéns avançavam na corrente, formando prolongamentos nos quais atracavam navios a vela de três mastros, vapores de chaminés altas e barcaças de cargas ferroviárias.

Kent virou na direção da cidade, para longe da ponte do Brooklyn. Seguiu apressado por vários quarteirões, caminhando rápido, sem se incomodar em olhar para trás. Quando chegou a Catherine Slip, virou em direção à água. Bell viu navios de carga flutuando lado a lado. Guindastes de convés moviam fardos dc carga dos navios para a terra. Estivadores rolavam os fardos para dentro dos armazéns. Kent passou pelos navios e encaminhou-se para um iate a vapor comprido e surpreendentemente estreito, que não era visível da South Street.

Bell observou do canto de um armazém. O iate estreito, que media uns 90 metros de comprimento, tinha o casco pintado de branco luzidio como a lâmina de uma faca, o passadiço de governo elevado a meia-nau e a chaminé alta na retaguarda. Apesar da aparência comercial, apresentava um acabamento luxuoso, com acessórios de latão e mogno, e envernizado. Atracado entre os sombrios navios de carga estava, pensou Bell, bem escondido.

Farley Kent subiu correndo pela prancha de desembarque. As vigias iluminadas brilhavam na cabine inferior. Ele bateu na porta. Esta se abriu, projetando luz. Kent desapareceu lá dentro e a porta se fechou. Bell seguiu-o imediatamente. Pôs o chapéu na cabeça e atravessou o píer com passos firmes e rápidos. Um marinheiro de convés em cima de um dos navios de carga o notou. Bell dirigiu-lhe um olhar sombrio, fez um movimento de cabeça significativo e o homem desviou o olhar. Bell verificou se, nos conveses do iate, havia algum marinheiro, subiu em silêncio pela prancha de desembarque e pressionou as costas de encontro à antepara que formava a cabine.

Tirando o chapéu novamente, ele olhou por uma vigia aberta para a ventilação.

A cabine era pequena, mas luxuosa. Os lampiões náuticos de latão lançavam um brilho aconchegante sobre os painéis de mogno. Em um relance, Bell observou uma mesa lateral com copos de cristal e decantadores presos em prateleiras, uma mesa de jantar disposta em um sofá em formato de ferradura, com estofamento de couro verde, e um comunicador de voz por tubo, para se dirigir a toda a embarcação. Pendurada acima da mesa, via-se uma pintura a óleo de Henry Reuterdahl, da Grande Frota Branca.

Kent movia os ombros para se desfazer do casaco. Observando-o, havia um oficial da Marinha baixo, atarracado e de aparência atlética, numa postura ereta, com o peito estufado e as insígnias de capitão nos galardões sobre os ombros. Bell não podia ver-lhe o rosto, mas conseguiu ouvir Kent gritar:

— Maldito detetive! Ele sabia exatamente o que perguntar.

— O que você disse a ele? — indagou o capitão calmamente.

— Nada. Fiz com que fosse posto para fora do estaleiro. Sujeitinho impertinente.

— Por acaso lhe ocorreu que a visita dele tivesse a ver com Alasdair MacDonald?

— Eu não sabia o que diabos pensar. Ele me confundiu.

O capitão levantou uma garrafa da mesa lateral e serviu uma porção generosa em um copo. Quando o estendeu a Kent, Bell finalmente viu-lhe o rosto — um rosto jovem e vigoroso, que, dez anos antes, fora exibido reverentemente em todos os jornais e revistas do país. Suas peripécias na Guerra Hispano-Americana rivalizavam em bravura destemida com as dos Rough Riders, o primeiro corpo voluntário da Cavalaria de Teddy Roosevelt.

— Bem, e se eu... — disse Bell, à meia-voz.

Ele escancarou a porta da cabine e entrou a passos largos.

Farley Kent deu um pulo. O capitão da Marinha não se assustou, meramente considerou o detetive alto com um olhar ansioso.

— Bem-vindo a bordo, senhor Bell! Quando soube das notícias horríveis de Camden, esperava que achasse o caminho até aqui.

— O que é Casco 44?

— Melhor perguntar *por que* Casco 44 — respondeu o capitão Lowell Falconer, o Herói de Santiago.

Ele estendeu a mão que havia perdido dois dedos para os estilhaços de granadas.

Bell fechou-a na sua.

— É uma honra conhecê-lo, senhor.

O capitão Falconer falou pelo tubo de comunicação.

— Zarpar!

13

Batidas de pés ecoaram pelo convés. Um tenente apareceu à porta e Falconer conversou rapidamente com ele.

— Farley — chamou ele —, você poderia muito bem voltar ao seu estúdio. — O arquiteto saiu sem uma palavra. Falconer disse. — Por favor, espere aqui, Bell. Não demoro nem um minuto — ele saiu com o tenente.

Bell vira a pintura de Reuterdahl da Grande Frota Branca na capa da revista *Collier's*, no último mês de janeiro. A frota estava ancorada no porto do Rio de Janeiro. Um barco local remava na direção do brilhante casco branco da capitânia *Connecticut* ancorada e mostrava um anúncio em que se lia:

Bebidas Americanas. NEGÓCIO JUSTO em J. S. Guvidor

A fumaça e as sombras, a um canto escuro da cena no porto ensolarado, obscureciam o casco cinzento luzidio de um cruzador alemão.

O convés moveu-se sob os pés de Bell. O iate começou a dar a ré dentro do seu píer, rumo ao East River. Quando engatou os propulsores para vante e dirigiu-se rumo à correnteza, Bell não sentiu nenhuma vibração, nem mesmo a mais leve pulsação dos motores. O capitão Falconer tornou a entrar na cabine e Bell lançou um olhar de curiosidade ao anfitriao.

— Nunca estive em um iate a vapor que navegasse tão suavemente.

Falconer sorriu com orgulho.

— Turbinas — disse ele. — Três delas, ligadas a nove hélices propulsoras.

Ele apontou para outra pintura, a qual Bell não vira da vigia. Essa retratava o *Turbinia*, a famosa embarcação experimental movida a turbinas que o mentor de Alasdair MacDonald conduzira a uma reunião internacional de frotas navais, em Spitshead, na Inglaterra, para impressionar com a velocidade que as turbinas imprimiam.

— Charles Parsons não deixou nada ao acaso. Se alguma coisa desse errado com o *Turbinia*, ele havia construído *duas* embarcações de corrida. Essa aqui chama-se *Dyname.* Lembra-se de seus conhecimentos de grego?

— O resultado de forças agindo em conjunto.

— Muito bem! *Dyname* é, na verdade, o irmão mais velho do *Turbinia*, pouca coisa mais bojudo, com um formato inspirado nos barcos torpedeiros dos anos 1890. Precisou ser remodelado como um iate e ter suas caldeiras convertidas para usar óleo, o que abriu uma porção de espaço nos antigos reservatórios de carvão. O pobre Alasdair usou-o como embarcação de teste e modificou as turbinas. Graças a ele, muito embora a embarcação seja mais bojuda do que o *Turbinia,* queima menos combustível e anda mais rápido.

— A que velocidade?

Falconer pousou com carinho a mão sobre o mogno envernizado do *Dyname* e sorriu.

— Você não acreditaria se lhe dissesse.

O detetive alto retribuiu o sorriso.

— Eu não me incomodaria em experimentar o leme.

— Espere até sairmos das águas congestionadas. Não ouso acelerar tudo no porto.

O iate descia suavemente pelo East River em direção a Upper Bay, e aumentou a velocidade de maneira impressionante.

— Que colosso! — disse Bell.

Falconer riu.

— Nós o contemos até chegar ao mar aberto.

As luzes da ilha de Manhattan desapareciam à popa. Um garçom apareceu trazendo pratos cobertos e os dispôs sobre a mesa. O capitão Falconer indicou um lugar à sua frente para Bell se sentar.

Ele continuou em pé onde se encontrava e perguntou:

— O que é Casco 44?

— Por favor, acompanhe-me no jantar e, enquanto seguimos para o mar, vou lhe contar o *porquê* de Casco 44.

Falconer começou por fazer eco ao lamento de Alasdair MacDonald.

— Faz dez anos que a Alemanha começou a construção de uma marinha moderna, no mesmo ano em que capturamos as ilhas Filipinas e anexamos o reino do Havaí. Hoje, os alemães têm couraçados *dreadnoughts.* Os britânicos têm couraçados *dreadnoughts* e os japoneses estão construindo, e comprando, couraçados *dreadnoughts.* Portanto, quando a Marinha americana parte para uma atividade distante para defender os novos territórios americanos no Pacífico, somos superados em classe e armamento pelos alemães, britânicos e pelo Império do Japão.

Dominado por tanto fervor que mal tocou na comida, o capitão Falconer regalou Isaac Bell com o sonho por trás do Casco 44.

— A corrida em torno dos *dreadnoughts* ensina que a mudança é sempre precedida por uma convicção universal de que nada há de novo sob o sol. Antes de os britânicos lançarem o HMS *Dreadnought*, dois fatos sobre os couraçados foram gravados em pedra. Eles levavam muitos anos para ser construídos e precisavam ser armados com uma grande variedade de canhões para se defender. O HMS *Dreadnought* é um navio em que todos os canhões são grandes, e ele foi construído em um único ano, o que mudou o mundo para sempre — depois de uma breve pausa, ele continuou. — O Casco 44 é a minha resposta. É a resposta americana — e concluiu: — Recrutei os melhores cérebros no mercado de navios de guerra. Disse a eles para fazerem o melhor possível! Homens como Artie Langner, o "Artilheiro", e Alasdair, que você conheceu.

— E vi morrer — Bell o interrompeu com um ar sombrio.

— Artistas, cada um deles. Mas, a exemplo dos artistas, eles são todos desajustados. Boêmios, excêntricos, senão totalmente lunáticos. Não são do tipo que faz carreira regular na Marinha. No entanto, graças aos meus gênios desajustados incubando novas ideias e aperfeiçoando as antigas, o Casco 44 será um couraçado *dreadnought* como nenhum outro cruzando os mares... Uma maravilha da engenharia americana que irá esmagar o *Dreadnought* britânico e o *Nassau* e o *Posen* alemães, e o pior que o Japão puder interpor à nossa frente... Por que está abanando a cabeça, senhor Bell?

— Esse é um negócio grande demais para ser mantido em segredo. O senhor, obviamente, é um homem abastado, mas nenhum indivíduo é rico o bastante para lançar seu próprio *dreadnought.* De onde tira o financiamento para o Casco 44? Com certeza, alguém em posição muito elevada deve saber.

O capitão Falconer respondeu evasivamente.

— Onze anos atrás, tive o privilégio de prestar consultoria a um secretário assistente da Marinha.

— Valentão! — Bell sorriu, mostrando que compreendia. Isso explicava a independência de Lowell Falconer. No momento, o secretário assistente da Marinha não era outro a não ser o mais feroz defensor de uma Marinha forte para o país: o presidente Theodore Roosevelt.

— O presidente acredita que nossa Marinha deveria ter mais liberdade. Vamos deixar o Exército defender os portos e ancoradouros... Vamos até construir os canhões para eles. Mas a Marinha deve lutar no mar.

— Pelo que tenho visto da Marinha — disse Bell —, primeiro é preciso lutar contra a Marinha. E para vencer essa luta é preciso ser mais esperto que Maquiavel.

— Ah, mas eu sou — Falconer sorriu. — Embora eu prefira a palavra "manhoso" a esperto.

— Ainda está no serviço ativo, senhor?

— Sou, oficialmente, um inspetor especial da Marinha para a prática de tiro.

— Um título maravilhosamente vago — admirou-se Bell.

— Sei como enganar os burocratas — Falconer disparou em resposta. — Sei como me virar no Congresso — continuou, com um sorriso cínico, e levantou a mão mutilada para que Bell a visse. — O que um político ousa negar a um herói de guerra?

Então ele explicou em detalhes como plantara um grupo de jovens oficiais de mesmas ideias nos departamentos estratégicos de Material Bélico e Construção. Juntos, eles estavam conduzindo uma revisão de todo o sistema de construção de *dreadnoughts.*

— Estamos assim tão atrasados, como disse Alasdair MacDonald?

— Estamos. Lançaremos o *Michigan* no mês que vem, mas ele não é nenhuma maravilha. Já os *dreadnoughts* de primeira classe, como o *Delaware*, o *North Dakota*, o *Utah*, o *Florida*, o *Arkansas* e o *Wyoming*, estão encalhados nas pranchetas de projetos. Não que isso seja algo inteiramente ruim. Os avanços na guerra naval se acumulam tão rapidamente que, quanto mais demorarmos para lançar nossos couraçados, mais modernos eles serão.

Já aprendemos com as falhas da Grande Frota Branca muito antes de ela chegar a São Francisco. A primeira coisa que vamos fazer, quando ela voltar para casa, será pintá-la de cinza, de modo que os canhões do inimigo tenham dificuldade de localizar os navios — depois de uma pausa, ele continuou: — Pintar as embarcações será a parte mais fácil. Antes de pôr em prática o que aprendemos de novo sobre os navios de guerra, precisamos convencer a Diretoria de Construções da Marinha e o Congresso. A Diretoria de Construções da Marinha odeia mudanças e o Congresso odeia despesas.

Falconer indicou o quadro de Reuterdahl com um movimento de cabeça.

— Meu amigo Henry entrou em uma fria. A Marinha o convidou para pintar quadros da Grande Frota Branca. Só não esperava que ele também escrevesse artigos na minha revista, a *McClure's Magazine*, informando o mundo de suas falhas. Henry terá sorte se conseguir voltar para casa em um vapor qualquer. Mas ele está certo e eu estou certo: tudo bem em aprender com a experiência. Tudo bem em aprender com as falhas também. O que *não* está certo é não melhorar. É por isso que construo em segredo.

— Ainda não me disse o porquê. Somente o quê.

— Não seja impaciente, senhor Bell.

— Um homem foi assassinado — replicou Isaac Bell com ar sombrio. — Não sou paciente quando homens são assassinados.

— Você acabou de dizer *homens* — o capitão Falconer parou com a conversa fiada e falou sério. — Está me dizendo que Langner também foi assassinado?

— Acredito que, muito provavelmente, sim.

— E quanto a Grover Lakewood?

— Os agentes da Van Dorn em Westchester estão investigando a morte dele. E, em Bethlehem, na Pensilvânia, estamos investigando o acidente que matou Chad Gordon. Agora, vai me contar sobre o Casco 44?

— Vamos lá para cima. Vai poder ver o que estou querendo dizer.

O *Dyname* continuara a aumentar sua velocidade. Ainda não se percebia o menor tremor de seus motores, apesar do rugido do mar e do vento. O garçom e um marinheiro apareceram com botas de proteção e capas impermeáveis.

— Vai querer ver isso, senhor. Não se trata de um iate, quando ganha velocidade. É mais parecido com um barco torpedo.

— Barco torpedo o diabo — murmurou o marinheiro. — É um submarino.

Falconer estendeu a Bell um par de óculos com lentes tão escuras que pareciam opacas e ajustou outro par sobre a própria cabeça.

— Para que é isso?

— Vai agradecer por esses óculos no momento em que precisar deles — respondeu enigmaticamente o capitão. — Tudo pronto? Vamos subir até o passadiço enquanto podemos — o marinheiro e o garçom seguraram com força a porta aberta e eles saíram para o convés.

O turbilhão atingiu-os como um soco no rosto.

Bell avançou com dificuldade pelo convés estreito, a menos de 1,5 metro da água tempestuosa.

— Devemos estar fazendo uns 30 nós.

— Ainda continuamos devagar — gritou Falconer, por cima do rugido. — Vamos ganhar impulso depois de passar Sandy Hook.

Bell relanceou o olhar para trás. Saíam pequenas labaredas da chaminé traseira e a espuma da esteira à retaguarda era tão densa que brilhava na escuridão. Eles subiram para o passadiço aberto, onde grossos painéis de vidro protegiam o timoneiro, que mantinha segura uma pequena roda raiada. O capitão Falconer empurrou-o para o lado com um golpe de ombro.

À frente, na escuridão, uma luz branca intermitente piscava a cada 15 segundos.

— O farol flutuante de Sandy Hook — informou o capitão Falconer. — É o último ano que o veremos. Estão mudando a luz para assinalar o novo canal Ambrose.

O *Dyname* alcançou a luz, que piscava a cada 15 segundos. No intervalo em que escurecia, Bell vislumbrou as inscrições, em letras brancas, "Sandy Hook" e "Nº 51" no costado preto da embarcação, à medida que ela ficava rapidamente para trás.

— Segure-se! — disse o capitão Falconer.

Ele pousou a mão em que faltavam dedos sobre uma alavanca, no alto.

— Conexão direta com as turbinas por cabo do tipo Bowden. O mesmo tipo de cabo flexível usado nos freios de bicicletas. Posso aumentar o vapor pelo leme sem precisar chamar a casa de máquinas. Como o acelerador do seu carro.

— Ideia de Alasdair? — indagou Bell.

— Não, essa foi minha. Você está prestes a sentir a de Alasdair.

14

Bell segurou-se em um apoio de mão quando a proa do *Dyname* ergueu--se da água. O zumbido do mar e do vento chegava a ser explosivo. Os respingos martelavam contra a tela de vidro. O capitão Falconer acendeu um holofote montado na frente, e a razão para o formato estreito como uma faca ficou imediatamente evidente. A luz revelou as ondas de 2,5 metros passando sob a embarcação a 50 nós. Um casco de qualquer outro formato teria se chocado contra a água com tamanha força que se romperia.

— Alguma vez você dirigiu algo assim tão rápido? — gritou Falconer.

— Só o meu Locomobile.

— Quer experimentar? — indagou Falconer distraidamente.

Isaac Bell agarrou o leme.

— Procure contornar as ondas mais altas — recomendou Falconer. — Se enterrar a proa, os nove propulsores nos levarão direto para o fundo.

O leme era admiravelmente sensível, considerou Bell, capaz de mover rapidamente o iate de 30 metros para a esquerda e para a direita com um toque nos raios. Ele desviou das grandes ondas repetidamente, procurando sentir a capacidade de manobra da embarcação. Em meia hora, eles se encontravam a mais de 25 milhas náuticas da terra.

Bell viu uma centelha luminosa à distância. Um grave e profundo ruído começou a retumbar pela noite.

— Aquilo são canhões?

— Canhões de 12 polegadas — disse Falconer. — Vê o clarão?

Chamas vermelhas e cor de laranja romperam a escuridão à frente.

— Aqueles sons mais agudos são dos de seis e de oito. Estamos dentro dos Exercícios de Tiro do Atlântico em Sandy Hook.

— Dentro? Enquanto estão atirando?

— Quando o gato sai, os ratos fazem a festa. Os comandantes de mais alto escalão estão circum-navegando o mundo com a Frota. Os meus rapazes estão bem aqui, aprendendo seu ofício.

Feixes de luz potentes cruzavam o céu.

— Um exercício com holofotes — disse Falconer. — Couraçados caçando contratorpedeiros, contratorpedeiros caçando couraçados.

Varrendo o céu e a água, os holofotes de repente convergiram para um couraçado, até então invisível no escuro, e, como se fosse meio-dia, iluminaram claramente um casco esguio e baixo levantando espuma.

— Olhe! É exatamente o que estava lhe dizendo. Este é o *New Hampshire.* Ele ainda não havia sido lançado quando a frota zarpou. Acabou de passar pela revista. Observe o que acontece com seu convés de proa.

Os holofotes mostraram as ondas se abrindo e cobrindo a proa do couraçado, inundando seus canhões de vante.

— Conveses lavados em mar calmo! Canhões embaixo da água! Eu lhe disse que a pintura seria a parte fácil. Precisamos de uma borda livre mais alta e proas mais alargadas para cima. Nossa mais nova embarcação principal tem uma proa que é um *bate-estacas*, pelo amor de Deus, como se estivéssemos nos preparando para enfrentar os fenícios!

Bell viu uma onda golpear a mesa da âncora da embarcação e se espalhar como nuvens ofuscantes.

— Observe o comportamento daquele navio na rolagem. Vê aquele cinturão de blindagem subindo? Agora, veja como desaparece quando a rolagem retrocede e submerge com ela. Se não aumentarmos a blindagem para proteger as áreas submersas quando vem a rolagem, o inimigo vai armar garotinhos para afundá-los com estilingues.

Um holofote projetou um facho de luz em seu caminho, tateando a escuridão como um dedo branco ansioso.

— Óculos!

Bell cobriu os olhos com os óculos escuros bem na hora. Um instante depois, a luz que surpreendeu o *Dyname* o teria cegado. Através do vidro escurecido, ele via claro como o dia.

— Esses holofotes são tão potentes quanto canhões de respeito — gritou Falconer. — Eles desorientariam completamente qualquer homem no passadiço e cegariam os observadores de tiro.

— Por que estão apontando para nós?

— É uma brincadeira nossa. Eles tentam me pegar. Uma boa maneira de praticar. Depois que eles obtêm a distância, é impossível escapar da sua mira.

— É mesmo? Segure-se, capitão!

Bell recuou bruscamente o acelerador. O *Dyname* parou como se tivesse atingido uma parede. O facho do holofote pairou no alto, na direção de onde vinham navegando. Bell girou o leme com ambas as mãos. A luz começava a voltar em sua direção. Ele empurrou a alavanca do acelerador como se manobrasse o iate para fazer um ângulo reto, esperou que os propulsores engatassem, depois acelerou para vante.

O fogo irrompeu da chaminé. O *Dyname* zarpou como um foguete do Dia da Independência, e o facho do holofote desviou-se, procurando na direção errada.

— Muito bem, capitão, você me disse e me mostrou o porquê. Mas ainda não me mostrou o *quê.*

— Vou estabelecer um curso para o estaleiro da Marinha no Brooklyn.

**

Um novo dia iluminava as extremidades das torres da ponte do Brooklyn quando o *Dyname* cortou as águas no rumo de East River. Bell continuava no leme e manobrou sob a ponte, guinando à direita, na direção do estaleiro naval. Da água, avistou os numerosos navios em construção atrás dos berços de lançamento nas docas secas. Falconer apontou para o berço mais a Norte, que parecia isolado dos outros. Ele ordenou, através do tubo de voz, para a casa de máquinas, que os propulsores fossem desligados. A maré estava mansa. O *Dyname*, no impulso, derivou até a borda do berço, onde os trilhos da carreira de construção faziam um ângulo com a água. Acima da embarcação, pairava a estrutura esquelética gigantesca de um costado parcialmente recoberto de placas de aço.

— Casco 44, senhor Bell.

Bell absorveu a nobre vista. Mesmo com a armação esperando por mais blindagem, a proa projetava-se nas alturas majestosamente, como se ansiosa para cavar a água, com uma promessa de potência ainda a ser desencadeada.

— Tenha em mente que, oficialmente, essa embarcação nem existe ainda.

— Com é que são capazes de manter escondido um navio de 180 metros?

— Ele lembra um casco que o Congresso autorizou — respondeu o capitão Falconer, com uma piscadela quase imperceptível. — Mas, na verdade, da quilha ao ponto mais alto do seu mastro de observação, esse navio será totalmente equipado com as ideias mais inovadoras. Terá as turbinas, os canhões, a proteção contra torpedos, o controle de tiro, tudo o que há de mais avançado na atualidade. Mas o mais importante é que foi projetado com um desenho original para continuar sendo aprimorado, substituindo-se os componentes, à medida que se tornarem obsoletos, pelas últimas inovações. O Casco 44 é, de longe, mais do que um navio. É o modelo para todas as novas classes a serem construídas e a inspiração para os *super-dreadnoughts* cada vez mais potentes e inovadores...

Falconer fez uma pausa dramática. Então, entoou numa voz dura e sombria:

— E é por isso que o Casco 44 é o alvo dos espiões estrangeiros.

Isaac Bell fuzilou o capitão Falconer com um olhar gélido.

— E isso o surpreende? — indagou secamente.

Isaac já estava farto das tentativas de Falconer de conduzi-lo em círculos. Por mais inspiradora que fosse a visão do navio, e por mais que ele tivesse apreciado pilotar um iate de corridas a 50 nós, teria sido melhor ter passado a noite vasculhando o Hell's Kitchen em busca do homem que assassinara Alasdair MacDonald.

Falconer recuou ao ouvir a resposta fria de Bell.

— É claro que todo mundo espiona — admitiu o capitão. — Todos os países com um estaleiro naval ou um tesouro para comprar navios de guerra mantêm espiões. Até que ponto estão à frente seus amigos e inimigos em matéria de canhões, blindagem e propulsão? O quanto uma nova invenção deixaria nosso *dreadnought* vulnerável? Quem tem o canhão de maior alcance? Quem tem o torpedo que vai mais longe? Quem produz os motores mais rápidos ou a blindagem mais resistente?

— Perguntas fundamentais — atalhou Bell. — E é normal, mesmo entre países em paz, procurar as respostas.

— Mas *não* é normal — disparou Falconer por sua vez — e certamente não está certo, entre países em paz, cometer sabotagem.

— Espere aí! *Sabotagem*? Não há provas de sabotagem naqueles assassinatos... Não houve nenhuma destruição, com a possível exceção do acidente na fundição de Bethlehem.

— Ah, tem havido destruição sim, senhor! Uma terrível destruição. Eu disse sabotagem e quis dizer sabotagem.

— Por que um espião mataria quando matar, com certeza, atrairia a atenção para seus atos de espionagem?

— Isso me surpreendeu também — disse o capitão Falconer. — Eu temia que Artie Langner tivesse aceitado propinas e se matado por sentimento de culpa. Depois, pensei: que sorte horrível se precipitou sobre a cabeça daquele pobre jovem, Grover Lakewood! Mas, quando mataram Alasdair MacDonald, tive certeza de que se tratava de sabotagem. E não foi mesmo? As últimas palavras dele não foram "Casco 44"?

— Como eu lhe disse — admitiu Bell.

— Não está vendo, Bell? Estão sabotando o Casco 44 assassinando *mentes.* Estão atacando as mentes que criam as entranhas vitais desse navio de guerra: canhões, blindagem, propulsão. Considere o aço e as placas de blindagem que estão faltando ali. O Casco 44 não é mais do que as mentes dos homens que ainda trabalham nele e as mentes daqueles que morreram. Quando os sabotadores matam as nossas mentes, eles matam os pensamentos e as novas ideias que ainda não brotaram. Quando matam as nossas mentes, eles sabotam os nossos navios.

— Compreendo — Bell inclinou a cabeça, pensativo. — Eles sabotam os nossos navios que ainda não foram lançados.

— Ou nem foram imaginados!

— De que inimigo o senhor suspeita?

— Do Império do Japão.

Bell lembrou-se imediatamente de que o velho John Eddison afirmara ter visto um invasor japonês no Arsenal da Marinha em Washington. Mas perguntou:

— Por que os japoneses?

— Eu conheço os japoneses — respondeu Falconer. — Conheço-os bem. Servi como oficial de observação a bordo da capitânia *Mikasa*, do almirante Togo, quando ele destruiu a frota russa na batalha de Tsushima, a mais decisiva batalha naval desde que Nelson derrotou a França em Trafalgar. Os navios dos japoneses eram de primeira, suas tripulações treinadas como máquinas. Eu *gosto* dos japas e, com certeza, os admiro. Mas eles são ambiciosos. Guarde bem as minhas palavras: ainda vamos lutar contra eles pelo Pacífico.

Bell disse:

— Os assassinos que atacaram Alasdair MacDonald estavam armados com Butterflymessers fabricados por Bontgen e Sabin, de Solingen, Alemanha. Não é a Alemanha que está liderando a disputa na corrida pelos *dreadnoughts?*

— A Alemanha está sendo acossada pela Marinha britânica. Eles lutam com unhas e dentes pelo Mar do Norte, e a Grã-Bretanha nunca os deixará aproximar-se do Atlântico. O Pacífico é o nosso oceano. Os japoneses também o querem. Eles estão projetando navios para atuarem em longas distâncias através do imenso Pacífico, assim como nós. Chegará o dia em que lutaremos contra eles da Califórnia até Tóquio. Por tudo o que sei, os japas atacarão neste verão, quando a Grande Frota Branca se aproximar de suas ilhas.

— Eu li as manchetes — disse Bell com um sorriso amargo. — Nos mesmos jornais que insuflavam a guerra contra a Espanha.

— A Espanha é fichinha! — retrucou Falconer. — Uma relíquia embaraçosa do Velho Mundo. Os japas são novos, assim como nós. Eles já começaram a construir o *Satsuma*, o maior couraçado do mundo. Estão fazendo suas próprias turbinas Brown-Curtis. Estão construindo o mais novo submarino da Holanda na Electric Boat.

— Assim mesmo, uma vez que a investigação está só começando, vale a pena manter a mente aberta. Os sabotadores podem servir a qualquer país da corrida pelos *dreadnoughts.*

— A investigação não é meu departamento, senhor Bell. Tudo o que sei é que o Casco 44 precisa de um homem com energia e presença de espírito para protegê-lo.

— Certamente a Marinha está investigando...

Falconer o interrompeu com um sorriso sarcástico.

— A Marinha ainda está investigando os relatos de que o couraçado *Maine* afundou no porto de Havana em 1898.

— Então o Serviço Secreto...

— O Serviço Secreto está ocupado em proteger a moeda e o presidente Roosevelt de demônios como aquele que atirou em McKinley. E o Departamento de Justiça demorará anos para organizar algum tipo de departamento nacional de investigação. Nosso navio não pode esperar! Droga, Bell, o Casco 44 exige uma equipe motivada e ansiosa para fazer o que for preciso.

Agora, Bell sabia que o inspetor especial da Marinha para a prática de tiro era manipulador, senão ardiloso, além de manhoso, como ele próprio admitia. Mas era um crente de verdade.

— Quer dizer então — disse-lhe Bell — que o Herói de Santiago dará uma de evangelista, a exemplo do controvertido Billy Sunday.

— Culpado — admitiu Falconer com um sorriso ensaiado. — Por acaso, pensa que Joe Van Dorn permitirá que você assuma essa tarefa?

Isaac Bell olhou longamente para as estruturas expostas do Casco 44 elevando-se do berço. Enquanto o fazia, a sirene do estaleiro soou, avisando o início das atividades do dia. Os guindastes a vapor rangeram. Centenas, depois milhares de homens se sucederam como um enxame em torno da futura embarcação. Em questão de minutos, os rebites vermelhos de calor pairavam como vaga-lumes acima dos operários encarregados de passar as peças para os que as instalavam, e logo ecoou o estrépito dos martelos. Essas visões e sons fizeram Bell evocar a lembrança de Alasdair MacDonald lamentando a perda do amigo, Chad Gordon: "Um acidente horrível. Seis caras foram assados vivos... Chad e todos os seus operários".

Como se uma estrela cadente tivesse apagado os últimos vestígios de escuridão no céu da manhã, Isaac Bell viu o poderoso couraçado pelo que ele poderia ser... uma visão grandiosa de homens vivos e um monumento aos mortos inocentes.

— Eu ficaria impressionado se Joe Van Dorn não me mandasse assumir a tarefa. E, se ele não o fizer, a assumirei por conta própria.

CAIXÕES BLINDADOS

15

21 de abril de 1908
Cidade de Nova York

O espião reuniu-se com o alemão Hans em Nova York, no porão de um *Biergarten*, um restaurante típico alemão na esquina da Second Avenue com a 50th Street. Os barris de vinho do Reno ficavam meio submersos por uma corrente subterrânea fria que corria através do porão. As paredes de pedra ecoavam o ruído musical da água corrente. Eles estavam sentados frente a frente em uma mesa redonda de madeira iluminada por uma única lâmpada.

— Nós conspiramos sobre o futuro junto do que restou da bucólica Manhattan — comentou o espião, avaliando a reação de Hans.

O alemão, que parecia ter desfalcado consideravelmente o estoque de vinho do Reno, mostrava-se mais mal-humorado do que nunca. A questão era: será que o cérebro de Hans congestionara-se demais com o vinho e o remorso a ponto de torná-lo imprestável?

— *Mein Freund!* — o espião encarou Hans com um olhar autoritário. — Pretende continuar a servir à Pátria?

O alemão empertigou-se vivamente.

— Mas é claro!

O espião disfarçou um sorriso de alívio. Bastaria prestar um pouco mais de atenção e daria para ouvir as engrenagens de Hans tilintando como as de uma marionete.

— Posso acreditar que suas inúmeras experiências incluem o trabalho em um estaleiro?

— Neptun Schiffswerft und Maschinenfabrik — respondeu Hans com orgulho, obviamente lisonjeado pela lembrança do espião. — Em Rostock. O estaleiro mais moderno.

— O "estaleiro mais moderno" dos americanos fica em Camden, New Jersey. Acho que você deve ir a Camden. Acho que deve instalar-se rapidamente na cidade. Pode contar comigo para o que precisar: fundos operacionais, explosivos, identificação falsa ou passes forjados para os estaleiros.

— Com que finalidade, *mein Herr?*

— Mandar um recado ao Congresso dos Estados Unidos. Fazê-los pensar que sua Marinha é incompetente.

— Não entendi.

— Os americanos estão prestes a lançar seu primeiro couraçado totalmente equipado com os maiores canhões.

— O *Michigan*. Sim, li nos jornais.

— Com sua experiência, você sabe que o sucesso do lançamento de um casco de 16 mil toneladas da terra para a água exige o equilíbrio de três forças poderosas: a gravidade, o arrasto sobre a carreira de construção e a manutenção da capacidade de flutuação pela elevação da popa. Estou certo?

— Sim, *mein Herr.*

— Por alguns angustiantes segundos depois que o lançamento começa, quando são removidos os blocos de sustentação da quilha e as escoras vão caindo, o casco não é apoiado por nada mais, a não ser o berço.

— Isso mesmo.

— Eu lhe pergunto: alguns bastões de dinamite estrategicamente colocados, cronometrados com precisão para detonar no instante em que começar o deslizamento pelos trilhos, seriam capazes de fazer o berço descarrilhar e o *Michigan* tombar sobre a terra seca em vez de no rio?

Os olhos de Hans se iluminaram diante da possibilidade.

O espião esperou o alemão saborear, na imaginação, o quadro do desmoronamento em avalanche do casco de aço de 16 mil toneladas tombando de lado. Então, disse:

— A imagem do casco de um *dreadnought* de 150 metros de comprimento espalhado no chão faria da "Nova Marinha" um belo motivo de riso. E, com certeza, acabaria com a reputação da Marinha perante um Congresso já relutante em destinar dinheiro para a construção de mais navios.

— Sim, *mein Herr.*

— Faça isso acontecer.

**

O Comodoro Tommy Thompson ouvia atentamente o plano de Brian "Olhos" O'Shay para enviar seus parceiros da Hip Sing a São Francisco, quando um garoto entrou correndo em seu bar, na 39th Street, com um bilhete do Homem de Gelo Weeks.

O Comodoro leu o bilhete.

— Ele está se oferecendo para matar o tira da Van Dorn.

— Por acaso disse como?

— Provavelmente ainda está pensando nisso — Tommy riu e passou o bilhete a Olhos.

De um jeito estranho, Tommy pensou, eles haviam reatado a antiga parceria. Não que Olhos aparecesse com regularidade. Esta era apenas a terceira visita dele desde os 5 mil dólares. Nem tampouco Olhos fizera questão de comandar, o que era uma grande surpresa. Ao contrário. Olhos lhe emprestara dinheiro para abrir uma nova casa de jogo embaixo do El Connecto, na 53rd, que vinha rendendo uma boa grana até o momento. Some-se a isso o acordo fechado com a Hip Sing e ele estava começando a se dar bem. Além disso, quando ele e Olhos conversavam, Tommy achava que confiava nele. Não com a própria vida, *Jésus* sabia. Nem mesmo com a própria grana. Mas confiava no bom-senso de Olhos, do mesmo jeito de quando eram moleques.

— O que você acha? — perguntou. — Vamos deixar que faça isso?

O'Shay alisou a ponta do bigode fino. Enganchou o polegar no bolso do colete. Depois, se sentou imóvel como uma pedra, as pernas esticadas, os tornozelos sobre a serragem e, quando finalmente falou, ficou olhando para os pés como se avaliasse as botinas elegantes.

— Weeks está cansado de ficar por baixo. Ele quer pôr as mãos no que sempre ambicionou, o que provavelmente é o Brooklyn. Mas tem medo de que você o mate.

— Ele tem medo de que o mate se você pedir — corrigiu Tommy asperamente. — E você vai pedir.

— Já pedi — respondeu Olhos O'Shay. — Seu suposto Homem de Gelo...

— *Meu* suposto Homem de Gelo! — o Comodoro Tommy insurgiu-se, dominado por um acesso de cólera.

— *Seu* suposto Homem de Gelo, que *você* enviou para Camden quando eu lhe paguei 5 mil dólares, permitiu que a única testemunha confiável naquele salão de dança, um detetive da Agência Van Dorn, pelo amor de Maria, presenciasse o momento em que ele cometia o assassinato. Quando o pessoal da Van Dorn puser as mãos nele, e sabemos que isso vai acontecer, ou os tiras o garfarem por alguma outra transgressão, o pessoal da Van Dorn vai querer saber: "Quem mandou você cometer aquele assassinato?". E Weeks vai responder: "Tommy Thompson e seu velho camarada, Olhos O'Shay, que pensávamos que estivesse morto, mas não estava".

Com uma expressão indecisa, O'Shay desviou os olhos das botinas e acrescentou:

— Francamente, mesmo sem a minha insistência, você vai se ferrar se não o matar. Você tem muito mais a temer do que eu. Eu posso desaparecer, como já fiz antes. Você está preso aqui. Todo mundo sabe onde encontrar o Comodoro: na 39th, no bar do Comodoro Tommy. E logo vai se espalhar a notícia da sua nova casa na 53rd. Não se esqueça, o pessoal da Van Dorn não é como os tiras. Você não pode pagar os agentes da Van Dorn para desviar os olhos das suas atividades. Nem ameaçar.

— Então, o que acha da oferta de Weeks de eliminar a testemunha?

Olhos O'Shay fingiu refletir sobre a pergunta.

— Acho que Weeks é corajoso. Sensível. Prático. Talvez tenha algum trunfo escondido na manga. Se não, então ele está fortemente possuído por delírios de grandeza.

O chefão da gangue dos Gophers piscou.

— O que quer dizer com isso?

— "Delírios de grandeza"? Quero dizer que o Weeks vai precisar de muita sorte para conseguir. Mas, se conseguir matar o tira da Van Dorn, seus problemas acabaram.

— O Homem de Gelo é durão — disse Tommy esperançoso. — E é esperto.

O'Shay deu de ombros.

— Com um pouco de sorte, quem sabe?

— Com um pouco de sorte, o tira da Van Dorn vai matá-lo, e vai ser pelo que testemunhou.

— De qualquer modo, o que você tem a perder? Diga para ele matar, se for capaz.

Thompson rabiscou uma resposta criptografada no verso do bilhete de Weeks e gritou para o garoto.

— Venha cá, seu merdinha! Leve isso até onde esse saco de bosta está escondido.

Brian O'Shay maravilhou-se com a estupidez ilimitada de Tommy. Se Weeks conseguisse matar o tira da Van Dorn — que não era um agente qualquer da Van Dorn, mas o célebre e mortífero investigador chefe Isaac Bell —, o Homem de Gelo Weeks se tornaria o herói do Hell's Kitchen, o que faria dele o maior candidato a assumir a liderança dos Gophers. Qual seria a surpresa de Tommy se Weeks lhe enfiasse uma faca nas costelas?

O nível de estupidez de Tommy lembrou a O'Shay a Marinha russa, com a sua Frota do Báltico, na guerra entre russos e japoneses, quando, completamente desinformada, seus navios de guerra ultrapassados e seu pensamento retrógrado se depararam com a moderna Marinha japonesa. Olá, fundo do estreito de Tsushima, aqui vamos nós!

— Bem, agora podemos voltar ao assunto que estávamos discutindo, Tommy... A ida dos seus chineses a São Francisco?

— Eles não são exatamente os *meus* chineses. Eles são da Hip Sing.

— Descubra quanto dinheiro eles querem para se tornar os *seus* chineses.

— Por que você acha que eles desejariam ir a São Francisco? — indagou Tommy. O chefão da gangue dos Gophers não conseguia imaginar o que O'Shay pretendia.

— Eles são chineses — respondeu O'Shay. — Farão qualquer coisa por dinheiro.

— Você se incomoda se eu perguntar quanto pode pagar?

— Eu posso tudo. Mas, se por acaso você me pedir por uma coisa mais do que ela vale, vou considerar isso um ato de guerra.

O Comodoro Tommy mudou de assunto.

— Imagino qual seria o trunfo que o Homem de Gelo teria escondido na manga.

**

MOSTRA DA SERPENTE MORTAL
SORO ÚTIL CONTRA A INSANIDADE
O Veneno da Picada da Surucucu Pode Matar
um Boi em Cinco Minutos
A *Lachesis muta* é chamada de "Morte Súbita"
pelos Nativos do Brasil

O vento carregou a folha de jornal para longe das arquibancadas do Washington Park exatamente quando o Brooklyn rebateu a bola no oitavo turno do jogo. Homem de Gelo observou enquanto o papel flutuava sobre o campo, passava por Wiltse no posto do arremessador, pairava sobre Seymour no centro e seguia direto para onde ele se achava entocado — usando uma roupa vagabunda, de tecido barato e descolorido, disfarçado como um pobre ajudante de encanador — num espaço atrás do gramado do campo, onde não havia probabilidade de cruzar com nenhum dos fãs do time de Nova York.

Se Homem de Gelo fosse capaz de amar alguma coisa, seria o beisebol, mas não podia se arriscar a ser visto em Nova York, no jogo de abertura do dia seguinte, nos Campos de Polo, então aproveitava a oportunidade para ver a equipe no reduto do Brooklyn, onde ninguém o conhecia. Os Giants, seu time favorito, davam uma verdadeira surra nos coitados dos Superbas. Os Giants batiam para valer, e o vento frio que levantava cinzas, chapéus e jornais não influenciava nem um pouco os lançamentos de Hooks Wiltse. Suas bolas com efeito tinham desorientado os rebatedores do Brooklin durante todo o jogo e, ao fim do oitavo turno, o time de Nova York estava ganhando de 4 a 1.

Os olhos azuis da cor do gelo de Weeks fixaram-se na manchete saborosa, quando o jornal passou acima da sua cabeça.

O Veneno da Picada da Surucucu Pode Matar
um Boi em Cinco Minutos

Ele saltou sobre o gramado e agarrou o papel com as duas mãos.

Esquecido do jogo, leu avidamente, sublinhando cada palavra com a ponta do dedo sujo. O fato de saber ler situava Weeks quilômetros à frente da maioria dos integrantes da gangue dos Gophers. Os jornais diários de Nova York eram uma fonte inesgotável de oportunidades. As páginas sociais informavam quando os ricaços saíam da cidade em viagens a Newport ou à Europa, deixando as mansões abandonadas. As notícias dos carregamentos dos navios davam informações sobre as cargas a serem pilhadas das docas e das laterais da 11th Avenue.

Hipnotizado pela esperança, ele leu cada palavra da história sobre a serpente, e releu. Sua sorte voltara. A serpente recuperaria suas perdas na pior cartada de que já participara: o detetive da Van Dorn, Isaac Bell, aparecendo em Camden na noite em que mataram o escocês.

> *Uma víbora surucucu proveniente do Brasil, o mais mortífero de todos os répteis conhecidos, será exibida amanhã à noite perante a Academia de Ciências Patológicas na sua reunião mensal no Hotel Cumberland, na esquina da 54th Street com a Broadway.*

O jornal informava que os cirurgiões interessavam-se pela serpente porque o soro fabricado a partir do veneno letal da surucucu podia ser usado para tratar doenças cerebrais e nervosas.

Homem de Gelo conhecia o Cumberland.

Era um hotel de primeira classe e com doze andares, anunciado nas propagandas como o “Ponto de Encontro dos Universitários”. Isso mais a tarifa de 2,50 dólares a diária eram suficientes para manter a ralé longe. Mas Weeks não tinha a menor dúvida de que seria capaz de se vestir como um universitário, graças à sua segunda vantagem sobre os gângsteres comuns. Era metade americano, de verdade. Ao contrário dos outros integrantes de sangue puramente irlandês da gangue dos Gophers, no seu caso só a sua mãe era irlandesa. Na época em que conhecera o pai, o velho lhe dissera que os Weeks eram descendentes de ingleses que tinham chegado ao país antes do *Mayflower*. Usando os truques certos, por que não poderia entrar no saguão do Hotel Cumberland como merecia?

Calculou que poderia se entender com os babacas do Cumberland para interferirem a seu favor, bastando para isso torcer o braço de um carregador. Weeks tinha um em mente, Jimmy Clark, que fazia um servicinho paralelo, distribuindo cocaína para um farmacêutico da 49th, um negócio agora mais arriscado desde que a nova lei dizia que o pó precisava ser receitado por um médico.

Um ser humano vive apenas um ou dois minutos depois que o veneno entra em seu organismo. O veneno da víbora paralisa a atividade do coração e o corpo da vítima se enrijece e fica preto.

Ele já tinha um plano. Não era como ficar escondido e não fazer nada. Assim que soubera onde Isaac Bell dormia quando estava na cidade, conseguira um jeito de persuadir uma lavadeira conhecida, que trabalhava no Yale Club da cidade de Nova York, a ajudá-lo a entrar no quarto do detetive.

Jenny Sullivan desembarcara havia pouco de um barco vindo da Irlanda e tivera de penhorar alguns bens para pagar a passagem. Weeks comprara a dívida dela, pretendendo colocá-la para arrumar os lençóis em vez de passá-los. Mas, depois de Camden, persuadira algumas pessoas a lhe fazer um grande favor e colocar Jenny numa função no clube de Bell. Então escrevera o bilhete ao Comodoro Tommy, oferecendo-se para matar o detetive. Mas não conseguira ainda reunir a coragem para se esconder embaixo da cama de Bell com uma pistola e enfrentá-lo de homem para homem.

Weeks era durão o bastante para ter arrancado a bala calibre 38 de Bell do próprio ombro com uma faca de açougueiro, em vez de deixar que algum médico bêbado ou parteira denunciassem a Tommy Thompson seu paradeiro. Durão o bastante para despejar álcool etílico no ferimento para impedir a infecção. Mas já tinha visto Bell em ação. Bell era mais durão — maior, mais rápido e mais bem armado — e só numa luta desonesta não venceria.

Melhor proporcionar a Bell um encontro com a "Morte Súbita".

O jornal informava que o curador do setor dos répteis do zoológico do Bronx entregaria o animal em uma caixa de vidro grosso.

— Não há como escapar — prometera o curador aos médicos da Academia de Ciências Patológicas, convidados para ver o réptil.

Weeks reconhecia que, com um buraco de bala no ombro, uma caixa de vidro grosso, grande o bastante para guardar uma serpente venenosa de mais de um metro de comprimento, seria pesada demais para ele carregar sozinho. E se a deixasse cair ao tentar levá-la embaixo de um braço e o vidro se partisse! Um ombro imprestável era o menor dos seus problemas. Precisava de ajuda. Porém, os garotos em quem confiava para uma mãozinha estavam ambos mortos — alvejados pelo babaca ligeiro da Van Dorn.

Se tentasse recrutar alguém para carregar a caixa de vidro, chegaria depressa ao conhecimento de Tommy Thompson a notícia de que Homem de Gelo Weeks voltara à cidade. Melhor amarrar as mãos nas costas e saltar no rio. Pouparia o problema ao Tommy. Porque não era preciso ser um gênio para descobrir que Olhos O'Shay mandaria o Comodoro matar o homem que fora visto por um babaca da Van Dorn cometendo o assassinato financiado por ele. Weeks era capaz de jurar até perder todo o fôlego que nunca daria com a língua nos dentes. O'Shay e Tommy o matariam de qualquer maneira. Só por segurança.

Pelo menos Tommy respondera que aprovava a morte de Isaac Bell. Claro que não oferecera ajuda. E nem precisava dizer que, se Tommy e Olhos tivessem uma chance de matá-lo primeiro, não esperariam que fizesse um buraco no Bell.

Wiltse arremessou a bola no nono turno e Bridwell rebateu. Quando o turno terminou, o time de Nova York tinha feito mais dois pontos, o Brooklyn, nada, e Weeks tomou o caminho do trânsito na direção do elevado da 5th Avenue, agora com uma boa ideia de como transportar a serpente até o Yale Club.

Precisava de um traje de "universitário", de um baú grande, de uma chapa de vidro, de um carregador com um carrinho de bagagens e de informações sobre a caixa de fusíveis.

16

— **Quem é aquele oficial?** — indagou Isaac Bell ao agente do Serviço de Proteção da Van Dorn designado para guardar o estúdio de desenho de Farley Kent, no estaleiro da Marinha no Brooklyn.

— Não sei, senhor Bell.

— Como ele chegou até aqui?

— Conhecia a senha.

O Serviço de Proteção da Van Dorn emitira senhas para cada um dos homens ocupados com o couraçado do Casco 44 que estavam sendo vigiados. Depois de passar pelos Fuzileiros Navais que guardavam os portões, o visitante ainda precisava provar que era esperado pela pessoa a que alegava estar visitando.

— Onde está o senhor Kent?

— Estão todos na câmara de testes, trabalhando naquele modelo de mastro de observação — respondeu o agente do Serviço de Proteção, apontando para o outro lado do estúdio de desenho, onde a porta que levava ao laboratório estava fechada. — Alguma coisa errada, senhor Bell?

— Três coisas — respondeu Bell, curto e grosso. — Farley Kent não está aqui, portanto, parece que não devia esperar a visita desse oficial. O oficial está examinando a prancheta de desenho de Kent desde que entrei. E, caso você não tenha notado, ele está usando o uniforme da Marinha do czar.

— Esses uniformes azuis parecem todos iguais — respondeu o agente, lembrando a Bell que poucos rapazes do SP tinham um padrão de inteligência razoável e audácia para subir na hierarquia até o posto de um detetive pleno da Van Dorn. — Além do mais, ele está carregando rolos de desenhos assim como os outros. Quer que vá interrogá-lo, senhor Bell?

— Deixe isso comigo. Da próxima vez que aparecer alguém que não seja esperado, parta do princípio de que é encrenca, até descobrir o contrário.

Bell atravessou em passos largos o grande estúdio, passando por entre as diversas fileiras de pranchetas de desenho, que normalmente estariam ocupadas pelos arquitetos navais, agora participando dos testes do mastro de observação. O homem com o uniforme de oficial russo achava-se tão absorto estudando um desenho de Farley Kent que deu um salto para trás e deixou cair os rolos que trazia sob o braço quando Bell disse:

— Bom dia, senhor.

— Ah! Não percebi sua chegada — respondeu o homem, com um forte sotaque russo, abaixando-se para recolher os rolos caídos.

— Posso saber seu nome, por favor?

— Sou o segundo-tenente Vladimir Ivanovich Yourkevitch, da Marinha Imperial Russa de sua majestade, o czar Nicolau. E a quem tenho a honra de...

— Tem algum compromisso marcado aqui, tenente Yourkevitch?

O russo, que mal parecia ter idade para se barbear, inclinou a cabeça.

— Infelizmente, não. Espero poder me encontrar com o senhor Farley Kent.

— E por acaso o senhor Kent o conhece?

— Ainda não, senhor.

— Então, como conseguiu chegar até aqui?

Yourkevitch deu um sorriso tranquilizador.

— Com uma conduta adequada, um uniforme impecável e uma saudação decidida.

Isaac Bell não retribuiu o sorriso.

— Isso pode ter permitido sua passagem pelos Fuzileiros Navais da guarda no portão. Mas onde conseguiu a senha para vir ao estúdio de desenho de Kent?

— Num bar do lado de fora dos portões, conheci um oficial dos Fuzileiros Navais. Ele me disse a senha.

Bell acenou para o agente do Serviço de Proteção.

— O tenente vai ficar sentado naquele banco, longe dessa mesa de desenho, até eu voltar — para o tenente Yourkevitch, ele disse. — Este cavalheiro é suficientemente capaz de dominá-lo se for preciso. Faça o que ele disser.

Em seguida, Bell atravessou o estúdio e empurrou a porta da câmara de testes.

Uma dezena de integrantes da equipe de Kent formava um círculo ao redor de um modelo de uns 3 metros de altura de um mastro de observação de um couraçado. Os jovens arquitetos navais usavam cortadores de arame, micrômetros, blocos de anotações, réguas de cálculo e fitas métricas. A estrutura arredondada e empinada no meio da sala, apoiada sobre uma carreta, era feita de arames rijos que se espiralavam desde a base até o alto, retorcidos no sentido anti-horário e enlaçados a intervalos por anéis horizontais. A estrutura era uma miniatura de um mastro de 36 metros de altura, feito de tubulações leves, e o imitava nos mínimos detalhes, com plataformas apoiadas em alguns anéis por onde passavam conduítes de eletricidade e tubos de voz, que corriam desde os postos dos observadores no alto até a torre dos orientadores de tiro, com pequenas escadas formando ângulos em seu interior.

Dois dos arquitetos de Kent seguravam cordas presas em lados opostos da base redonda, embaixo. Em cima, uma fita métrica corria entre as paredes, passando perto do ponto mais no alto. Um arquiteto sobre uma escada auxiliar observava atentamente a fita. Farley Kent disse:

— Salva de bombordo. Fogo!

O arquiteto do lado esquerdo puxou a corda e o homem que observava a fita gritou, de cima, quanto a torre havia balançado.

— Catorze centímetros! — foi o que registrou.

— Em 12 para um, são 14 centímetros! — disse Kent. — É melhor que os observadores de tiro, no alto, segurem-se firme quando o navio disparar de suas torres. Por outro lado, um mastro de tripé pesaria cem toneladas, enquanto a nossa gaiola de componentes supérfluos vai pesar menos de 20, uma economia enorme. Muito bem, vamos medir qual é o balanço depois de ser atingido por várias granadas — brandindo um cortador de arame, ele rompeu ao acaso dois dos arames em espiral e um dos anéis.

— Pronto!

— Esperem! — um arquiteto levantou uma escada e prendeu um boneco de marinheiro, com as bochechas vermelhas e um chapéu de palha, no ponto de observação no topo.

A câmara de testes vibrou com as risadas, a de Kent sendo a mais alta de todas.

— Salva de boreste. Fogo!

A corda foi puxada, o topo da torre oscilou bruscamente e o boneco voou pela sala.

Bell agarrou-o.

— Senhor Kent, posso lhe falar por um instante?

— Qual é o assunto? — indagou Kent, cortando outro arame vertical enquanto seus assistentes observavam atentamente as consequências sobre o mastro.

— Acho que surpreendemos o primeiro espião — disse Bell em voz baixa. — Pode me acompanhar, por favor?

O tenente Yourkevitch saltou do banco antes que o agente do Serviço de Proteção da Van Dorn pudesse detê-lo e agarrou a mão de Kent.

— É uma honra conhecê-lo, uma grande honra!

— Quem é você?

— Yourkevitch. De São Petersburgo.

— Quartel-general do Estado-Maior da Marinha?

— É claro, senhor. Estaleiro do Báltico.

Ken perguntou:

— É verdade que a Rússia está construindo cinco couraçados maiores do que o HMS *Dreadnought?*

Yourkevitch deu de ombros.

— Esperam que sejam supercouraçados, mas a Duma talvez diga não. Caro demais.

— O que está fazendo aqui?

— A ideia é que eu conheça o lendário Farley Kent.

— Você veio de lá até aqui só para me conhecer?

— Para mostrar isso. Veja. — Yourkevitch desenrolou seus projetos e espalhou-os sobre a prancheta de Kent. — O que acha? O aperfeiçoamento na forma do corpo do navio?

Enquanto Farley Kent examinava os desenhos de Yourkevitch, Bell puxou o oficial russo de lado e disse:

— Descreva o oficial dos Fuzileiros Navais que lhe passou a senha.

— Era um homem de altura mediana e usava uma roupa escura. Mais ou menos da sua idade, acho que uns 30 anos. Muito aprumado, muito bem-vestido. Bigode como feito a lápis. Muito, qual é a palavra, *meticuloso*!

— Roupa escura... Não estava de uniforme?

— Estava à paisana.

— Então, como soube que era um oficial dos Fuzileiros Navais?

— Ele me disse.

O semblante de Bell, até então sério, tornou-se sombrio. Falou friamente.

— Quando e onde vai prestar contas a ele?

— Não estou entendendo.

— Você deve ter concordado em comentar sobre o que viu aqui.

— Não. Nem o conheço. Como poderia encontrá-lo?

— Tenente Yourkevitch, estou achando difícil acreditar na sua história. E acho que não será nada bom para a sua carreira na Marinha do czar se ficar provada a sua atuação como espião junto à Marinha dos Estados Unidos.

— Um espião? — Yourkevitch deixou escapar. — Não.

— Pare de fazer esse jogo comigo e me diga como soube da senha.

— Espião? — repetiu o russo. — Eu não sou espião.

Antes de Bell responder, Farley Kent falou.

— Ele não precisa nos espionar.

— O que está dizendo?

— Estou dizendo que *nós* é que deveríamos espioná-lo.

— Do que está falando, senhor Kent?

— O "aperfeiçoamento na forma do corpo do navio" do tenente Yourkevitch é muitíssimo melhor do que parece — ele apontou para os diversos elementos do desenho sofisticadamente elaborado. — À primeira vista, parece que a meia-nau é um pouco grosseira, até bojuda demais, e estranhamente afilada na popa e na proa. Alguém poderia dizer que lembra uma vaca. Na verdade, é brilhante! Permite fortificar as defesas contra torpedos do couraçado ao redor da maquinaria e dos paióis, e aumentar o armamento e a capacidade de armazenamento de carvão, além de alcançar velocidades maiores com menos combustível.

Ele apertou a mão de Yourkevitch.

— Genial, senhor! Eu devia roubá-lo, mas nunca conseguiria a aprovação dos dinossauros da Diretoria de Construções. Isso aqui está vinte anos à frente do tempo deles.

— Obrigado, senhor, obrigado! Vindo de Farley Kent, é uma honra!

— E vou lhe dizer mais uma coisa — falou Kent —, embora desconfie que já o considere assim. Seu casco dará um magnífico transatlântico! Um navio de passageiros para o Atlântico Norte muito melhor do que o *Lusitania* e o *Mauritania.*

— Um dia — Yourkevitch sorriu. — Quando não houver mais guerra.

Kent convidou Yourkevitch para almoçar com seu pessoal, e os dois iniciaram uma longa conversa sobre a notícia recente da construção dos transatlânticos *Olympic* e *Titanic* pela companhia White Star.

— Oitocentos e quarenta pés! — maravilhou-se Kent. Ao que o russo replicou:

— Estou pensando em um mil-pés...

Bell acreditou que o sincero arquiteto naval russo não quisesse mais do que a oportunidade de confraternizar com o famoso Farley Kent. No entanto, não acreditava que o suposto oficial que procurara Yourkevitch em um bar da Sand Street fosse um fuzileiro naval.

Por que ele informara a senha ao russo sem pedir que relatasse sobre os desenhos de Kent? Como viera a saber sobre o russo e como o abordou? A resposta era preocupante. O espião — o "sabotador de mentes", como Falconer o chamara — sabia a quem se dirigir na corrida pelo melhor couraçado.

**

— Esta coisa de espionagem estrangeira é nova para nós — disse Joseph Van Dorn. Muito agitado, o chefe soltava baforadas do charuto, fumado às pressas depois do almoço no salão principal do Railroad Club, no 22º andar do Hudson Tunnels Terminal, antes de tomar um trem para Washington.

— Nós caçamos assassinos — retrucou Isaac Bell, sem alterar a expressão soturna. — Sejam quais forem os motivos, antes de qualquer outra coisa, eles são criminosos.

— Ainda assim, não estamos sendo precipitados?

Bell disse:

— Pedi aos rapazes da Pesquisa para fazer uma lista de diplomatas estrangeiros, adidos militares e repórteres de jornais que poderiam passar por espiões da Inglaterra, Alemanha, França, Itália, Rússia, Japão e China.

— O secretário da Marinha acabou de me enviar uma lista de estrangeiros de quem a Marinha suspeita que poderiam estar envolvidos em espionagem.

— Vou acrescentar essa à minha — disse Bell. — Mas quero que um especialista dê uma olhada nos nomes, para nos poupar tiros na água. Por acaso, não tem um velho amigo que continue nos Fuzileiros Navais e possa puxar umas cordinhas no Departamento de Estado?

— Muito mais do que isso. Canning é o oficial responsável por todas as providências para que os regimentos expedicionários dos Fuzileiros Navais partam em missões de desembarque a pedido do governo.

— Esse é o nosso homem junto com os adidos no exterior. Assim que ele passar um pente-fino pelas nossas listas de estrangeiros, recomendo ficar de olho neles em Washington, D. C., e em Nova York, além de nos estaleiros e fábricas envolvidas na construção de navios de guerra.

— Isso vai exigir uma boa despesa com detetives — disse Van Dorn, pensativo.

Bell tinha a resposta pronta.

— A despesa pode ser contabilizada como um investimento na consolidação de boas amizades em Washington. Não fará mal o governo confiar na Agência Van Dorn como um aparelho nacional com postos avançados em todo o continente.

Van Dorn sorriu satisfeito, as costeletas vermelhas se dilatando luzidias como arbustos em chamas ante o pensamento aprazível.

— Além disso — Bell continuou —, recomendo que os especialistas da Agência Van Dorn pesquisem nos diversos bairros de imigrantes, nas imediações das cidades que têm estaleiros alemães, irlandeses, chineses, para se informarem sobre possíveis espiões e rumores de governos estrangeiros pagando por informações e operações de sabotagem. A corrida dos couraçados é internacional.

Van Dorn considerou o comentário com um risinho sem graça.

— Poderíamos estar procurando por mais de um espião. Eu lhe disse que isso vai muito além da nossa atividade usual.

— Se não nós — retrucou Bell —, quem fará o serviço?

17

Duas vezes naquela tarde, Homem de Gelo Weeks distribuiu surras notáveis pela selvageria e pelo fato de não deixarem marcas, pois estavam encobertas pelas roupas. Era um especialista, pondo em prática habilidades cultivadas desde a infância em extorsões a ambulantes e na coleta dos pagamentos para os tubarões da agiotagem. Comparados a um estivador ou a um carroceiro, o carregador esquálido e a lavadeirinha assustada eram moleza. A dor piorava com o passar do dia. Assim como o medo.

Jimmy Clark, carregador e mensageiro do Hotel Cumberland, recebera a primeira e aparentemente interminável saraivada de socos na viela, aos fundos da farmácia onde fora trocar a arrecadação da última noite pela cocaína da noite seguinte. Weeks enfatizou que seus problemas não seriam nada em comparação com os de Jimmy, se o carregador não fizesse exatamente o que ele dizia. A menor hesitação faria desse acontecimento uma feliz lembrança.

Jenny Sullivan, a aprendiz de lavadeira no Yale Club, foi surpreendida num beco, a meio quarteirão da Igreja da Assunção, onde fora rezar em agradecimento por ter se livrado das dívidas.

Weeks deixou-a vomitando de dor. Mas ela era tão importante para seu plano que, quando Weeks parou de bater na garota, prometeu que, se ela fizesse o que mandasse, toda a sua dívida estaria cancelada, paga integralmente. Quando ela arrastou o corpo dolorido para o trabalho, a dor e o medo misturaram-se prodigiosamente à esperança. Tudo o que precisava fazer era se aproximar, sem ser vista, da porta de serviço do clube, tarde da noite, quando ninguém estivesse por perto, e roubar a chave que abria a porta do banheiro no terceiro andar.

18

Isaac Bell e Marion Morgan encontraram-se para jantar no Rector's. O palácio da lagosta era famoso por seu interior verde e dourado, todo espelhado, pelas suas toalhas e prataria suntuosas, pela porta giratória — a primeira de Nova York —, pela freguesia estrelada, tanto quanto pelos seus crustáceos. Localizado na Broadway, ficava a dois quarteirões do escritório de Bell no Knickerbocker. Ele ficara esperando embaixo da estátua gigantesca de um grifo iluminado por luzes elétricas e cumprimentou Marion com um beijo nos lábios.

— Desculpe pelo atraso. Precisei trocar de roupa.

— Eu também me atrasei. Acabei de sair da Van Dorn.

— Eu tinha de estar, pelo menos, à altura das atrizes da Broadway que vêm aqui para jantar.

— Quando a virem nesse traje — assegurou-lhe Bell —, voltarão correndo para os camarins e chorarão de inveja.

Eles empurraram a porta giratória e entraram no salão brilhante, em que havia uma centena de mesas. Charles Rector agitou os braços freneticamente para a orquestra quando saiu apressado para cumprimentar Marion.

Os músicos começaram a tocar "A Hot Time in the Old Town Tonight", a música-título do primeiro média-metragem de Marion, sobre a namorada de um detetive que impedia que o vilão incendiasse uma cidade. Ao som da música, todas as mulheres exibindo diamantes reluzentes e todos os cavalheiros em trajes de noite voltaram-se para ver Marion entrar. Bell sorriu quando um zum-zum de reconhecimento correu por todo o salão do restaurante.

— Senhorita Morgan! — bradou Rector, tomando-lhe as mãos nas suas. — Quanta honra para o Rector's receber uma grande cineasta. Está todo mundo comentando seu último filme.

— Obrigada, senhor Rector! Pensei que o acompanhamento musical fosse reservado apenas para as belas atrizes.

— Belas atrizes na Broadway são tão comuns que nem chamam mais a atenção. Uma linda diretora de cinema é algo mais raro que ostras em agosto.

— Este é o senhor Bell, meu noivo.

O dono do restaurante apertou a mão de Bell e acrescentou calorosamente:

— Meus parabéns, senhor! Não imagino um cavalheiro de maior sorte na nossa alta sociedade. Gostaria de uma mesa sossegada, senhorita Morgan, ou uma em que todo mundo possa vê-la?

— Sossegada — respondeu Marion firmemente e, depois de se sentarem e pedirem o champanhe Mumm de costume, ela disse a Bell: — Estou impressionada por ele se lembrar de mim.

— Talvez tenha lido a edição de ontem do *New York Times* — Bell sorriu. Ela parecia muito satisfeita com a recepção e seu rosto exibia uma cor adorável.

— O *Times*? O que está dizendo?

— Eles enviaram um repórter de moda ao Desfile de Páscoa no último domingo — ele desdobrou um recorte de jornal que guardara na carteira e leu em voz alta:

"Depois do chá, uma jovem que caminhava de Times Square até a parada da 5th Avenue causou sensação. Usava um vestido de seda azul-claro e um chapéu preto adornado com plumas, cujo tamanho fazia com que os homens precisassem se afastar para os lados para abrir espaço à sua passagem. Essa pessoa estonteante caminhou até o Hotel St. Regis e depois partiu em direção ao Norte em um automóvel Locomobile vermelho."

— E por falar em vermelho, suas orelhas...

— Não acredito! Dão a impressão de que eu estava me pavoneando pela 5th Avenue para chamar atenção. Todas as mulheres estavam bem-vestidas para o desfile. Eu só usei aquele chapéu porque Mademoiselle Duvall e Chistina apostaram dez dólares como eu não teria coragem!

— O repórter entendeu tudo errado. Você estava *atraindo* a atenção. Se estivesse *buscando* atenção, não teria partido no Locomobile vermelho, mas permaneceria na avenida, pavoneando-se para cima e para baixo, até escurecer.

Marion estendeu o braço por cima da mesa.

— Você leu o artigo estranho no verso?

Bell virou o recorte do outro lado.

— *Lachesis muta*? Ah, sim! É uma cobra fantástica. Injeta um veneno tão implacável e mortal quanto uma sentença de enforcamento. Você sabe, o Hotel Cumberland fica a apenas dez quarteirões da Broadway. Se quiser ir lá vê-la, juro que sou capaz de caminhar daqui até a reunião da Academia de Ciências Patológicas só para passear de braço dado com uma bela garota.

Marion estremeceu.

Quando o champanhe chegou, Bell ergueu a taça para ela.

— Acho que não sei me expressar tão bem quanto o senhor Rector. Obrigado por me tornar o cavalheiro mais sortudo da alta sociedade.

— Ah, Isaac, é tão bom estar com você!

Eles beberam o champanhe e discutiram sobre o cardápio. Marion pediu codorna egípcia, declarando nunca ter ouvido falar dessa ave, e, Bell, uma lagosta. Para a entrada, pediram ostras.

— São Lynnhavens, de Maryland — assegurou-lhes o garçom —, das grandes, encomendadas especialmente pelo senhor Diamond Jim Brady. Se posso recomendar, senhor Bell, o senhor Brady normalmente pede suas lagostas acompanhadas de pato e filé.

Bell recusou.

Marion tomou a mão dele por cima da mesa.

— Conte-me sobre seu trabalho. Vai ficar muito tempo em Nova York?

— Estamos com um caso de espionagem — respondeu Bell em voz baixa o bastante para ninguém ouvi-lo em meio às risadas e à música. — Uma trama envolvendo a corrida internacional dos couraçados.

Marion, acostumada a compartilhar com ele os detalhes dos casos, quando ele aproveitava para apurar as próprias ideias, replicou no mesmo tom baixo.

— É algo completamente diferente de ladrões de banco...

— Eu disse ao Joe Van Dorn: internacionais ou não, se eles matam pessoas, são, antes de qualquer coisa, assassinos. Seja como for, Joe vai se instalar em Washington e me deixou o escritório de Nova York, com carta branca para despachar agentes para todo o país.

— Imagino que isso tenha a ver com o projetista de canhões navais que explodiu o próprio piano.

— Cada vez mais está parecendo que não se tratou de suicídio, mas de um assassinato diabólico planejado para parecer suicídio. E de uma maneira tão estranha que desacreditasse o coitado e todo o sistema de canhões que ele criou! É claro, a sugestão de suborno mancha tudo em que pôs as mãos.

Bell contou-lhe sobre suas dúvidas em relação ao bilhete de suicídio de Langner e a convicção de que o invasor do Arsenal de Washington, surpreendido pelo velho John Eddison, fosse, na verdade, um japonês. Contou sobre como as mortes do especialista em blindagem e do especialista em controle de tiro foram, de início, consideradas acidentes.

Marion perguntou:

— Alguém viu um japonês na usina de fundição de Bethlehem?

— Os homens que mandei para lá relataram que viram alguém fugindo. Mas era um sujeito grandalhão, mais de 1 metro e 80, louro e de pele clara. Acham que era um alemão.

— Por que alemão?

— Aparentemente, quando deu no pé, eles o ouviram murmurar: "*Gott im Himmel!*".

Marion arqueou uma sobrancelha em dúvida.

— Eu sei — disse Bell. — Nada consistente.

— E por acaso foi um alemão louro e de pele clara ou um japonês que foi visto com Grover Lakewood, quando caiu do penhasco?

— O médico-legista do condado de Westchester disse ao meu agente que não houve testemunhas da queda de Lakewood da montanha. Lakewood tinha dito aos amigos que passaria o fim de semana escalando um rochedo, e os ferimentos na cabeça que o mataram coincidiam com um acidente de alpinismo. O coitado despencou de uma altura de 30 metros. Foi enterrado em caixão lacrado.

— Estava escalando sozinho?

— Uma senhora disse que o viu pouco antes do acidente com uma garota bonita.

— Nem alemã nem japonesa? — indagou Marion, com um sorriso.

— Uma ruiva — Bell retribuiu o sorriso. — Supostamente irlandesa.

— Por que irlandesa?

Bell abanou a cabeça.

— Seus traços lembraram à senhora sua empregada irlandesa. De novo, nada consistente.

— Três suspeitos diferentes — observou Marion. — Três nacionalidades diferentes... É claro, o que poderia ser mais internacional do que uma corrida de couraçados?

— O capitão Falconer inclina-se a culpar o Japão.

— E você?

— Não há dúvida de que os japoneses têm prática em espionagem. Soube que, antes da Guerra Russo-Japonesa, eles se infiltraram em toda a frota russa do Extremo Oriente com espiões que fingiam ser funcionários e trabalhadores manchurianos. Quando o conflito eclodiu, os japoneses sabiam mais sobre as táticas da Marinha russa do que os próprios russos. Mas eu não tenho preconceitos. Realmente, acredito que poderia ser alguém de qualquer uma dessas nacionalidades.

— Um detetive alto e bonitão uma vez me disse que o ceticismo era seu bem mais valioso — concordou Marion.

— Esse é um caso importante e que está ficando cada vez mais sério. E, considerando o quanto o programa dos couraçados é grande e abrangente, o alcance do caso e as suas ligações poderiam ter passado despercebidas por muito mais tempo, não fosse a filha de Langner insistir em que o pai não se mataria. Assim mesmo, se ela não tivesse conseguido chegar a Joe Van Dorn por intermédio da antiga colega de escola, então eu não teria testemunhado pessoalmente o assassinato do pobre Alasdair. A morte dele seria classificada apenas como mais uma briga de bar, e quem sabe quantos mais poderiam ser assassinados antes de alguém tomar pulso da situação.

Bell abanou a cabeça.

— Chega de conversa. Aí vêm as ostras e nós dois precisamos acordar cedo amanhã.

— Olhe o tamanho dessas ostras! — Marion levou um molusco enorme à boca, deixando que escorresse suavemente pela garganta, e perguntou com um sorriso. — A senhorita Langner é tão bonita quanto se diz?

— Quem diz?

— Mademoiselle Duvall conheceu-a em Washington. Aparentemente, não há um homem com mais de 19 anos na Costa Leste que não esteja perdidamente apaixonado por ela.

— Ela é linda — disse Bell. — Tem uns olhos extraordinários. E imagino que, caso não estivesse de luto, provavelmente seria ainda mais adorável.

— Não me diga que também se apaixonou por ela!

— O tempo em que me apaixonava já passou — Bell deu um sorriso irônico.

— Tem saudade dele?

— Se o amor fosse gravidade, eu estaria em queda livre. O que Mademoiselle Duvall foi fazer em Washington?

— Seduzir um secretário assistente da Marinha para contratá-la para filmar a Grande Frota Branca navegando sob a Golden Gate em sua chegada a São Francisco. No mínimo, foi como conseguiu ser contratada para filmar a partida da frota de Hampton Roads no último inverno, então suponho que esteja usando as mesmas táticas. Por que pergunta?

— Isso fica estritamente entre nós — replicou Bell, sério. — Mademoiselle Duvall teve, durante muito tempo, um caso com um capitão da Marinha francesa.

— Ah, é claro! Às vezes, ela assume aquele olhar distante e misterioso e dá a entender que seja por causa de "*Mon Capitain*".

— *Mon Capitain* por acaso é um especialista em pesquisas sobre couraçados? Quero dizer, o francês é um espião e ela provavelmente está trabalhando para ele.

— Uma espiã? Ela não passa de uma doidivanas!

— O secretário da Marinha entregou a Joe Van Dorn uma lista de vinte estrangeiros que andariam bisbilhotando em Washington e Nova York em nome da França, Inglaterra, Alemanha, Itália e Rússia. A maioria se parece com doidivanas, mas estamos investigando cada um deles.

— Nenhum japonês?

— Um monte. Dois da própria embaixada: um oficial naval e um adido militar. E um importador de chá que mora em São Francisco.

— Mas o que Mademoiselle Duvall poderia filmar para a Marinha francesa que qualquer um de nós não filmaria?

— A filmagem poderia ser a desculpa para se aproximar de oficiais da Marinha americana que pudessem falar além da conta com uma mulher atraente. O que você quis dizer com "qualquer um de nós"? Você também pretende filmar a Frota?

— Preston Whiteway acabou de entrar em contato comigo.

Bell semicerrou os olhos ligeiramente. O rico Whiteway herdara vários jornais na Califórnia. Expandira o negócio até ser dono de uma cadeia poderosa do mais asqueroso tipo de imprensa marrom e de uma empresa de cinedocumentários noticiosos, que Marion iniciara para ele antes de ir para o Leste fazer cinema.

— Preston me pediu para filmar, para o *Picture World*, a Frota chegando a São Francisco.

— Os jornais de Preston estão prevendo a guerra contra o Japão para dentro de uma semana.

— Ele imprime qualquer coisa nos jornais, se der dinheiro.

— É uma tarefa isolada?

— Não trabalharia para ele como funcionária, pode ter certeza disso, mas contratada por um polpudo valor. Posso encaixar o serviço entre as filmagens que faço por aqui. O que você acha?

— Preciso reconhecer uma coisa sobre o Whiteway. Ele certamente é persistente.

— Não acho que ele pense mais em mim daquele jeito... Por que está rindo?

— Acredito que ele continue sendo um homem que enxerga muito bem.

— Estou dizendo que Preston sabe que não estou disponível.

— Por ora isso pode colar — concordou Bell. — Se serve como lembrança, da última vez que o viu, você ameaçou atirar nele. Quando vai partir?

— Não antes de 1º de maio.

— Ótimo. Vão lançar o *Michigan* na semana que vem. O capitão Falconer dará uma grande festa. Esperava que você fosse comigo.

— Eu adoraria.

— É a minha chance de observar os doidivanas estrangeiros em um salão cheio de americanos que podem falar além da conta. Você será meu disfarce e um segundo par de olhos e orelhas.

— O que você acha que uma dama deve vestir para o lançamento de um couraçado?

— Que tal algo que faça os homens se afastarem para lhe dar passagem? — Bell sorriu com ironia. — Ou então pode perguntar à Mademoiselle Duvall. Aposto que ela irá também.

— Não gosto que ela saiba que você é um detetive. Isso poderia colocá-lo em perigo, caso ela realmente seja uma espiã.

* *

Dez quarteirões além da Broadway, as coisas funcionavam como um relógio para o Homem de Gelo Weeks.

Primeiro, ele conseguira passar pelos quatro quarteirões, desde o metrô até o Hotel Cumberland, sem ser notado por ninguém que pudesse dar com a língua nos dentes ao Tommy Thompson. Atravessando a Broadway, passou direto por baixo do nariz de Daley e Boyle — detetives de furtos e roubos da Delegacia Central, que desciam apressados para sua estação de costume, no Metropolitan Opera — e nem sequer o notaram com aquele blusão de capuz que encontrara enquanto tomava um ar em uma escada de incêndio do Brooklyn.

Já no saguão, os detetives do Cumberland estavam distraídos durante a mudança de turno. Nenhum dos safados dirigiu um segundo olhar ao pilantra do Weeks. Mesmo que suas botinas não se comparassem aos sapatos reluzentes dos universitários, os médicos da Academia de Ciências Patológicas, apressados para a reunião, não prestaram atenção aos seus pés.

Jimmy Clark, vestido como um macaco tocador de realejo no uniforme roxo de carregador, olhou direto para ele, fazendo um bom trabalho ao agir como se não tivessem tido uma "conversinha" mais cedo naquele dia.

— Garoto!

Jimmy partiu apressado, encolhendo a cabeça para disfarçar o medo e o ódio no olhar.

— Sim, senhor.

Weeks estendeu-lhe o bilhete da bagagem relativo ao velho baú de viagem que entregara mais cedo no hotel e deu-lhe um níquel de gorjeta.

— Ponha o meu baú no seu carrinho e espere por mim na porta lateral da reunião da Academia. Preciso tomar um navio e não quero atrapalhar o pessoal, se precisar sair mais cedo.

Jimmy Clark disse:

— Sim, senhor.

Weeks estava com mais sorte do que imaginava. No meio dos hóspedes vindos de fora da cidade, prontos para se exibirem na noite para a alta sociedade, e os médicos da Academia de Ciências Patológicas, que iam conhecer uma víbora altamente venenosa, o saguão do hotel estava movimentado demais para que alguém reparasse em seu sotaque estranho. Embora vestido como um universitário, Weeks ainda falava como um gângster que morara a vida inteira no Hell's Kitchen, e qualquer um que prestasse atenção teria escutado: "*Num queru trapaiá us pissuá, si pricisá saí mais cêdu*".

Outro lado da sua boa sorte — e sobre este ele tinha plena consciência — era que a caixa de fusíveis no porão do hotel ficava na base da mesma escada que levava à porta de saída lateral, no nível do salão de baile, junto ao saguão, onde os médicos veriam a serpente. Weeks depositou o chapéu sobre a cadeira próxima à porta, para reservá-la, e perambulou um pouco pelo local, para não precisar conversar com ninguém antes do início da reunião. Assim que o evento começou, ele ocupou seu lugar e lançou um último olhar para o baú coberto de adesivos de viagem sobre o carrinho de Jimmy, enquanto a porta era fechada.

Ouviu com impaciência quando o orador papagueava dando as boas-vindas aos associados e dispensando a leitura das atas. Então o médico-chefe falou sobre como se extraía o veneno mortal da serpente e como ele era transformado em um soro para curar os dementes. E a boa notícia sobre essa espécie de serpente em particular era que tinha muito mais veneno do que a maioria. Cristo sabia quantos lunáticos ela curaria, mas, no caso de Isaac Bell, isso significava que, mesmo que a serpente falhasse no primeiro bote, ainda assim o atacaria de novo, carregada de veneno.

Os técnicos do zoológico entraram com a serpente. O salão mergulhou em silêncio.

A caixa de vidro, Weeks viu, caberia dentro do baú. O que era um alívio, já que até aquele momento não fazia ideia de seu tamanho. Dois homens vieram carregando a caixa e a depositaram sobre a mesa da frente.

Mesmo à distância, do outro lado do salão de baile, a serpente parecia maligna. Movia-se devagar, enrolando-se e desenrolando-se, o corpo surpreendentemente grosso e com desenhos em formato de diamante rebrilhando sob as luzes. Ela aparentava fluir, movendo-se pela caixa como um músculo comprido e potente, exibindo a língua bifurcada e trêmula, e investigando as junções onde as paredes laterais encontravam o tampo de vidro. Aparentemente, estava bem interessada no ponto de união das dobradiças. Weeks imaginou que por ali devia entrar um pouco de ar e a serpente era capaz de captar o movimento. Os médicos murmuravam entre si, mas ninguém parecia inclinado a se aproximar para olhá-la de perto.

— Não se preocupem, cavalheiros — falou o médico que conduzia o espetáculo —, o vidro é forte — ele dispensou os homens que trouxeram a caixa. Homem de Gelo Weeks ficou satisfeito em vê-los partir, porque poderiam criar mais problemas do que os médicos. — E obrigado, senhor! — disse o apresentador ao curador do zoológico, que se retirou também. "Cada vez melhor", pensou Weeks. "Só eu, a cobra e um punhado de maricas." Olhou para a porta. Jimmy Clark abrira uma brecha. Weeks inclinou a cabeça. *Agora!*

Não demorou muito tempo. Assim que a primeira fileira se levantou e começou a se aproximar com cautela da caixa de vidro, as luzes se apagaram e o salão, de repente, tornou-se escuro como breu. Cinquenta homens gritaram ao mesmo tempo. Weeks partiu na direção da porta, escancarou-a e procurou no escuro, às apalpadelas, pelo baú. Ouviu o socar dos passos de Jimmy na escada, apoiando-se no corrimão para se guiar. Weeks abriu o grande baú, tateou em busca da lâmina de vidro, enfiou-a embaixo do braço e voltou ao salão de baile, onde os gritos estavam cada vez mais altos.

— Mantenham a calma!

— Não percam a coragem!

Alguns, mais espertos, acenderam fósforos, que produziram sombras estranhas e móveis.

Sem um instante a perder, Weeks correu para a lateral do salão de baile, encostado à parede, e depois disparou para a frente. Quando se achava a seis passos da serpente, gritou a plenos pulmões:

— Cuidado! *Jésus*, não deixem cair! — e despedaçou o vidro de janela sobre o piso de madeira.

Os gritos transformaram-se em berros, seguidos imediatamente do ruído provocado por centenas de pés. Antes que Weeks pudesse gritar: "Ela está solta. Ela fugiu. Corram! Corram! Corram!", muitas vozes em pânico fizeram isso por ele.

Jimmy Clark merecia um lugar no Céu pela rapidez com que empurrou o baú.

— Cuidado! — murmurou Weeks. — Não vá deixar cair.

Apalpando no escuro, eles ergueram a caixa de vidro e a colocaram dentro do baú, fecharam a tampa, devolveram-no para o carrinho e rolaram com ele para a porta lateral do salão de baile. Estavam quase no beco quando as luzes se acenderam.

— Os seguranças do hotel! — Clark sussurrou em advertência.

— Continue andando — disse Weeks friamente. — Eu cuido dos tiras.

— Ei! Onde pensam que vão com isso?

Vestido como um universitário, Weeks bloqueou o caminho para que Jimmy pudesse sair com o carrinho pela porta e respondeu:

— Vou sair daqui, antes de perder o meu navio.

O segurança do hotel ouviu: "*Vô saí daqui, antis di perdê u meu naviu*" e puxou a pistola.

Nesse momento, Weeks já estava com os dedos firmemente encaixados na soqueira de latão. Com um soco direto, derrubou o grandalhão, afundando-lhe os ossos entre os olhos. Pegou a pistola que caíra da mão dele, enfiou-a no bolso e encontrou Jimmy no beco. O carregador parecia imobilizado de medo.

— Nem pense em amarelar comigo agora — Weeks advertiu-o. — Ainda temos de atravessar a cidade.

19

Parecia estar havendo uma comoção acima da Broadway quando Isaac Bell e Marion Morgan saíram do Rector's. Ouviam-se os sinos dos bombeiros e as sirenes da polícia, grupos de pessoas passavam, fugindo em todas as direções, e eles concluíram que o melhor caminho até o *ferryboat* de Marion seria pelo metrô.

Vinte minutos depois, já fora do centro da cidade, eles caminharam de mãos dadas até o píer. Bell acompanhou Marion a bordo da embarcação e permaneceu na prancha de desembarque. O apito soou.

— Obrigada pelo jantar, querido! Adorei sua companhia.

— Será que devo acompanhá-la?

— Preciso levantar cedo. Você também. Dê-me um beijo...

Depois de um instante, um marinheiro no convés bradou:

— Já chega, pombinhos! Todos os que vão permanecer em terra devem desembarcar agora.

Bell recuou e gritou, enquanto a distância entre a embarcação e o píer aumentava sobre a água.

— Dizem que pode chover na sexta.

— Vou dançar na chuva.

Ele tomou o metrô para o centro e parou no Knickerbocker para inspecionar o vigia da noite da Van Dorn, o qual lhe perguntou:

— Ouviu falar sobre a serpente?

— Ouvi, uma *Lachesis muta.*

— Pois ela escapou.

— Do Cumberland?

Acham que desceu pelo esgoto.

— Picou alguém?

— Ainda não — disse o agente noturno.

— Como ela conseguiu escapar?

— Ouvi umas catorze versões a respeito desde que cheguei à noite. A melhor é que deixaram a caixa cair. Era feita de vidro — ele abanou a cabeça e sorriu. — Essas coisas só acontecem mesmo em Nova York.

— Alguma informação que eu precise saber antes de amanhecer?

O vigia noturno estendeu-lhe um maço de mensagens.

Acima de todas, estava um cabograma do melhor amigo de Bell, o detetive Archie Abbott, que, em troca de uma longa licença para a lua de mel na Europa, vinha fazendo contatos em Londres, Paris e Berlim, para o estabelecimento de postos avançados da Van Dorn no exterior. Uma pessoa muito importante na sociedade e casado com a herdeira mais rica dos Estados Unidos, o nobre Archibald Angell Abbott IV era bem recebido em todas as embaixadas e instituições da Europa. Bell já lhe passara uma mensagem via cabo com instruções para usar esse acesso privilegiado e ver se conseguia um ponto de vista do outro lado sobre a corrida dos couraçados. No momento, Archie voltava ao país. Será que Bell preferia que tomasse o britânico *Lusitania* ou o alemão *Kaiser Wilhelm der Grosse?*

"Pegue o Billy", Bell respondeu-lhe via cabo, usando o nome popular para o grandioso, mas pesadão, transatlântico alemão. Archie e a linda noiva fariam a travessia do Atlântico em salões da primeira classe, encantando oficiais de alta patente, diplomatas e industriais, incentivando-os a falar livremente sobre temas como a guerra, a espionagem e a corrida naval. Nem o mais rígido oficial prussiano nem o cortesão mais cosmopolita do Kaiser resistiriam quando Lillian começasse a piscar os belos olhos. Muito embora Archie, um solteirão convicto até se apaixonar perdidamente por Lillian, não ficasse atrás quando se tratasse de encantar as esposas.

John Scully deixara um bilhete enigmático: "Os rapazes dos SP estão cuidando do Kent. Resolvi dar uma farejada em Chinatown". Bell atirou-o ao cesto de lixo. Em outras palavras, só teria notícias do detetive quando este quisesse.

Os relatórios dos agentes da Van Dorn em Westchester e Bethlehem não traziam novidades sobre o acidente de alpinismo e sobre a explosão da caldeira da fundição. Nem recebera uma linha sequer sobre os possíveis suspeitos – a garota "irlandesa" e o trabalhador "alemão" da fundição. Mas o agente de Bethlehem advertia para não chegarem a conclusões apressadas. Aparentemente, todos os que conheciam Chad Gordon não estavam surpresos com o acidente. A vítima era um homem paciente e exigente, descuidado quanto às regras de segurança e conhecido por correr riscos impossíveis.

Chegavam notícias perturbadoras de Newport, Rhode Island. Os agentes do Serviço de Proteção, designados para Wheeler na Estação Naval de Torpedos, relatavam a perseguição, mas sem a consequente captura, de dois homens que tentavam arrombar o chalé do especialista em torpedos. Bell designou agentes de proteção adicionais, temendo que aquela não tivesse sido uma tentativa de assalto comum. Também telefonou ao capitão Falconer, recomendando que Wheeler fosse instruído a dormir nos alojamentos bem guardados da estação de torpedos e não na própria casa.

O telefone do meio, manchado com um ruge vermelho de corista, tocou, e o agente noturno atendeu de imediato.

— Sim, senhor Van Dorn! A propósito, ele está bem aqui — o agente noturno cedeu a Bell o lugar ao telefone, informando, com movimentos da boca: "Chamada interurbana de Washington".

Bell pressionou o fone contra a orelha e inclinou-se para o bocal.

— Trabalhando até tarde, hein?

— Procuro dar o exemplo — resmungou Van Dorn. — Devo saber de alguma coisa antes de desligar?

— Archie está voltando.

— Já era hora. Essa foi a lua de mel mais longa de que já tive notícia.

Bell informou-o sobre o restante. Depois, perguntou:

— Como se saiu com seu colega do Departamento de Estado?

— É por isso que estou telefonando — disse Van Dorn. — Canning fez uma análise cruzada de nossas listas de estrangeiros e acrescentou mais alguns nomes de que está suspeitando. Um que me chamou a atenção é uma espécie de curador de arte, visitante do Smithsonian Institution. O nome é Yamamoto Kenta, japonês. Exatamente como diz Falconer. Talvez valesse a pena dar uma analisada nele.

— Tem alguém aí que você poderia mandar ao Smithsonian?

Van Dorn disse que tinha e desligou.

Bell espreguiçou-se enquanto se enfiava no casaco. Passava da meia-noite.

— Cuidado onde pisa ao passar pelas saídas de esgoto — advertiu o agente noturno.

— Imagino que, a esta altura, a senhora Serpente deva estar nadando no Rio Hudson.

**

Os clubes masculinos da West 44th Street dividiam o quarteirão entre as avenidas 6th e a 5th, com estábulos e garagens de estacionamento, e Isaac Bell estava ocupado demais em desviar do estrume dos animais e dos carros da cidade para se preocupar com serpentes. Mas, quando chegou ao Yale Club de Nova York, um prédio de 11 andares de tijolos e calcário, encontrou a entrada bloqueada por três homens de meia-idade, de braços dados e rostos corados, balançando-se de um lado para o outro em frente à escada. Era só o que faltava, depois de uma noite desgastante na cidade.

Vestidos com *blazers* e lenços azuis, os velhos companheiros da Universidade de Yale entoavam uma canção em memória aos "bons tempos da faculdade", a plenos pulmões. Isaac Bell emprestou ao coro um barítono sonolento e tentou contornar a escada.

— Somos mais altos do que o clube de Harvard — eles gritaram, gesticulando depreciativamente para o prédio atarracado do clube da universidade "adversária", do outro lado da rua.

— Suba até o telhado conosco!

— Vamos vomitar em cima daqueles vermelhos.

O porteiro apareceu e abriu caminho para o alto detetive.

— Sócios de fora da cidade — admirou-se ele.

— Obrigado pela escolta, Matthew! Não entraria nunca sem sua ajuda.

— Boa noite, senhor Bell!

No restaurante dos fundos, ressoava outra canção típica da Universidade de Yale, embora não tão alto quanto a dos farristas da entrada. Bell subiu pela escada em vez de seguir pelo elevador. O grande saguão de dois andares achava-se caracteristicamente vazio àquela hora da noite. Ele ocupava um quarto no terceiro andar, que continha doze cubículos espartanos de solteiro, seis de cada lado do corredor, com o banheiro ao fundo. Um grande baú de viagem fora deixado no corredor, bloqueando parcialmente sua porta.

Aparentemente, um sócio acabara de desembarcar de algum navio proveniente da Europa.

Bocejando, Bell esticou a perna para tirar o baú do caminho enquanto dava a volta. Ficou surpreso ao senti-lo leve, já vazio. O pessoal normalmente retirava os baús assim que eram esvaziados. Lançou-lhe um segundo olhar, mais atento. Tratava-se de um velho baú desgastado, com rótulos quase apagados do Hotel Ritz de Barcelona e do Brown's de Londres, além do transatlântico *Servia*, da companhia Cunard. Não conseguia se lembrar da última vez que vira aquele nome; provavelmente, o navio fora tirado de serviço já na virada do século. Entre os velhos rótulos de inspeção de bagagens, um inteiramente novo chamou-lhe a atenção: Hotel Cumberland, Nova York.

Estranha coincidência, o último endereço de residência da senhora Serpente. Ele imaginou por que um sócio do Yale Club de Nova York se hospedaria no Cumberland antes de se mudar para os alojamentos austeros, mas privativos, de solteiro dali. Provavelmente, tratava-se de uma decisão de permanecer em Nova York por um prazo mais longo, uma vez que a tarifa do clube era consideravelmente mais baixa, mesmo levando em conta a mensalidade.

Destrancou a porta e deu um passo para dentro do quarto. Um odor estranho feriu suas narinas. Era um cheiro muito sutil, quase imperceptível. Ele parou, a mão já estendida, apalpando a parede em busca do interruptor da luz do teto. Tentou identificar o cheiro, que lembrava o de um animal de caça, quase como o de um colete de esgrima de couro de porco suado. Mas o seu encontrava-se do outro lado da esquina, na 45th Street, pendurado no escaninho, junto com os floretes e o sabre, no Clube de Esgrima.

A luz do corredor projetou-se por cima do seu ombro. Algo sobre a cama rebrilhou.

Na mesma fração de segundo, Isaac Bell despertou por completo. Sem querer chamar a atenção, inclinou-se para dentro do quarto, para que sua silhueta sumisse do vão da porta aberta. Achatado contra a parede, com todos os sentidos em alerta, sacou a pistola Browning do coldre de ombro e acionou o interruptor da luz.

Sobre a cama estreita, via-se uma caixa de vidro em formato de cubo, tão pesada que sua pressão fazia a colcha de chenile afundar. Até mesmo a tampa era de vidro. E ela estava aberta, pendendo para o lado, forçando as dobradiças de metal, como se quem quer que a tivesse aberto houvesse deixado a tampa cair apressadamente, a ponto de os gonzos de metal se entortarem, e tivesse saído correndo para salvar a própria vida.

Bell sentiu os pelos da nuca eriçarem.

Imediatamente, lançou um rápido olhar ao redor do quartinho. O tampo da cômoda achava-se desimpedido, a não ser pela caixa de suas algemas. Sobre o criado-mudo, descansava o abajur, um *Guia de Bolso de Nova York*, um exemplar de *The Influence of Sea Power Upon History*, de Alfred Thayer Mahan, e outro de *Submarine Navigation*, de Alan Hughes Burgoyne. A porta do armário permanecia fechada, e, no canto, o pequeno cofre onde guardava as armas achava-se trancado. Ainda com as costas pressionadas contra a parede, Bell olhou de novo para a caixa de vidro. Era difícil seu interior, que estava praticamente vedado pelos reflexos nos vidros. Bem devagar, moveu a cabeça, procurando um ângulo diferente de visão.

A caixa encontrava-se realmente vazia.

Com a respiração quase suspensa, Bell permaneceu imóvel como um caçador. Apenas um lugar permitia que a serpente continuasse escondida, e era embaixo da cama, no espaço às escuras oculto pela bainha da roupa de cama. Subitamente, percebeu um movimento. Uma língua comprida e bifurcada tremulava por baixo da colcha da cama, avaliando o ar em busca de um movimento contra o qual dar o bote. Rijo contra a parede, movendo-se em frações de centímetros, Bell foi escorregando até a porta, disposto a sair e trancar a porta do quarto com o réptil lá dentro. Depois, bastaria despejar clorofórmio sob o vão da porta para pô-la fora de ação.

No entanto, antes de se mover 15 centímetros, a língua da víbora passou a vibrar mais rápido, como se estivesse prestes a fazer um movimento. Ele se retesou para se projetar pela porta de um único salto. Exatamente no instante em que ia saltar, a porta do elevador se abriu. Os velhos companheiros de Yale saíram bamboleando para o corredor cantando:

"Onde quer que formos na vida:

Por Deus, pelo país e..."

Isaac Bell concluiu que não tinha escolha. Se gritasse para os ex-alunos correrem, os velhos companheiros não estariam sóbrios o bastante para entender, mesmo que o ouvissem. Ao mesmo tempo, o alerta assustaria o animal, que, ou o atacaria ou sairia pela porta na direção deles.

Bell estendeu o braço para o lado, a mão na coronha da pistola, usando-a para fechar a porta. O deslocamento de ar, produzido pelo movimento, fez a cabeça pontiaguda da serpente se levantar. Em um movimento repentino, quase indistinto, ela mudou de posição sob a cama e voou de encontro à perna dele.

Bell nunca se movera mais rápido. Sem pensar em nada, chutou a cabeça pontiaguda disparada em sua direção. A serpente chocou-se contra seu tornozelo com um impacto muscular impressionante. Só seus reflexos instintivos e o fato de que o tornozelo estava protegido pela bota salvaram-lhe a vida. No intervalo de uma respiração, o animal se recolheu, formando um novo rolo apertado, e atacou de novo. Mas, nesse momento, Bell estava no ar. Mergulhando em direção à cama, ele agarrou o travesseiro e atirou-o contra a serpente. Ela concluiu o ataque, deixando o tecido do travesseiro amarelo e com dois profundos orifícios. Bell arrancou a colcha da cama, girou-a como um toureiro e lançou-a por cima da serpente, numa tentativa de prendê-la sob o tecido.

A serpente escorregou por baixo, enrolou-se de novo e procurou Bell com olhos malevolentes. Ele ergueu a pistola, apontou cuidadosamente contra a cabeça dela e disparou. A serpente atacou no mesmo instante em que a arma explodiu, projetando-se com tanta rapidez que a bala de Bell errou o alvo e estilhaçou o espelho da cômoda. Enquanto o vidro voava para todos os lados, as presas da serpente, afiadas como agulhas, atingiram Bell no peito, diretamente sobre o coração.

20

Bell soltou a arma e fechou a mão ao redor do pescoço da serpente.

O animal era incrivelmente forte. Cada centímetro, em todo o seu comprimento, contorcia-se com uma força rija e espasmódica enquanto lutava para se soltar da mão e procurava atacá-lo de novo. As presas achavam-se voltadas para dentro da cabeça, em formato de flecha. O veneno amarelo escorria das mandíbulas escancaradas. Bell pensou ter visto em seus olhos um brilho de triunfo, como se a serpente estivesse segura de que o veneno mortal já vencera a batalha e que sua presa morreria em questão de minutos. Respirando afobado, Bell procurou com a mão livre a faca dentro da bota.

— Lamento desapontá-la, senhora Serpente. Mas você cometeu o erro de enterrar suas presas no meu coldre de ombro.

Um velho companheiro de Yale escancarou a porta.

— Quem está disparando armas de fogo aqui?

Ante a visão da serpente sem cabeça ainda se contorcendo ao redor do pulso de Bell, o homem empalideceu, levando as duas mãos à boca.

Bell apontou com autoridade a faca ensanguentada na direção da porta.

— Se pretende vomitar, o banheiro fica no fim do corredor.

Matthew, o porteiro, enfiou a cabeça para dentro do quarto.

— Algum problema com…

— De onde veio aquele baú de viagem ali fora? — quis saber Bell.

— Eu não sei. Deve ter chegado antes de eu entrar em serviço.

— Chame o gerente!

Minutos depois, o gerente do clube chegou, ainda de pijama. Arregalou os olhos ao ver o espelho quebrado, a serpente sem cabeça contorcendo-se no chão, a cabeça sanguinolenta sobre a cama e Isaac Bell limpando a faca com o travesseiro arruinado.

— Reúna seu pessoal — disse-lhe Bell. — Ou esta *Lachesis muta* aqui *não* foi vetada pela Comissão de Sócios, ou alguém do seu pessoal ajudou-a entrar no meu quarto.

* *

Homem de Gelo Weeks perambulava pela cidade, depois de observar, da porta de um estábulo, Isaac Bell entrar no Yale Club e ficar ali esperando até ter certeza de que ele não sairia de novo. Na 8th Avenue, percorreu diversos quarteirões, caminhou debaixo da linha de conexão entre os elevados da 9th Avenue com a 6th Avenue e bateu em uma porta sem placa de uma casa logo depois, na curva da 53rd Street, onde Tommy Thompson inaugurara um salão de jogos no segundo andar. O capanga da gangue dos Gophers, que guardava a porta, indagou:

— Mas que diabos você está fazendo aqui?

— Diga ao Tommy que trago boas notícias para ele.

— Diga você mesmo. Ele está no terceiro andar.

— Achei que estivesse.

Weeks subiu pela escada, passou pelo salão de jogos, guardado por outro sujeito que pareceu surpreso ao vê-lo, e encaminhou-se ao terceiro andar. Um dos degraus rangeu um pouco sob seu pé, e ele adivinhou que estivesse ligado a uma luz elétrica, que seria acesa na sala de Tommy acima do salão de jogos para avisar da chegada de alguém.

Weeks esperou, apoiando-se ora sobre uma perna ora sobre a outra, enquanto o observavam pelo olho mágico. O próprio Tommy abriu a porta.

— Imagino que tenha conseguido — ele disse. — Ou então não viria aqui.

— Estamos quites agora?

— Entre, vamos. Beba alguma coisa.

Tommy estava bebendo uísque com soda e gelo. Weeks estava tão agitado que a bebida lhe subiu direto à cabeça.

— Não quer saber como eu fiz?

O capanga de Tommy apertou o interruptor, mergulhando o aposento em uma semiescuridão. Em seguida, abriu um alçapão e Weeks viu que tinham cortado uma abertura quadrada no piso, através do forro do andar de baixo, e tapado com uma lâmina de vidro esfumaçada.

— A última novidade — Tommy riu. — Um espelho só de um lado. Nós vemos tudo o que se passa em baixo. Eles só veem, refletidas no teto, as próprias caras.

Weeks examinou o salão de jogos embaixo, onde seis homens achavam-se sentados em volta de uma mesa de pôquer de apostas altas. Um deles, Weeks reconheceu como um mecânico de Nova York, com as melhores cartas. Outro, Willy, o Chamariz, especializado em atrair jogadores que serão depenados.

— Quem é o alvo?

— O bacana de gravata vermelha.

— Rico?

— Olhos O'Shay diz que a gravata significa que é de Harvard.

— Qual é a dele?

— Vende comida para a Marinha.

Vender comida para a Marinha pareceu, a Homem de Gelo Weeks, um bom modo de ficar rico. Os negócios com a Marinha estavam prosperando. Saber que o Comodoro Tommy estava envolvido em separar um indivíduo tão importante de seu dinheiro, promovendo um jogo de pôquer de apostas altas, sugeria que Tommy tivesse subido vários degraus acima de ladrão de vagões de carga.

— O que estão tirando desse Harvard aí?

— Olhos disse para tirar dele o que der e emprestar grana para que perca mais.

— Até parece que Olhos quer tirar alguma coisa dele.

— Não vai ser difícil. Ted Whitmark é um trouxa no jogo.

— O que você leva nessa? — indagou Weeks, servindo-se de mais uísque e soda.

— Faz parte do nosso acordo — respondeu Tommy. — Olhos tem sido para lá de generoso. Se ele quer que o senhor Whitmark perca sua grana no pôquer e ponha mais algum no prego para perder mais, é um prazer ajudá-lo.

Enquanto Weeks servia-se pela terceira vez, ocorreu-lhe que o Comodoro Tommy Thompson normalmente não abria tanto a boca. Imaginou o que o deixara tão falador assim, de repente. *Jésus*! Será que Tommy o estaria convidando para participar dos Gophers?

— Ainda quer saber como foi que peguei o Bell?

Tommy fechou o alçapão e fez um gesto para o capanga acender a luz.

— Está vendo aquilo em cima da mesa? Sabe o que é aquilo?

— É um telefone — respondeu Weeks. O aparelho parecia novinho em folha, todo reluzente, do tipo candelabro, igual aos que se viam nos melhores estabelecimentos. — Está ficando atualizado, Tommy. Não sabia que se preocupava com isso.

Tommy Thompson agarrou Weeks pelas lapelas e, sem o menor esforço, levantou do chão o tipo franzino e atirou-o de encontro à parede. Weeks viu-se sobre o carpete, a cabeça zumbindo, o cérebro contorcendo-se.

— O que é isso, meu chapa?

Tommy chutou-lhe o rosto.

— Você não matou o Bell! — ele rugiu. — Este telefone me disse que agora mesmo Bell está interrogando todo mundo que trabalha naquele clube.

— O quê?

— O telefone disse que o tira da Van Dorn está vivo. Você não o matou.

Homem de Gelo Weeks puxou a pistola que tirara do segurança do Hotel Cumberland. O capanga de Tommy pisou em sua mão e tirou-a dele.

**

O gerente do Yale Club acordou os funcionários e os reuniu na grande cozinha no último andar. Eles conheciam Isaac Bell como um frequentador regular que se lembrava de seus nomes e era generoso quando a norma do clube de não dar gorjetas era suspensa no Natal. Todos eles, gerente, zeladora, barista, camareiras, porteiros e recepcionista, mostravam-se claramente dispostos a ajudar quando Bell perguntou:

— De onde veio aquele baú que foi deixado na frente da minha porta no terceiro andar?

Ninguém soube responder. O baú não estava lá quando terminara o turno do dia às seis da tarde. Um garçom do turno da noite percebera a presença dele quando passara por ali com o serviço de quarto às oito. Então Matthew, que voltara para a porta da entrada depois que Bell o entrevistara em particular, apareceu de repente, dizendo:

— E quanto à nova lavadeira? Senhor Bell, encontrei-a chorando do outro lado da rua.

Bell virou-se para a zeladora.

— Senhora Pierce, que lavadeira é essa?

— Uma garota nova, Jenny Sullivan. Ela não mora na casa ainda.

— Matthew, poderia trazê-la aqui?

Jenny Sullivan era baixinha e morena, e tremia de medo. Bell disse:

— Sente-se, senhorita.

Ela permaneceu rígida na cadeira.

— Não quis machucar ninguém.

— Não tenha medo, você... — ele se inclinou para confortá-la, pousando a mão no braço dela. Jenny deu um grito de dor e se encolheu.

— O que foi isso? — estranhou Bell. — Sinto muito, não queria machucá-la... Senhorita Pierce, poderia cuidar da Jenny?

A bondosa zeladora levou a garota para o lado, falando com ela em voz baixa.

— Acho que todo mundo pode voltar para a cama — disse Bell. — Boa noite! E obrigado pela ajuda...

Quando a senhora Pierce voltou, tinha lágrimas nos olhos.

— A garota levou uma surra violenta dos ombros aos joelhos.

— E ela disse quem fez isso?

— Um homem chamado Weeks.

— Obrigado, senhora Pierce! Leve-a ao hospital. Não no do bairro onde mora, mas ao melhor da cidade. Pagarei por todas as despesas. Não pense em economizar. Eis aqui o dinheiro para as necessidades imediatas. — Bell pôs um maço de notas na mão da zeladora e voltou apressado para o quarto.

Rápida e metodicamente, limpou a Browning e substituiu o cartucho usado. Tornando a pensar se uma arma mais pesada teria detido Weeks antes de ele esfaquear Alasdair MacDonald, tirou do cofre uma Colt calibre 45 automática. Verificou a carga na pistola de cano curto e pôs o chapéu.

Guardou a Colt e a munição de reserva para as duas armas nos bolsos do casaco e desceu a escada de três em três degraus.

Matthew recuou diante da expressão do seu rosto.

— Está tudo bem, senhor Bell?

— Não que você frequente esse boteco, Matthew, mas sabe o endereço do bar do Comodoro Tommy?

— Acho que fica no fim da West 39th, quase à beira do rio. Mas se algum dia eu fosse "frequentar o boteco" — o porteiro acrescentou com franqueza —, não iria sozinho.

21

Isaac Bell partiu a toda pressa do Yale Club. Os homens, que o viam aproximar-se, afastavam-se para lhe dar passagem. Ele atravessou a 6th Avenue e a 7th, ignorando o queixume das buzinas dos automóveis e rumou para o centro da cidade na 8th Avenue. Na calçada praticamente deserta, apressou o passo e, mesmo assim, não conseguiu ser mais rápido do que a raiva que trovejava no interior de sua cabeça. Na West 39th Street, começou a correr.

No caminho, um policial em patrulha, um homenzarrão com um cassetete noturno de 65 centímetros e um revólver, acompanhou-o com o olhar e atravessou a rua em silêncio. Na 9th Avenue, um grupo de homens e algumas mulheres, a maioria idosos, vestidos em andrajos, com o semblante consternado dos sem-teto, reunira-se embaixo dos trilhos do bonde sob o elevado. Olhavam todos para cima, observando a construção escura de colunas terminadas em calços, que sustentavam os trilhos dos trens acima. Bell abriu caminho entre eles. Então, parou bruscamente. Um homem, usando paletó folgado, pendia de uma corda amarrada a uma viga mestra transversal, enforcado.

Um trem expresso estrondeou atravessando a passagem pelo trilho do meio. Depois que seu chocalhar se perdeu na distância e o silêncio reinou, alguém murmurou:

— Parece que os Gophers queriam que o Homem de Gelo morresse lentamente…

Bell compreendeu o que o homem dizia. Não amarraram as mãos do morto. Ele estava com os dedos enfiados por baixo do nó, como se ainda quisesse arrancá-lo do pescoço. Tinha os olhos esbugalhados e a boca imobilizada em uma careta horrível. Mas, mesmo envergando a máscara da morte, era, sem sombra de dúvida, o homem que matara Alasdair MacDonald em Camden.

Um bêbado abafou o riso.

— Vai ver que o Homem de Gelo cometeu suicídio.

— É mesmo — respondeu sua companheira com sarcasmo. — E quem sabe o papa apareça no bar do Comodoro Tommy para uma cerveja.

Todos riram. Uma velha desdentada encarou-os.

— Estão zombando de um morto?

— Ele teve o que mereceu. Bandido malvado!

Um velho de chapéu torto falou, enrolando a língua.

— Nenhum Gopher jamais matou outro porque fosse malvado, aqueles filhos da mãe desgraçados. Mataram o Homem de Gelo porque ele pensou que podia dar o passo maior do que a perna.

Isaac Bell abriu caminho entre eles e seguiu para Oeste.

Os dois estavam errados. Os Gophers tinham matado Weeks para romper a cadeia de evidências que ligava seu chefe ao assassinato em Camden. Era uma espécie de justiça, uma justiça tosca. Mas aquilo não fora feito por justiça, e sim por autoproteção. Que vínculo restava entre o assassinato de Alasdair e o espião que o mandara?

Neste momento, Bell sentiu o sopro gelado do rio, ouviu as sirenes dos navios e o apito dos rebocadores. A morte de Weeks não o aproximava mais do espião que planejara a morte das inteligências criadoras do Casco 44.

Apertou o passo, depois parou abruptamente embaixo de uma placa sob o primeiro andar de um prédio de apartamentos de tijolos vermelhos decadente, tão velho que não tinha saída de incêndio. As letras brancas desgastadas sobre o fundo cinzento indicavam: "Bar do Comodoro Tommy".

O edifício parecia-se mais com uma fortaleza do que com um bar. Uma luz fraca brilhava através das janelas gradeadas. Ouviam-se vozes lá dentro. No entanto, quando Bell tentou abrir a porta da frente, encontrou-a trancada. Ele sacou a arma do bolso do casaco, fez dois disparos em um círculo ao redor da maçaneta e escancarou a porta.

Passou pela entrada rapidamente, virou-se para os lados dentro do salão do bar mal iluminado e recostou-se com violência contra a parede. Mais de dez Gophers espalharam-se, derrubando as mesas e agachando-se atrás delas.

— Atiro no primeiro homem que portar uma arma — avisou Isaac Bell.

Eles engoliram em seco, olhando fixamente para ele. Os olhos relancearam para a porta, voltaram-se para ele e, de novo, para a porta. Trocando olhares de surpresa, os gângsteres dos Gophers confirmaram que Bell estava sozinho e levantaram-se ameaçadoramente.

Bell passou a colt para a mão esquerda e, com a direita, puxou a Browning do coldre.

— Todos vocês, mantenham as mãos onde eu possa ver. Agora!

Ante a visão do detetive raivoso em pé contra a parede e com duas pistolas varrendo o salão do bar, a maioria deixou cair as armas e exibiu as mãos vazias. Bell apontou para dois que não haviam se mexido.

— Agora! — repetiu. — Ou vou fazer uma limpeza nesse lugar.

O mais alto exibia uma pistola grande antiga, daquelas usadas pela Cavalaria, o cano escancarado. Bell acertou-a, arrancando-a da mão do gângster. O homem gritou de dor e surpresa. O outro apontava uma pesada espingarda de caça, de calibre grosso e cano duplo serrado, que poderia cortá-lo ao meio. Bell atirou-se para o lado enquanto tornava a engatilhar a Browning. O chumbo grosso juncou a parede no lugar ocupado por ele anteriormente. Uma bala perdida cavou um sulco ardente em seu braço esquerdo, com um impacto como o de um coice de mula, que quase lhe arrancou a colt do punho. Ele rolou sobre o chão e disparou para cima, com as duas armas, e o gângster que atirara com a espingarda caiu esparramado de costas, apertando o ombro.

— Qual de vocês, seus fedorentos, é Tommy Thompson?

— Ele não está aqui, senhor.

Bell teve a vaga ideia de que a mesma raiva que lhe contorcia o rosto e criava a expressão que os intimidava também poderia estar impedindo que pensasse direito. Não se incomodou.

— Onde ele está? — exigiu.

— Em um de seus pontos de jogo.

— Onde?

Isaac Bell ponderou. Por baixo da superfície, uma voz o advertia de que acabaria se matando por agir assim. Mas outra voz, a do guerreiro, sempre mais próxima da superfície, retrucou que ninguém no salão do bar mal iluminado seria capaz de matá-lo. Em um lampejo, Bell avaliou a contradição: seu lado guerreiro via algo que o lado mais sensato não percebia. Aquilo estava fácil demais. Doze Golphers e só dois tinham puxado as armas. O lógico seria o resto da gangue estar mandando chumbo nele. Em vez disso, fitavam-no boquiabertos e de olhos arregalados.

— *Onde?*

— Não sabemos, senhor.

— Um dos novos pontos de jogo.

O medo e a confusão no tom de voz dos gângsteres fez Bell considerar melhor a situação. Agora percebia que as armas abandonadas ali eram soqueiras de latão, porretes e canivetes. Nada de pistolas. Então, começou a entender. Aqueles eram, na maioria, homens mais velhos, banguelas, corcundas, cobertos de cicatrizes — os moradores maltrapilhos e sem-teto do Hell's Kitchen eram velhos de 40 a 50 anos.

Novos pontos. Era isso. O Comodoro Tommy Thompson mudara-se e deixara aqueles pobres-diabos para trás. Esses infelizes tinham sido abandonados pelo chefão e agora eram tirados do sério pelo detetive enfurecido que chegara arrombando a porta e desarmando os dois únicos que restavam com armas para lutar.

De repente, Bell sentiu uma calma fria dominá-lo e, em seguida, uma clareza como a de luzes elétricas acesas.

Uma época de mudanças chegara para os Gophers do Hell's Kitchen, e ele tinha um palpite certeiro sobre quem a estaria causando. Os velhos à sua frente perceberam a alteração no seu semblante. Um deles arriscou:

— Podemos abaixar as mãos, senhor?

O detetive alto ainda estava irado demais para sorrir, mas se aproximou deles.

— Não — respondeu. — Deixem-nas onde eu possa vê-las.

Uma buzina de táxi soou na rua.

Bell relanceou o olhar através da porta. O táxi freou bruscamente e derrapou. Cinco veteranos da Van Dorn, com expressão soturna, e um jovem colega promissor saltaram e se espalharam já com as armas nas mãos. Estavam sendo seguidos à distância por um pelotão de policiais de Nova York a pé. Harry Warren, o especialista em gangues, liderava o pessoal da

Van Dorn. Trazia uma arma de cano serrado pressionada contra a perna e um revólver enfiado na cintura. Entregando ao mais jovem um maço de dinheiro, fez um gesto para ele se encarregar dos policiais e avaliou a frente do bar do Comodoro Tommy, pronto para invadi-lo.

Bell saiu do salão do bar.

— Boa noite, rapazes!

— Isaac! Está tudo bem com você?

— Está tudo ótimo. O que estão fazendo aqui?

— Seu porteiro do Yale Club telefonou para o Knickerbocker. Parecia muito preocupado, disse que você precisava de ajuda.

— O velho Matthew é como uma mãe cuidadosa.

— Que diabos *você* está fazendo aqui?

— Só saí para dar uma voltinha.

— Voltinha?

Os homens olharam para os dois lados da rua sinistra e às escuras.

— *Voltinha?*

Os olhos fixaram-se todos em Isaac Bell.

— E devo acreditar que foi um mosquito que fez esse furo na manga do seu casaco? — um detetive comentou.

— O mesmo que arrombou a fechadura da porta? — indagou outro.

— E fez aqueles Gophers lá dentro ficarem com as mãos para o alto? — disse um terceiro.

Harry Warren acenou para o jovem que acabara de regressar.

— Eddie, vá dizer aos tiras para mandarem uma ambulância.

Isaac Bell sorriu com ironia.

— Vamos dar a noite por encerrada, rapazes. Obrigado por aparecerem! Harry, você me acompanharia até em casa? Tenho umas perguntas para lhe fazer.

Harry entregou a espingarda aos rapazes, enfiou o revólver no bolso do casaco e entregou um lenço a Bell.

— Você está sangrando…

Bell colocou-o por dentro da manga.

Eles caminharam pela 9th Avenue. Os policiais tinham cercado com cordões de isolamento a área embaixo do elevado onde Weeks jazia pendurado. Bombeiros seguravam escadas para os funcionários do necrotério, que tentavam cortar a corda e liberar o corpo.

— Isso é o bastante para ligar o Homem de Gelo a Tommy e ao seu espião estrangeiro — disse Harry.

— Pois é exatamente sobre essa ligação que quero conversar com você — disse Isaac Bell. — Está me parecendo que Tommy Thompson está ganhando o mundo.

Harry aquiesceu.

— Isso mesmo, ouvi dizer, pela região, que os Gophers estão se espalhando.

— Quero que você descubra quem são suas novas amizades. Aposto cinco contra dez como estão envolvidos.

— Acho que você tem toda razão. Vou investigar. Ah, tome isso! Me entregaram quando eu estava saindo — Harry vasculhava os bolsos. — Chegou um telegrama para você do nosso posto da Filadélfia.

Tinham chegado à esquina de 42nd Street. Bell parou embaixo de um poste de iluminação pública e leu o telegrama.

— Más notícias?

— Encontraram a pista de um alemão zanzando por Camden.

— Não será o alemão que fez o serviço em Bethlehem?

— Pode ser.

— O que vai acontecer em Camden?

— O lançamento do couraçado *Michigan*.

22

O espião convocou seu agente alemão por meio de um bilhete em código deixado na pensão em que se hospedara em Camden. Eles se encontraram em uma cabana de vigia na Filadélfia, a que chegaram por uma barcaça atracada na margem Oeste do Delaware, bem em frente ao rio movimentado, com o estaleiro do outro lado. Através do movimento incessante da paisagem, entre rebocadores, batelões, navios, *ferryboats* e a fumaça de carvão, eles podiam ver a popa do *Michigan* exibindo os propulsores do lado de fora do barracão que cobria a carreira de construção. O rio tinha apenas uns 800 metros de largura, e eles podiam ouvir o batimento constante dos carpinteiros introduzindo as cunhas de madeira.

Os trabalhadores do navio haviam construído um berço de madeira gigantesco, grande o bastante para suportar o navio de 16 toneladas na descida pelos trilhos engraxados, desde a carreira de construção em terra até seu lugar na água. Agora, levantavam o berço à altura do navio, encaixando cunhas de madeira por baixo. Quando as cunhas pressionassem o berço firmemente contra os costados do casco, eles continuariam a martelá-las até que o berço erguesse o navio de seus calços de construção.

O alemão parecia desalentado.

O espião disse:

— Escute! O que está ouvindo?

— Estão martelando as cunhas.

O espião passara por lá anteriormente, em uma lancha, para observar o cenário sob o casco, que já estava pintado com a tinta venenosa vermelho fosco. Os “martelos” eram, na verdade, marretas de cabo longo, encimado por uma cabeça pesada.

— As cunhas são finas — disse ele. — Quanto cada golpe faz o berço levantar?

— Seria preciso um micrômetro para medir.

— Quantas são as cunhas?

— *Gott in Himmel*, quem sabe? Centenas.

— Umas mil?

— Pode ser.

— Seria possível uma única cunha sustentar o berço embaixo do navio?

— Impossível.

— Seria possível uma cunha levantar o berço e o navio de seus calços de construção?

— Impossível.

— Cada alemão deve fazer sua parte, Hans. Se um falhar, todos falhamos.

Hans encarou-o com um olhar distante e estranho.

— Não sou um ignorante, *mein Herr.* Conheço o princípio. Não é o ato em si que me preocupa, mas as consequências.

O espião disse:

— Sei bem que você não é um ignorante. Só estou tentando ajudar.

— Obrigado, *mein Herr*!

— Os detetives o assustaram? — indagou ele, muito embora duvidasse disso.

— Não. Sou capaz de evitá-los até o último momento. O passe que me conseguiu vai mantê-los fora do caminho. No momento em que alguém perceber o que farei, será tarde demais para me deter.

— Está com medo de não escapar com vida?

— Ficaria surpreso se conseguisse. Felizmente, já resolvi essa questão comigo mesmo. Não é isso que me preocupa.

— Então voltamos à velha questão básica, Hans. Você quer que os navios de guerra americanos afundem os navios de guerra alemães?

— Talvez seja a espera que está acabando comigo. Não importa aonde eu vá, escuto aquelas marteladas nas cunhas. Como o tique-taque das batidas de um relógio. Tique… Taque… Tique… Taque. As batidas dadas por homens inocentes, que não sabem ainda que vão morrer. Isso está me deixando louco! O que eu faço?

O espião tentou pôr um maço de dinheiro na mão dele. O alemão empurrou-o de volta.

— Não quero dinheiro.

O espião segurou o pulso dele com uma força inesperada e surpreendente.

— Diversão. Ache uma garota. Ela vai ajudar a passar a noite mais depressa — ele se levantou bruscamente.

— Está indo embora? — de repente, Hans pareceu receoso, temia ficar a sós com a própria consciência.

— Ficarei por perto. Estarei observando — o espião sorriu de modo tranquilizador e lhe deu um tapinha no ombro. — Vá encontrar uma garota. Aproveite a noite! O dia chegará antes que você perceba.

23

Garçons com gravatas-borboletas vermelhas, brancas e azuis distribuíam sanduíches de agrião e vinho gelado no pavilhão dos dignitários. Baristas, aos quais haviam sido distribuídas ligas patrióticas semelhantes para prender as mangas da camisa, rolavam barris de cerveja e carrinhos com ovos cozidos para dentro das barracas dos trabalhadores na margem do rio. Uma brisa morna soprava pelo enorme barracão que cobria a carreira de construção do navio, os raios solares filtrando-se através dos painéis de vidro no teto, e parecia que metade da população de Camden, New Jersey, comparecera ao local para comemorar o lançamento do couraçado *Michigan,* cujas 16 mil toneladas se equilibravam na extremidade superior de uma carreira de trilhos engraxados, que desciam numa inclinação para dentro do rio.

O barracão ainda ressoava com as batidas do aço contra a madeira, mas o ritmo das marretadas diminuíra. As cunhas haviam erguido o couraçado praticamente de todos os blocos de construção. Mas os últimos blocos, deixados embaixo da quilha e do fundo do casco, seguravam a embarcação apoiada no berço, no qual ela seguiria pela carreira até o rio.

A plataforma cerimonial de lançamento, em volta da proa de aço do navio, estava guarnecida com bandeirolas vermelhas, brancas e azuis. Uma garrafa de champanhe, envolvida em uma malha de fios trançados para impedir que o vidro quebrasse e adornada com as cores da bandeira, aguardava em um balde com gelo.

A madrinha do couraçado, uma garota bonita, de cabelos escuros, que o batizaria, esperava ao lado usando um vestido de flanela listrado e um chapéu de aba larga ao estilo da opereta *A Viúva Alegre*, enfeitado com peônias de seda. Parecia ignorar as instruções exaltadas que lhe dava o secretário assistente da Marinha — seu pai —, advertindo-a para não se intimidar no momento crucial, mas para "Bater a garrafa com toda a força que tiver, no instante em que o navio começar a se mover, ou será tarde demais".

O olhar da garota estava fixo em um detetive alto, de cabelos dourados, em um terno branco, cujo olhar inquieto espreitava tudo e todos, menos ela.

Isaac Bell não dormira em uma cama desde que chegara a Camden, dois dias antes. De início, pretendera chegar com Marion na noite anterior à cerimônia, e jantar na Filadélfia. Porém, isso fora antes de o escritório de Filadélfia ter enviado o telegrama urgente a Nova York. Corriam rumores inquietantes de que um misterioso alemão teria como missão impedir o lançamento. Os detetives designados para a comunidade de imigrantes alemães haviam colhido a notícia de que acabara de chegar à cidade um alemão que alegava ser de Bremen, mas que falava com sotaque de Rostock. Ele procurara encontrar trabalho no estaleiro New York Ship; entretanto, nunca se apresentara à empresa. Vários trabalhadores tinham perdido o crachá de identificação sem dar parte disso.

No amanhecer daquele dia, como sempre trajando sua curiosa sobrecasaca vermelha, Angelo Del Rossi, o proprietário do salão de dança da King Street onde fora assassinado Alasdair MacDonald, saíra à procura de Bell. Relatara-lhe que uma mulher o procurara, transtornada e amedrontada. Um alemão que correspondia à descrição do homem proveniente de Rostock — alto e de pele clara, com um olhar atormentado — confessara-se com a mulher, a qual, por sua vez, confessara-se com Del Rossi.

— Ela é uma de nossas garotas em regime de meio período, Isaac, se entende o que eu quero dizer.

— Ouvi falar desses acordos — assegurara-lhe Bell. — O que ela disse exatamente?

— O alemão com quem esteve começou, de repente, a falar de alguma coisa que afetaria os inocentes, que não deviam morrer. Ela perguntou o que ele estava querendo dizer. Eles não tinham bebido nada. Ele ficou calado, depois falou mais alguma coisa, como se estivesse embriagado, dizendo que a causa era justa, mas, os métodos, errados. De novo ela quis saber de que se tratava. Então, ele perdeu a compostura e começou a chorar, dizendo, e isso ela citou palavra por palavra: "O couraçado vai cair e os homens vão morrer".

— Você acredita nela?

— Ela não tinha nada a ganhar me procurando, a não ser para aliviar a consciência. Ela conhece os homens que trabalham no estaleiro. Não quer que se machuquem. Teve coragem o bastante para confiar em mim.

— Preciso falar com ela — dissera Bell.

— Ela não vai dizer nada a você. Não vê diferença entre detetives particulares e tiras, e não gosta de tiras.

Bell pegara uma moeda de ouro do cinto e a entregara ao dono do salão.

— Nenhum tira pagaria 20 dólares para ela falar. Dê-lhe esta moeda. Diga que admiro sua coragem e que não faria nada que pudesse ameaçá-la — E encarou Del Rossi com um olhar penetrante. — Você acredita em mim, Angelo. Não acredita?

— Por que acha que o procurei? — dissera Del Rossi. — Verei o que posso fazer.

— Esse dinheiro é suficiente?

— Mais do que ela consegue em uma semana.

Bell atirara-lhe mais uma moeda de ouro.

— Aí vai outra semana. Isso é da maior importância, Angelo. Obrigado!

O nome dela era Rose. Ela não dera o sobrenome quando Del Rossi providenciou para que se encontrassem nos fundos do salão, e Bell não perguntou nada. Séria e corajosa, ela repetiu tudo o que contara a Del Rossi. Bell deixou-a falar, sondando sutilmente, e ela finalmente acrescentou que as últimas palavras do alemão, quando partira do quartinho particular que alugaram no bar à beira do rio, foram: "A coisa será feita".

— Você seria capaz de reconhecê-lo se o visse novamente?

— Acho que sim.

— O que acha de se tornar uma funcionária temporária da Agência de Detetives Van Dorn?

**

Agora a garota passeava pelo estaleiro em um vestido branco de verão e um chapéu florido, fingindo ser a irmã mais nova de dois corpulentos agentes disfarçados de famosos técnicos de turbinas. Mais de dez detetives rondavam pelo estaleiro, verificando as identidades de todos os que trabalhavam próximo ao *Michigan* especialmente os carpinteiros que colocavam as cunhas embaixo do casco. Esses homens eram obrigados a usar um passe específico, vermelho, emitido pela Van Dorn — e não pela New York Ship — para o caso de espiões terem se infiltrado nos escritórios da empresa de construção de navios.

Os mensageiros que respondiam a Bell na plataforma haviam sido escolhidos pela aparência juvenil. Bell ordenara que se vestissem como universitários inofensivos, com chapéus de palha, trajes de verão, colarinhos redondos e gravatas, para não assustarem desnecessariamente a multidão reunida para saudar o novo navio.

Bell fora um forte partidário do adiamento da cerimônia, mas não viram motivos para cancelar o acontecimento. Havia muitos interessados no lançamento, explicara o capitão Falconer, e todas as partes envolvidas protestariam. A New York Ship orgulhava-se de pôr o *Michigan* na água à frente do *South Carolina*, do Cramp's Shipyard, que viria apenas algumas semanas depois. A Marinha queria o casco flutuando imediatamente para terminar de equipá-lo. E ninguém no gabinete do governo ousaria informar ao presidente Roosevelt de algum atraso.

A cerimônia estava programada para iniciar exatamente às 11 horas. O capitão Falconer advertira Bell de que faria o lançamento no horário. Em menos de uma hora, ou o couraçado deslizaria sem incidentes por seus trilhos ou o sabotador alemão alcançaria seu objetivo, provocando a destruição da embarcação a um preço terrível para os inocentes.

Uma banda dos Fuzileiros Navais começou a tocar uma miscelânea de marchinhas marciais, e a plataforma de lançamento encheu-se de centenas de observadores especiais, convidados para permanecerem perto o bastante para ver a garrafa de champanhe estourar de encontro à proa. Bell avistou o secretário do Interior, três senadores, o governador de Michigan e diversos integrantes do vigoroso "Tennis Cabinet", do presidente Roosevelt.

Os chefões da New York Ship apressaram-se a subir a escada na companhia do almirante Capps, o chefe da construção naval da Marinha. Capps parecia menos interessado em conversar com os construtores navais do que com Lady Fiona Abbington-Westlake, a esposa do adido naval britânico, uma beldade e dona de uma cabeleira castanha reluzente. Isaac Bell observou-a discretamente. Os pesquisadores da Van Horn designados para o caso de espionagem do Casco 44 haviam relatado que Lady Fiona gastava além das posses do marido. Pior, vinha sendo chantageada por um francês chamado Raymond Colbert. Ninguém sabia o que Colbert tinha com ela ou se a chantagem envolvia o furto, da parte de seu marido, de segredos navais para os franceses.

O imperador alemão, Kaiser Guilherme II, era representado por um adido militar com uma cicatriz provocada por um golpe de sabre, o tenente Julian Von Stroem, recém-chegado da África Oriental alemã, casado com uma amiga americana de Dorothy Langner. De repente, a própria Dorothy dividiu a multidão em suas roupas escuras de luto. A garota ruiva de olhos brilhantes, que Bell observara no Williard Hotel, estava de braços com ela. Katherine Dee, a Pesquisa relatara, era filha de um imigrante irlandês que retornara à Irlanda depois de fazer fortuna construindo escolas católicas em Baltimore. Órfã pouco tempo depois, Katherine fora educada em um convento na Suíça.

O bonitão Ted Whitmark seguia logo atrás das duas, apertando mãos e dando tapinhas nas costas de todo mundo, declarando, em uma voz que chegava até o teto de vidro: "O *Michigan* há de ser uma das melhores unidades de combate do Tio Sam". Embora Whitmark às vezes se fizesse de bobo na vida privada, jogando e bebendo, pelo menos antes de conhecer Dorothy, a Pesquisa deixara claro que ele era extremamente afeito a fechar negócios com o governo.

Típico dos relacionamentos promíscuos em meio ao grupo de industriais, políticos e diplomatas que enxameavam em torno da "Nova Marinha", ele e Dorothy Langner haviam comparecido a uma caldeirada oferecida pelo capitão Falconer. Como observara cinicamente Grady Forrer, da Pesquisa da Van Dorn: "A parte fácil é descobrir quem vai para a cama com quem; o difícil é entender por que, considerando que o 'porquê' pode variar em todos os sentidos, desde a obtenção de lucros até a promoção ou a espionagem, ou simplesmente criar problemas".

Bell viu os lábios de Dorothy entreabrirem-se em um sorriso discreto. Ele olhou na direção para a qual ela se voltara e viu o arquiteto naval Farley Kent inclinar a cabeça num cumprimento. Então Kent atirou um braço ao redor de seu convidado — o tenente Yourkevitch, o arquiteto de couraçados do czar — e mergulhou na multidão, como se para ficar fora do caminho de Ted e Dorothy. Sem se dar conta do que se passava, Ted apertava a mão de um almirante idoso e exclamava:

— Grande dia para a Marinha, senhor! Grande dia para a Marinha!

O olhar de Dorothy se dirigiu ao de Bell e se deteve. Bell retribuiu o olhar interrogativamente. Ele não a via desde o dia em que a procurara em Washington, embora, por insistência de Van Dorn, tivesse relatado, numa ligação interurbana, que havia fortes razões para esperar que o nome do pai dela em breve seria limpo. Ela o agradecera calorosamente e dissera que esperava vê-lo em Camden, no almoço após o lançamento. Ocorreu a Bell que nem Ted Whitmark nem Farley Kent ficariam contentes com o olhar que ela lhe dirigia agora.

Uma respiração cálida soprou em sua orelha.

— Um belo sorriso para uma dama ainda trajando luto.

Marion Morgan deslizou de trás dele e seguiu em linha reta na direção do capitão Falconer. O oficial parecia heroicamente esplêndido em seu uniforme de gala todo branco, ela pensou, ou esplendidamente heroico, com sua bela cabeça ereta acima do colarinho alto, as medalhas alinhadas no peito largo, a espada presa à cintura enxuta.

**

— Bom dia, senhorita Morgan — Lowell Falconer cumprimentou Marion Morgan afetuosamente. — Está se divertindo?

Ela e Isaac haviam jantado a bordo do iate de Falconer na noite anterior. Quando Bell prometera a ele que Arthur Langner seria completamente isentado da acusação de receber suborno, o orgulho dela pelo noivo revelara completamente seu amor por ele. Ainda assim, admitiu Falconer tristemente, ele não ficara desapontado quando Bell pedira licença para se retirar mais cedo, para supervisionar uma nova inspeção na carreira de lançamento embaixo do navio. Depois que o detetive partira, a conversa fluíra sem interrupções, do projeto dos couraçados ao cinema, da guerra naval aos quadros de Henry Reutendahl e à política de Washington e à carreira de Falconer. Considerando em retrospectiva, ele percebia que contara a ela mais sobre si mesmo do que pretendera.

O Herói de Santiago conhecia-se bem o bastante para saber que se apaixonara por ela. Mas ignorava completamente que a bela senhorita Morgan o estava usando como disfarce enquanto abria caminho entre as cabeças que se inclinavam e chapéus que eram levantados, em meio ao grupo de japoneses elegantemente vestidos.

— Por que — ela perguntou a Falconer, para matar o tempo — a construtora de navios chama-se New York Ship, uma vez que fica em Camden, em New Jersey?

— Isso confunde todo mundo — explicou Falconer, com seu sorriso compenetrado e um brilho demoníaco no olhar. — No início, o senhor Morse pretendia construir o estaleiro em Staten Island, mas Camden oferecia melhores instalações ferroviárias e acesso aos trabalhadores experientes dos estaleiros da Filadélfia. Por que está sorrindo desse modo, senhorita Morgan?

Ela disse:

— Pela maneira como está me olhando, é muito bom que Isaac esteja por perto e armado.

— Bem, é bom que ele esteja — retrucou Falconer em voz rouca. — Seja como for, Camden, em New Jersey, tem o estaleiro mais moderno do mundo. Em matéria de construção de couraçados, só perde para nossas instalações mais importantes do estaleiro da Marinha no Brooklyn.

— E por que é assim, capitão? — a investigação dela estava chegando onde queria.

— Eles têm um sistema totalmente moderno. As principais partes são pré-fabricadas. Os guindastes as deslocam pelo alto por todo o estaleiro com tanta facilidade quanto você reuniria os ingredientes para fazer um bolo. Esses barracões cobrem as carreiras de montagem tão completamente que as mudanças de tempo não interferem na produção.

— Eles me lembram os estúdios de vidro que usamos para filmar cenas interiores, embora os nossos sejam muito menores.

— Os acabamentos que costumavam ser montados depois do lançamento são aplicados no conforto dessas carreiras cobertas. O navio será lançado com seus canhões já instalados.

— Fascinante! — o homem que ela observava parara para espreitar uma brecha, num andaime, que revelava o comprido cinturão da couraça do navio. — Capitão Falconer, quantos homens irão compor a tripulação do *Michigan*?

— Cinquenta oficiais, 850 praças.

Ela expressou sua preocupação, estampada em seu semblante anuviado.

— Mas são muitos marinheiros em um espaço tão pequeno, se o pior acontecer e o navio afundar!

— Os couraçados modernos são como caixões blindados — respondeu Falconer, de modo muito mais brusco do que deveria ao conversar com uma civil, mas o diálogo com ela, na noite anterior, havia estreitado um laço de confiança entre eles e lhe dera a plena certeza de sua inteligência superior. — Vi russos se afogarem aos milhares em luta contra os japoneses no estreito de Tsushima. Os couraçados afundam em questão de minutos. Todos, exceto os observadores de tiro nas torres de combate e alguns homens no passadiço, ficam presos nos conveses inferiores.

— Posso presumir que nossa meta seja construir navios de guerra que afundem lentamente e deem mais tempo aos homens de fugir?

— A meta, no caso dos couraçados, é continuar lutando. Isso significa proteger homens, equipamentos e canhões dentro de uma cidadela blindada, ao mesmo tempo que se mantém a flutuação. Os marinheiros vencedores são os que sobrevivem.

— Então hoje é um dia feliz, com o lançamento de um navio tão moderno.

O capitão Falconer fitou Marion por baixo das grossas sobrancelhas.

— Cá entre nós, senhorita, em razão da limitação imposta pelo Congresso a 16 mil toneladas, o *Michigan* tem oito pés *a menos* de borda livre na vante do que o antigo *Connecticut*. Ele será mais molhado do que uma baleia e, se chegar a desenvolver 18 nós em águas agitadas, juro que engulo meu quepe.

— Obsoleto antes mesmo de ser lançado?

— Seu destino é escoltar navios de transporte. Mas, se algum dia se deparar com um verdadeiro couraçado *dreadnought,* é melhor que seja em águas calmas. Maldição! — ele bufou. — Devíamos deixá-lo fundeado na baía de São Francisco para saudar os japoneses.

Uma garota delicada, usando um chapéu muito caro preso ao cabelo vermelho, com alfinetes compridos com o lema da campanha de William Howard Taft à Presidência, "Acorda, Billy", adiantou-se.

— Com licença, capitão Falconer. Tenho certeza de que não se lembra de mim, mas passei momentos agradabilíssimos num piquenique em seu iate.

Sem muita convicção, Falconer apertou a mão que ela lhe oferecera.

— Claro que me lembro, senhorita Dee — ele sorriu de lado. — Se não houvesse sol naquele dia, seu sorriso tomaria o lugar dele. Marion, esta jovem é a senhorita Katherine Dee. Katherine, quero que conheça minha boa amiga, Marion Morgan.

Os grandes olhos azuis de Katherine Dee tornaram-se maiores.

— Você não é a diretora de cinema? — ela perguntou, quase sem fôlego.

— Sim, eu sou.

— Adoro *Hot Time in the Old Town Tonight*! Já vi o filme quatro vezes.

— Bem, muito obrigada, então!

— Você já atuou em algum de seus filmes?

Marion deu uma risada.

— Minha nossa, não!

— Por que não? — interveio o capitão Falconer. — Você é uma mulher bonita.

— Obrigada, capitão — disse Marion, lançando um sorriso rápido a Katherine Dee. — Mas a beleza não aparece necessariamente num filme. A câmera tem suas próprias leis, prefere determinados tipos de traços — "como os de Katherine Dee", pensou consigo mesma. Por alguma razão mágica, a lente e a luz tendiam a favorecer o tipo de Katherine, com sua figura delgada, a cabeça grande e os olhos rasgados.

Quase como se lesse seus pensamentos, Katherine exclamou:

— Ah, eu bem que gostaria de ver como se faz um filme!

Marion Morgan olhou atentamente para a jovem. Ela parecia fisicamente forte para alguém tão franzina. Estranhamente até. Na verdade, por trás dos modos ofegantes e de menininha de Katherine, Marion sentiu algo ligeiramente peculiar. Mas não é que a câmera também costumava transformar peculiaridades em características que encantavam o público do cinema? Ela ficou tentada a confirmar se essa garota realmente teria qualidades que a câmera adoraria, e um convite estava na ponta de sua língua. Mas alguma coisa em relação a ela deixou Marion pouco à vontade.

Ao lado dela, Marion sentiu Lowell Falconer inchar-se todo de novo, como sempre fazia quando via uma garota bonita. A mulher que se aproximava era a morena alta que estivera lançando olhares para Isaac.

Lowell deu um passo à frente e estendeu a mão.

Marion concluiu que Dorothy Langner era ainda mais atraente do que ouvira falar. Lembrou-se de um termo usado pelo pai, havia tempos viúvo e agora encaminhando-se para o final da meia-idade: "Uma beldade!".

— Dorothy, que bom que você veio — disse Falconer. — Seu pai ficaria muito orgulhoso em vê-la aqui.

— Estou orgulhosa por ver os canhões dele já montados. Este é um estaleiro esplêndido! Lembra-se de Ted Whitmark?

— Mas é claro — disse Falconer, apertando a mão de Whitmark. — Imagino que ficará bastante ocupado quando a frota aportar para se abastecer em São Francisco. Dorothy, posso lhe apresentar a senhorita Marion Morgan?

Marion teve consciência de que era cuidadosamente avaliada enquanto trocavam cumprimentos.

— E é claro que vocês conhecem Katherine — Falconer concluiu as apresentações.

— Viemos juntos no mesmo trem — disse Whitmark. — Depois aluguei um carro particular.

Marion disse:

— Com licença, capitão Falconer, estou vendo um cavalheiro que Isaac pediu para eu encontrar. Prazer em conhecê-la, senhorita Langner, senhor Whitmark, senhorita Dee.

**

As batidas nas cunhas pararam de repente. O navio estava totalmente apoiado sobre o berço. Isaac Bell encaminhou-se para a escada, por onde desceria para uma inspeção final na parte inferior do casco.

Dorothy Langner surpreendeu-o no alto da escada.

— Senhor Bell, tinha esperança de encontrá-lo…

Ela estendeu a mão enluvada e Bell segurou-a educadamente.

— Como vai, senhorita Langner?

— Muito melhor depois da nossa última conversa. Vingar meu pai não o trará de volta, mas é um conforto, e estou muito grata pelo que tem feito.

— Espero que em breve tenhamos uma prova definitiva, mas, como eu disse, pessoalmente não tenho dúvida de que seu pai foi assassinado, e levaremos seu assassino à justiça.

— De quem está suspeitando?

— De ninguém que possa comentar. O senhor Van Dorn a manterá informada.

— Isaac… Posso chamá-lo de Isaac?

— Tudo bem, se quiser.

— Tem uma coisa de que já lhe falei. Gostaria de esclarecer melhor.

— Se for sobre o senhor Whitmark — Bell sorriu —, fique ciente de que ele está vindo para cá.

— Vou repetir — disse ela em voz baixa. — Não estou com pressa de nada. E ele está de partida para São Francisco.

Bell deu-se conta de uma diferença fundamental entre Marion e Dorothy: a maneira como consideravam os homens. Dorothy imaginava se podia acrescentar mais um à sua lista de conquistas. Ao passo que Marion Morgan não tinha dúvida de que era capaz de conquistar e, portanto, não se inclinava nem a uma coisa nem a outra. Isso transparecia no modo como sorriam. O sorriso de Marion era tão envolvente quanto um abraço. O de Dorothy, um desafio. Mas Bell não podia ignorar sua fragilidade desesperada, apesar dos modos corajosos. Era quase como se ela estivesse se oferecendo e pedindo para ser salva da perda do pai. E ele não acreditava que Ted Whitmark fosse o homem capaz disso.

— Bell, não é? — disse Whitmark em voz alta, enquanto se apressava a juntar-se a eles.

— Isaac Bell.

Ele viu os rebocadores se reunindo no rio para se encarregarem do casco, quando este atingisse a água.

— Com licença. Estão me esperando lá embaixo.

**

Yamamoto Kenta estudara fotografias de lançamentos de navios americanos para escolher seu traje. Não podia disfarçar que era japonês, mas, quanto menos estrangeiras fossem suas roupas, mais poderia vagar pelo estaleiro e se aproximar dos convidados distintos. Observando os colegas de viagem no trem desde Washington, sentira-se orgulhoso de ver que se vestira perfeitamente para a ocasião, com um terno de linho listrado de azul e branco e uma gravata de nó corrediço verde-clara, combinando com a cor da borda do chapéu de palha.

No estaleiro em Camden, levantava o chapéu repetidamente em um cumprimento educado para as damas, personagens importantes e cavalheiros idosos. Ao chegar ao estaleiro admiravelmente moderno de Camden, a primeira pessoa de que se aproximara fora o capitão Lowell Falconer, o Herói de Santiago. Haviam conversado pela última vez no outono anterior, no descerramento de uma placa de bronze em homenagem ao comodoro Thomas Tingey, o primeiro comandante do Arsenal da Marinha em Washington. Yamamoto dera a Falconer a impressão de que se reformara da Marinha japonesa com a patente de tenente, antes de voltar à sua paixão original, a arte japonesa. O capitão Falconer lhe proporcionara uma visita guiada pelo Arsenal, com a notável exceção da Fábrica de Canhões.

Nesta manhã, quando Yamamoto cumprimentara Falconer pelo lançamento iminente do primeiro couraçado *dreadnought* dos Estados Unidos, Falconer respondera com um distraído "quase *dreadnought*", supondo — de um lobo do mar para outro — que um ex-oficial da Marinha japonesa reconheceria as falhas.

Yamamoto tocou a aba do chapéu novamente, dessa vez para uma loura alta e atraente.

Ao contrário das outras damas americanas, que passavam por ele com uma fria inclinação de cabeça "àquele asiático insignificante", como ouvira uma delas murmurar à filha, esta o surpreendeu com um sorriso cativante e a observação de que o tempo estava perfeito para o lançamento.

— E para o desabrochar das flores — disse o espião japonês, que se sentia realmente à vontade com as americanas, tendo em vista os diversos romances secretos que tivera com viúvas do alto escalão de Washington, convencidas de que um curador visitante de arte asiática devia ser tanto espiritualmente um artista quanto exoticamente um asiático. Depois do comentário sedutor, ele poderia esperar que ela ou se afastasse ou se aproximasse.

Ficou profundamente perplexo quando ela escolheu a última opção.

Seus olhos eram de um verde surpreendente, da cor da esmeralda.

Seus modos eram diretos.

— Nenhum de nós está vestido como um oficial naval — disse ela. — O que traz *o senhor* aqui?

— Hoje é meu dia de folga no trabalho que venho desenvolvendo, no Smithsonian Institution — respondeu Yamamoto. Não via nenhum relevo de aliança de casamento sob a luva de algodão. Provavelmente, tratava-se da filha de um oficial importante. — Um colega do Departamento de Arte deu-me seu ingresso e uma carta de apresentação, o que me fez parecer muito mais importante do que sou. E qual é o seu caso?

— Arte? Você é um artista?

— Meramente um curador. Uma grande coleção foi doada ao Institution. Pediram-me para catalogar uma pequena parte dela; uma parte muito pequena — acrescentou, com um sorriso modesto.

— Está se referindo à coleção de Freer?

— Isso mesmo! Já a conhecia?

— Meu pai me levou à casa do senhor Freer em Detroit quando eu era uma garotinha.

Yamamoto não se surpreendeu por ela ter visitado o fabulosamente rico fabricante de vagões ferroviários. Entre os representantes da sociedade que gravitavam em torno da Nova Marinha americana, incluíam-se os privilegiados, os bem relacionados e os novos ricos. A jovem dama parecia ser do primeiro time. Certamente, seus modos casuais e o estilo controlado posicionavam-na bem longe dos sempre aparatosos novos-ricos.

— O que se lembra dessa visita? — indagou ele.

Seus envolventes olhos verdes pareceram explodir, iluminados.

— O que guardei no coração foram as cores das xilogravuras de Ashiyuki Utamaro.

— As peças teatrais?

— Isso mesmo. As cores eram tão vivas e com uma combinação tão sutil! Elas faziam seus rolos de papel parecerem ainda mais admiráveis.

— Os rolos de papel?

— Sua caligrafia em preto e branco simples era tão, tão, qual é mesmo a palavra… *Límpida*, como se sugerisse que, na realidade, a cor não era essencial.

— Mas Ashiyuki Utamaro não fez rolos…

O sorriso dela se apagou.

— Será que me enganei? — ela deu uma risadinha, um som pouco agradável que alertou Yamamoto Kenta de que nem tudo ia bem ali. — Eu tinha apenas 10 anos de idade — disse ela, pensativa. — Mas estou certa de me lembrar… Não, acho que estou enganada. Fiz papel de boba. Sinto-me terrivelmente envergonhada. Devo parecer a mais completa idiota.

— De maneira nenhuma — respondeu Yamamoto suavemente, ao mesmo tempo que olhava furtivamente ao redor para ver quem, em cima da plataforma lotada, os estaria observando. Ninguém, pelo que pôde notar. Seus pensamentos voavam. Será que ela tentara surpreendê-lo numa armadilha, fazendo-o revelar lacunas em seu conhecimento de arte adquirido às pressas? Ou será que cometera um erro de verdade? Graças aos deuses que sabia que Ashiyuki Utamaro chefiara uma grande oficina de xilogravura e não tivera o mesmo destino monástico dos artistas que se isolavam com alguns pincéis, tinta e papel de arroz.

Ela olhava para os lados como se buscasse desesperadamente uma desculpa para se retirar.

— Acho que preciso ir — disse ela. — Estou acompanhando um amigo.

Yamamoto tocou a aba do chapéu, mas ela o surpreendeu de novo. Em vez de fugir imediatamente, estendeu-lhe a mão graciosa, coberta pela comprida luva de algodão, e disse:

— Não nos apresentamos. Gostei de conversar com o senhor. Sou Marion Morgan.

Yamamoto curvou-se, totalmente surpreendido por tamanha franqueza. Talvez ela fosse paranoica.

— Yamamoto Kenta — disse ele, apertando-lhe a mão. — A seu serviço, senhorita Morgan. Se visitar o Smithsonian, por favor, pergunte por mim.

— Ah, farei isso — disse ela e se afastou.

Confuso, o espião japonês observou enquanto Marion Morgan se distanciava com a elegância de um cruzador por um mar agitado de chapéus floridos. Seu curso convergiu com o de uma mulher de chapéu escarlate, adornado com rosas de seda. Suas abas formaram um ângulo à esquerda e à direita, produzindo um arco sob o qual tocaram suas faces.

Yamamoto sentiu a mandíbula frouxa. Reconhecia a mulher que cumprimentava Marion Morgan como a amante de um traiçoeiro capitão da Marinha francesa, capaz de vender a própria mãe para dar uma espiada num projeto de um motor giroscópico hidráulico. Sentiu um impulso irresistível de tirar o chapéu e coçar a cabeça. Seria coincidência que Marion Morgan conhecesse Dominique Duvall? Ou a bela americana estaria espionando para o pérfido francês?

Antes de ponderar mais a fundo, precisou levantar o chapéu para uma linda dama, vestida de preto da cabeça aos pés.

— Posso oferecer as minhas condolências? — ele indagou a Dorothy Langner, a quem conhecera no descerramento da placa de bronze no Arsenal da Marinha em Washington, pouco antes de assassinar o pai dela.

**

Um mestre carpinteiro, de macacão listrado de azul e branco, serviu de guia para Isaac Bell quando ele foi fazer a inspeção final sob o casco. Eles correram o comprimento duas vezes, subindo por um bordo da embarcação e descendo pelo outro.

A última das escoras de madeira que abraçavam o navio fora removida, assim como as toleteiras — os longos cabeçotes móveis de madeira que seguravam a popa e a proa. Onde antes havia uma densa floresta de tábuas, restara somente um espaço vazio, dos dois lados do berço da vante à ré da embarcação. O que permanecia inclinado contra o casco eram escoras removíveis e temporárias — madeiras pesadas, prontas para cair para os lados assim que a embarcação começasse a descer sobre os trilhos, densamente engraxados com um sebo amarelo.

Sob a quilha, praticamente todos os blocos que sustentavam o navio haviam sido removidos. Os últimos haviam sido montados a partir de quatro triângulos aparafusados, na forma de cubos de madeira. Os carpinteiros os desmontaram soltando os parafusos que os prendiam. Quando os triângulos caíram para os lados, o couraçado se encaixou perfeitamente no berço. Rapidamente, eles desparafusaram os blocos do fundo do casco, os últimos que suportavam o barco, e então todo o peso do *Michigan* descansou sobre o berço, com um audível suspiro provocado pelo atrito entre placas e rebites.

— Agora ele está seguro só pelos gatilhos — informou a Bell o carpinteiro. — Solte-os e ele irá embora.

— Está vendo alguma coisa errada? — indagou o detetive.

O carpinteiro enfiou os polegares nas alças do macacão e olhou ao redor com expressão atenta. Capatazes tiravam os trabalhadores dos trilhos e os conduziam para fora do barracão. Depois que as marretadas nas cunhas cessaram, o espaço encontrava-se surpreendentemente silencioso. Bell ouviu os rebocadores emitindo sinais no rio e o murmúrio da multidão, acima, sobre a plataforma.

— Parece que está tudo certo e no lugar, senhor Bell.

— Tem certeza disso?

— Tudo o que é preciso fazer agora é estourar aquela garrafa.

— Quem é aquele homem com o pé de cabra? — Bell apontou para um trabalhador que aparecera de repente, carregando a ferramenta com cabo comprido em cima do ombro.

— Aquele é um colega forte e corajoso que recebeu uma gratificação extra para cutucar o gatilho se ele emperrar.

— Você o conhece?

— É Bill Strong. Sobrinho do irmão da minha esposa por casamento.

Um assobio a vapor soprou um longo e sonoro sinal.

— Devemos sair daqui, senhor Bell. Haverá toneladas de lixo caindo da embarcação quando ela se mover. Se algo nos atingir na cabeça, o pessoal vai dizer que é um navio azarado, "lançado com sangue".

Eles se retiraram na direção da escada que levava à plataforma. Quando se despediam na bifurcação, de onde o carpinteiro partiria para se reunir aos colegas na margem do rio e Bell continuaria em frente para subir para o batismo, o detetive deu uma última olhada nos trilhos, no berço e no casco vermelho fosco. Nos fundos da carreira, onde os trilhos mergulhavam na água, grossas correntes de ferro se amontoavam em volta, no formato de ferraduras. Ligadas ao navio por cabos de arrasto, essas correntes ajudariam a deter a embarcação quando ela deslizasse para a água.

— O que é que aquele homem está fazendo com o carrinho de mão?

— Trazendo mais sebo para engraxar os trilhos.

— Você o conhece?

— Não posso dizer que conheço. Mas aí vem um de seus homens para interrogá-lo.

Bell observou o agente da Van Dorn interceptá-lo. O homem com o carrinho de mão mostrou um passe vermelho exigido para trabalhar embaixo do navio. Assim que o detetive se afastou para o lado, acenando para o homem continuar, alguém assobiou e o detetive correu naquela direção. O homem segurou nas alças do carrinho e empurrou-o na direção dos trilhos.

— Um patriota verdadeiro — disse o carpinteiro.

— O que está querendo dizer com isso?

— Por causa daquela gravata-borboleta vermelha, branca e azul. Um Tio Sam verdadeiro, isso ele é. Nos vemos depois, senhor Bell. Passe pela barraca dos trabalhadores. Eu lhe pago uma cerveja — ele se apressou a partir, rindo consigo mesmo. — Estou pensando em conseguir uma dessas gravatas-borboletas para o Dia da Independência. Os garçons estão usando iguais a essas na barraca do chefe.

Bell demorou-se observando o homem empurrar o carrinho na direção da parte dos fundos do navio. Um homem alto, magro, de pele clara, cabelo escondido embaixo do boné. Era o único trabalhador na carreira, com exceção de Bill Strong, que se agachara com seu pé de cabra a uma centena de passos de distância da proa. Coincidência ele estar usando uma gravata-borboleta de garçom? Será que passara pelos portões fingindo ser um garçom até os trilhos serem liberados e chegar a hora de agir sem impedimentos? Seu passe convencera o detetive, porém. Mesmo àquela distância, Bell vira que o tom da cor era do vermelho certo.

Com uma pá, de dentro do carrinho, o homem retirava e despejava apressadamente umas bolotas de sebo por cima dos trilhos planos. Tão apressadamente, notou Bell, que parecia mais como se estivesse esvaziando o carrinho, em vez de espalhar o lubrificante.

Isaac Bell lançou-se por baixo da escada. Correu por todo o comprimento do navio, a toda velocidade, sacando sua Browning.

— Mãos ao alto! — gritou. — Levante as mãos.

O homem girou sobre os calcanhares. Tinha os olhos muito abertos. Parecia assustado.

— Solte a pá. Levante as mãos para o alto.

— Qual é o problema? Eu mostrei meu passe vermelho — o sotaque dele era alemão.

— Solte a pá!

Ele a segurava com tanta força que os tendões esticavam-se como cordas no dorso das mãos.

Uma salva de palmas ecoou no alto. O alemão olhou para cima. O navio estava tremendo. De repente, o monstro se moveu. Bell olhou para cima também, sentindo uma agitação no alto. Pelo canto do olho, viu uma madeira grossa como um dormente de ferrovia destacar-se do casco e tombar em sua direção. Deu um salto para trás. A madeira caiu no lugar em que se encontrara, arrancando-lhe o chapéu de aba larga da cabeça e roçando seu ombro com a força de um cavalo de corridas.

Antes que Bell pudesse recobrar o equilíbrio, o alemão brandiu a pá, com os dentes cerrados e a determinação de um batedor de beisebol disposto a acertar a bola com toda a força e transformar o que seria mais uma jogada normal em um ponto decisivo.

24

Sem aviso, a plataforma de lançamento começou a balançar.

A multidão silenciou.

De repente, pareceu como se, depois de três anos de construção, tornando-se mais pesado a cada dia à medida que toneladas de aço eram parafusadas e rebitadas a toneladas de aço, o couraçado *Michigan* se recusasse a esperar mais um instante. Ninguém tocara o botão elétrico que ativaria as alavancas para liberar os gatilhos; no entanto, o navio se movera. Alguns centímetros. Depois, mais um pouco.

— Agora! — o secretário assistente da Marinha deu um grito estridente para a filha.

A garota, mais alerta do que ele, já arremessara a garrafa.

O vidro se espatifou. O champanhe borbulhou através da malha de fios trançados e a garota bradou em tom musical:

— Eu o batizo *Michigan!*

As centenas de espectadores sobre a plataforma de lançamento aplaudiram e ovacionaram. Milhares mais na margem, distantes demais para ver a garrafa quebrar ou o lento movimento do casco, foram alertados pelos aplausos dos que estavam na plataforma e ovacionaram e aplaudiram também. Os rebocadores e vapores tomaram posição no rio. Sobre os trilhos atrás do barracão, um engenheiro de locomotiva fez soar seu apito. E, lentamente, muito vagarosamente, o couraçado começou a ganhar velocidade.

* *

Embaixo do navio, a pá do alemão arrancou a arma da mão de Bell e pegou de raspão em seu ombro. Já desequilibrado por causa da madeira que caíra, o golpe o fez sair rodopiando.

O alemão saltou para trás até o carrinho e enfiou as mãos na carga gelatinosa, confirmando o que Bell vira da escada. Estivera despejando o sebo sobre os trilhos não só para parecer fazer inocentemente seu trabalho, mas para expor o que tinha escondido por baixo do sebo. Com um grito exultante, ele retirou dali um pacote bem amarrado de bastões de dinamite.

Bell pôs-se de pé em um salto. Não viu nenhum estopim para detonar o explosivo, nenhum cordão embebido com pólvora para acender, o que significava que o alemão devia ter armado uma cápsula de percussão para detonar por contato quando o sabotador a esmagasse contra o berço. O rosto do alemão tremia numa expressão de triunfo insano, enquanto ele corria para o berço segurando a dinamite no alto. Isaac Bell reconheceu, nos olhos frios, a temeridade de um fanático disposto a morrer para detonar sua bomba.

Com todas as escoras e os blocos removidos, o *Michigan* equilibrava-se precariamente quando começou a descer pelos trilhos. Uma explosão provocaria o descarrilamento do berço e derrubaria as 16 mil toneladas do couraçado para o lado, esmagando a plataforma de lançamento e varrendo centenas de pessoas para a morte.

Bell atacou o alemão, derrubando-o ao chão, mas a loucura que o impelia a encarar ousadamente a morte deu-lhe forças para se desvencilhar do detetive. O navio, escorregando lentamente, ainda não deixara o barracão nem alcançara a beira da água. O alemão levantou-se e correu em direção ao berço.

Bell não fazia ideia de onde caíra sua Browning. Seu chapéu desaparecera e, com ele, a pistola de cano curto. Puxando a faca de dentro da bota, equilibrou-se sobre um joelho e atirou-a com um movimento suave por cima da cabeça. A lâmina afiada cravou-se certeiramente na nuca do alemão. Ele parou imediatamente e abanou os braços como se ensaiasse um voo impossível. Fatalmente ferido, ele despencou sobre os joelhos. Ainda assim, cambaleou na direção do navio, levantando sua bomba. Entretanto, a faca de Isaac Bell custara-lhe mais do que alguns segundos preciosos. Ao parar por um instante, ele permaneceu diretamente no caminho de descida de outra madeira em queda livre. O imenso dormente atingiu o alemão em cheio, esmagando-lhe a cabeça.

A dinamite caiu da mão erguida, mas Isaac Bell já mergulhara em sua direção. Agarrando-a com ambas as mãos antes que a cápsula de percussão atingisse o solo, ele a puxou cuidadosamente para o peito, a tempo de evitar a colisão com o casco vermelho em movimento.

O chão tremeu. As correntes de arrasto retumbaram. Uma fumaça elevou-se do berço. O *Michigan* acelerou para fora do barracão até a água, que brilhava sob o Sol, deixando atrás de si um rastro ácido de sebo queimado, provocado pela fricção, e levantando ondas e nuvens de borrifos no rio, que os raios solares atravessaram formando um arco-íris.

**

Enquanto todos os olhos em Camden fixavam-se no navio que flutuava, Isaac Bell levantou o alemão morto e colocou-o no carrinho de mão. O detetive que verificara o passe do sabotador aproximou-se correndo, seguido por outros. Bell disse:

— Levem esse homem pela porta dos fundos para o necrotério antes que mais alguém o veja. Os construtores de navios são supersticiosos. Não queremos estragar a festa.

Enquanto eles cobriam o corpo com restos de madeira, Bell encontrou sua arma e pôs o chapéu na cabeça. Um detetive estendeu-lhe sua faca, que ele limpou na bota.

— Devo acompanhar a minha garota no almoço. Como estou?

— Como alguém que passou o terno com uma pá.

Eles pegaram seus lenços e limparam o paletó e as calças.

— Já pensou em usar um terno escuro para ocasiões como esta?

Marion deu uma boa olhada quando Bell entrou no pavilhão e perguntou em voz baixa:

— Está tudo bem com você?

— Está tudo ótimo.

— Você perdeu o lançamento.

— Não totalmente — disse Bell. — Como se saiu com o Yamamoto Kenta?

— O senhor Yamamoto — disse Marion Morgan — é um impostor.

25

— **Eu armei uma armadilha** e ele caiu direitinho... Isaac, ele não sabia dos Rolos do Exílio de Ashiyuki Utamaro!

— Agora você me pegou. O que são os Rolos do Exílio de Ashiyuki Utamaro?

— Ashiyuki Utamaro foi um famoso impressor de xilogravuras japonês durante o final do período Edo. Os artistas criadores de xilogravura têm grandes e complexas oficinas onde os funcionários e assistentes fazem a maior parte do trabalho, desenhando, esculpindo e cuidando da tinta, depois que o mestre cria a imagem. Eles não fazem rolos de caligrafia.

— Por que é importante que o senhor Yamamoto não soubesse sobre algo que não existe?

— Porque os Rolos do Exílio de Ashiyuki Utamaro *de fato* existem, mas foram feitos secretamente. Portanto, só os verdadeiros pesquisadores acadêmicos sabem sobre eles.

— E você! Não é à toa que tenha sido a primeira mulher a se formar e a receber um diploma em Direito na Universidade de Stanford.

— Eu também não saberia, se não fosse por meu pai ter comprado um rolo de papel japonês e eu ter me lembrado de uma história esquisita que ele me contou. Passei um telegrama para ele em São Francisco pedindo detalhes. Ele me respondeu com um telegrama bastante caro.

— Ashiyuki Utamaro — ela continuou — estava no auge de sua carreira de xilógrafo quando caiu em desgraça perante o imperador, aparentemente por ter lançado olhares, ou mais do que isso, a uma gueixa favorita do monarca. Só o fato de o imperador adorar o trabalho de Ashiyuki Utamaro salvou-lhe a vida. Em vez de lhe cortar a cabeça, ou o que quer que fizessem com os libertinos japoneses, o monarca o baniu para o cabo mais longínquo da ilha mais distante ao norte do Japão: Hokkaido. Para um artista que dependia de sua oficina e de seu pessoal, isso era pior do que a prisão. Então, sua amante conseguiu-lhe, às escondidas, uma boa quantidade de papel, tinta e um pincel. E, assim, até morrer, sozinho em sua minúscula cabana, ele desenhou rolos de caligrafia. Mas ninguém podia admitir a existência dessa obra. A amante e todos os que a ajudaram a visitá-lo acabaram executados. Seus trabalhos não puderam ser exibidos. Não puderam ser vendidos. De algum modo, os desenhos acabaram nas mãos de um antiquário em São Francisco, que vendeu um ao meu pai.

— Perdoe meu ceticismo — disse Bell —, mas essa parece uma dessas histórias que os antiquários costumam contar para valorizar a mercadoria.

— Com a diferença de que esta é verdadeira. Yamamoto Kenta não sabe sobre os Rolos do Exílio. Portanto, ele não é um pesquisador, tampouco um curador de arte japonesa.

— O que faz dele um espião — disse Bell com uma expressão sombria. — E um assassino. Muito bom trabalho, querida! Vamos enforcá-lo por isso.

**

Os discursos que acompanharam os brindes de lançamento foram misericordiosamente breves, e o pronunciamento empolgado feito pelo capitão Lowell Falconer, o inspetor especial da Marinha para a prática de tiro, foi, nas palavras de Ted Whitmark, "uma verdadeira joia rara".

Numa linguagem estrepitosa e com gestos grandiloquentes, o Herói de Santiago elogiou o moderno estaleiro de Camden, lembrou a grande importância dos trabalhadores do setor metalúrgico, agradeceu ao Congresso, enalteceu o construtor e aclamou o arquiteto naval.

Durante uma das explosões de aplausos, Bell sussurrou a Marion:

— A única coisa que ele não elogiou foi o *Michigan.*

Marion sussurrou em resposta:

— Você devia ter ouvido o que ele disse em particular sobre o *Michigan.* Ele o comparou a uma baleia. E não pense que quis fazer um elogio.

— Ele já tinha dito que o navio não tem nem a metade do tamanho do Casco 44.

Curvando-se energicamente na direção de Dorothy, Falconer ofereceu um brinde em homenagem aos serviços prestados por Arthur Langner.

— O herói que construiu os canhões do *Michigan*. Os melhores 12-polegadas do mundo atual. E um prenúncio de proezas ainda melhores, que estão por vir. Todos os homens na ativa da Marinha sentirão falta dele.

Bell relanceou o olhar em direção à Dorothy. Seu rosto estava iluminado de alegria porque até mesmo um oficial independente, como Falconer, disse, para todos ouvirem, que seu pai fora um herói.

— Que Arthur Langner descanse em paz — concluiu o capitão Falconer —, sabendo que esta nação dorme em paz e em segurança graças aos seus possantes canhões.

O último detalhe comercial do encontro foi a oferta, do presidente da New York Ship, de um pingente de pedras preciosas para a esperta filha do secretário assistente da Marinha, que quebrara a garrafa de champanhe na proa do *Michigan* antes de o navio ter se distanciado. Ao se encaminhar para o palanque, o perspicaz industrial apertou calorosamente a mão de um elegante europeu envergando uma sobrecasaca, que lhe entregou o pingente. E, antes de colocá-lo ao redor do pescoço da jovem dama, ele aproveitou a ocasião para enaltecer o próspero setor joalheiro de Newark, a cidade irmã de Camden.

**

Prevendo a congestionada volta para Nova York, Bell subornou o detetive Barney George, de Camden, para que uma lancha da polícia levasse, a ele e a Marion, pelo rio até Filadélfia, onde um carro de polícia os levaria rapidamente até a estação de Broad Street. Eles embarcaram no expresso para Nova York e se acomodaram no vagão-restaurante com uma garrafa de champanhe, para comemorar o lançamento em segurança, a frustração do sabotador e a iminente captura de um espião japonês.

Bell sabia que estivera visível demais naquele dia para seguir Yamamoto de volta a Washington. Em vez disso, pôs o japonês sob vigilância cerrada dos melhores agentes disfarçados da Van Dorn à disposição no momento.

— O que achou de Falconer? — Bell indagou a Marion.

— Lowell é um homem fascinante — ela respondeu, acrescentando enigmaticamente: — Ele é arrebatado em relação ao que quer, ao que teme e ao que vê.

— Quanto mistério! O que acha que ele quer?

— *Dreadnoughts.*

— Obviamente. O que ele teme?

— O Japão.

— Nenhuma surpresa até aqui. O que ele vê?

— O futuro. Os torpedos e submarinos que deixarão esses couraçados todos obsoletos.

— Para um homem arrebatado, ele é muito seguro de si.

— Ele não é assim tão seguro. Ele falava até perder o fôlego sobre seus couraçados. Então, de repente, sua expressão mudou e ele disse: "Chegou um momento na era da cavalaria em que as armaduras tornaram-se tão grandes e pesadas que os cavaleiros precisavam ser içados ao cavalo com guindastes. Foi então que vieram as bestas, que atiravam setas capazes de perfurar as armaduras. Era possível ensinar um camponês ignorante a matar um cavaleiro sem mais nem menos. E *isso*", disse ele, batendo no meu joelho para dar ênfase, "pode corresponder, na nossa época, ao torpedo ou ao submarino".

— Acaso ele mencionou os aviões em testes de voo em Kitty Hawk?

— Ah, sim! Ele tem acompanhado isso de perto. A Marinha vê seu potencial para reconhecimento. Perguntei o que aconteceria se, em vez de um passageiro, o avião carregasse um torpedo. Lowell empalideceu.

— Não havia nada de pálido no discurso dele. Você reparou no sorriso daqueles senadores?

— Conheci sua senhorita Langner.

Bell dirigiu a ela um olhar subitamente intenso.

— O que achou dela?

— Ela armou a ogiva dela em direção a você.

— Aplaudo o bom gosto dela em relação aos homens. O que mais achou dela?

— Acho que é frágil por baixo de toda aquela beleza e precisa de socorro.

— Essa é a tarefa de Ted Whitmark. Se estiver à altura dela.

**

Dois vagões à frente, no mesmo expresso da Pennsylvania Railroad, o espião também se encaminhava a Nova York. O que alguns chamariam de vingança, ele considerava um contra-ataque necessário. Até aquele dia, a Agência de Detetives Van Dorn fora mais irritante do que uma ameaça. Até aquele dia, ele se contentara em acompanhar seus movimentos. Mas a derrota, naquele dia, de um plano bem conduzido para destruir o *Michigan* significava que era preciso tomar providências em relação a ela. Nada poderia ser capaz de desencaminhar seu ataque à Grande Frota Branca.

Quando o trem chegou a Jersey City, ele seguiu Bell e a noiva até o terminal de Exchange Place e observou-os enquanto se afastavam no Locomobile vermelho, que um funcionário de uma garagem deixara à espera, com o motor ligado. Ele voltou para dentro do terminal, encaminhou-se apressadamente para a estação de *ferryboats*, embarcou no *St. Louis* da Pennsylvania Railroad para atravessar o rio até Cortland Street, fez uma breve caminhada até Greenwich e embarcou no elevado da 9th Avenue. Desembarcou no Hell's Kitchen e foi até o bar do Comodoro Tommy, onde Tommy às vezes podia ser encontrado, quando não estava em seus extravagantes novos pontos de jogatina, na parte alta da cidade.

— Brian O'Shay! — o chefe da gangue o cumprimentou efusivamente. — Uísque com soda?

— Que informações conseguiu sobre os tiras da Van Dorn?

— Aquele miserável do Harry Warren e seus rapazes estão farejando por aqui como eu lhe disse que fariam.

— Está na hora de quebrar algumas cabeças.

— Espere um minuto. As coisas estão ótimas. Quem precisa de uma guerra contra os tiras da Van Dorn?

— Ótimas? — perguntou O'Shay sarcasticamente. — Ótimas como? Como esperar que as ferrovias ponham você para fora da 11th Avenue?

— Percebi que isso ia acontecer — retrucou Tommy, enganchando os polegares no colete e parecendo tão orgulhoso como um dono de loja. — É por isso que me acertei com o pessoal da Hip Sing.

Brian O'Shady reprimiu um sorriso. Quem Tommy Thompson pensava que lhe mandara o pessoal da Hip Sing?

— Não me lembro de a Hip Sing ser famosa por adorar detetives. Por quanto tempo seus chineses vão cuidar dos tiras da Van Dorn agindo como se fossem donos do seu território?

— Por que está dizendo isso, Brian?

— Estou lhe mandando um recado.

— Mande um telegrama — Tommy volveu. Deu uma risada. — Esta foi boa: "Mande um telegrama". Gostei!

O'Shay tirou a goiva de arrancar olhos do bolso do colete. A risada de Tommy morreu em sua boca.

— O propósito de um recado, Tommy, é fazer o outro homem pensar sobre o que você pode fazer a ele — O'Shay segurou a goiva contra a luz, observou o brilho nas bordas afiadas e encaixou-a sobre o polegar. Olhou para Tommy. O chefão da gangue desviou o olhar.

— Pensar no que você pode fazer faz com que ele imagine. A imaginação retarda seus movimentos. O poder da imaginação, Tommy, faz com que ele imagine e você vença.

— Tudo bem, tudo bem. Vamos estourar algumas cabeças, mas não pretendo matar nenhum detetive. Não quero uma guerra.

— Quem mais está por aí além dos garotos do Harry Warren?

— O pessoal da Hip Sing avistou um novo tira da Van Dorn zanzando por Chinatown.

— Novo? O que quer dizer com novo? Jovem?

— Não, não, esse não é nenhum garoto. Um sujeito durão, de fora.

— Novo em Nova York? Por que trariam alguém de fora para a cidade? Não faz sentido.

— Ele é colega daquele filho da puta do Bell.

— Como sabe disso?

— Um dos rapazes os viu trabalhando juntos no estaleiro da Marinha no Brooklyn. Ele não é de Nova York. Parece que Bell o trouxe como um agente especial.

— Ele é o cara. Tom, quero que ele seja observado bem de perto.

— Para quê?

— Quero mandar um recado para Bell. Dar a ele alguma coisa para pensar.

— Não quero nenhum dos meus Gophers matando um agente da Van Dorn — repetiu Tommy teimosamente.

— Você deixou Weeks tentar acabar com o Bell — observou O'Shay.

— O Homem de Gelo era diferente. Os tiras da Van Dorn acreditam que pode ter sido algo pessoal entre Weeks e Bell.

Brian "Olhos" O'Shay considerou Tommy Thompson com desprezo.

— Não se preocupe, vou deixar um bilhete no corpo dizendo: "Não culpe Tommy Thompson".

— Ora, sem essa, Brian!

— Estou pedindo para vigiar o sujeito.

Tommy Thompson tomou outro gole de seu copo. Olhou para a goiva no polegar de O'Shay e rapidamente desviou o olhar.

— Imagino — disse ele, de mau humor — que a minha opinião não conte a esse respeito.

— Vigie o sujeito. Mas não meta a mão nisso.

— Tudo bem. Se é isso que você quer, é o que vai ter. Vou usar os melhores caras disfarçados que conseguir. Garotos e tiras. Ninguém repara nos garotos e nos tiras. Eles estão sempre presentes, como barris de cerveja vazios na calçada.

— E diga a seus tiras e garotos para ficarem de olho no Bell também.

**

John Scully subiu pela rua Bowery e continuou pelas ruas estreitas e retorcidas de Chinatown. Observando curiosamente os compridos rabichos dos homens e admirando o emaranhado de escadas de incêndio nos prédios, os varais cheios de roupas e as placas dos restaurantes e casas de chá chinesas, ele seguia disfarçado de "sapo de fora" — um caipira de fora da cidade que perambulava pela cidade grande para se divertir. Vendo uma prostituta magrela que também vinha pela Bowery, aparentou interesse por ela, quando dois vadios de esquina exibiram uma faca grosseira e um cassetete, e exigiram seu dinheiro.

Scully revirou os bolsos. Um rolo de dinheiro caiu no chão. Eles o apanharam e correram, sem jamais imaginar como tiveram sorte de o detetive de olhos frios não se sentir suficientemente ameaçado a ponto de estragar o disfarce abrindo fogo com a Browning Vest Pocket guardada no coldre embaixo do braço.

A mulher, que vira o assalto, avisou:

— Não espere nada de mim com seus bolsos vazios.

Scully arrancou alguns pontos do forro do casaco e puxou de dentro um envelope. Inspecionando seu interior, ele disse:

— Olhe aqui. Sobrou o bastante para nos garantir uma noitada.

Ela se iluminou ao ver o dinheiro.

— O que acha de bebermos alguma coisa primeiro? — indagou Scully, mostrando uma gentileza a que ela não estava acostumada.

Depois de se acomodarem em um reservado nos fundos do Mike Callahan's, pouco depois da esquina com a Chatham Square, com uma rodada de uísque na mesa e outra a caminho, ele perguntou, como quem não quer nada:

— Me diga uma coisa, você acha que aqueles caras eram Gophers?

— *Go* o quê? Que diabos é isso de *go-fers*?

— Os homens que me roubaram. Gophers? Como gângsteres.

— *Go-fers?* Ah, *goofers*, patetas... — ela deu uma risada. — Mãe de Maria, de onde você saiu?

— Bem, eles eram?

— Pode ser que sim — disse ela. — Eles vieram de Hell's Kitchen e estão rondando por aqui faz alguns meses.

Scully ouvira rumores sobre isso, de outras pessoas.

— O que você quer dizer com "alguns meses"? Isso é raro?

— Em outros tempos, as gangues daqui teriam estourado a cabeça deles. Ou então eles seriam feitos em picadinho pela Hip Sing. Agora eles andam por aí como se fossem os reis do pedaço.

— O que é Hip Sing? — indagou Scully inocentemente.

26

— **Isaac — Joseph Van Dorn** protestou exasperadamente. — Você surpreendeu os japoneses e os alemães com a boca na botija, os franceses espionando a Grande Frota Branca e um russo praticamente morando no estúdio de Farley Kent. Por que não lança um ataque frontal contra o Império Britânico? De onde estou, eles parecem completamente inocentes nesta emaranhada teia de aranha.

— Aparentemente inocentes — retrucou Isaac Bell.

Com os agentes da Agência de Detetives Van Dorn de Washington, D. C., na sombra de Yamamoto Kenta para determinar a extensão da organização espiã dos japoneses e os rapazes de Harry Warren vasculhando todo o Hell's Kitchen para obter informações sobre as novas conexões do emergente Comodoro Tommy Thompson, Bell concluiu que era chegado o momento de enfrentar a Marinha Real.

— Os britânicos não desenvolveram a Marinha mais poderosa do mundo sem ficar de olho em seus rivais. Com base nos sucessos de Abbington--Westlake contra os franceses, sou capaz de apostar que eles são muito bons nisso.

— Mas você praticamente pegou os japoneses em flagrante! Já pensou em prender Yamamoto imediatamente?

— Antes que ele fuja ou provoque mais danos? É claro! Mas, então, como descobrimos quem mais está ligado a ele?

— Parceiros?

— Talvez parceiros. Talvez subalternos. Talvez um chefe — Bell abanou a cabeça. — É o que nós *não* sabemos que me preocupa. Suponha que Yamamoto seja o espião que pensamos que é. Como ele persuadiu aquele alemão a atacar o *Michigan*? Como conseguiu que ele ou algum outro alemão atacasse a usina de Bethlehem? Sabemos, de acordo com o Smithsonian, que ele estava em Washington no dia em que aquele pobre garoto caiu do penhasco. Quem Yamamoto conseguiu para empurrá-lo? Quem ele mandou a Newport que quase pegou Wheeler no seu chalé?

— Devo acreditar que Wheeler esteja dormindo em segurança nos alojamentos dos torpedos atualmente?

— Contra a vontade. E as namoradas dele estão indignadas. A lista continua, Joe. Temos de encontrar as ligações. Como Yamamoto se envolveu com um gângster como Weeks, no Hell's Kitchen?

— Tomou-o emprestado do Comodoro Tommy Thompson.

— Nesse caso, como o espião japonês se aliou ao chefão dos Gophers? Não sabemos.

— Aparentemente, você soube o bastante para causar um tiroteio no bar dele — observou Van Dorn.

— Fui provocado — replicou Bell, indiferente. — Mas você entende o que estou dizendo: sobre quem mais nada sabemos até o momento?

— Eu entendo e não gosto disso. Mas entendo — Van Dorn abanou a cabeça volumosa, coçou a costeleta vermelha e esfregou o nariz romano. Finalmente, o fundador da agência dirigiu um sorriso contido ao seu investigador chefe. — Quer dizer então que agora você quer enfrentar o Império Britânico?

— Não o império todo — Bell retribuiu com um sorriso irônico. — Vou começar pela Marinha Real.

— O que está procurando?

— Um apoio.

Sob as pálpebras caídas, os olhos de Joseph Van Dorn brilharam com um súbito interesse.

— Uma força influente?

— Yamamoto e seu bando podem se chamar de espiões, Joe, mas agem como criminosos. E nós sabemos como apanhar criminosos.

— Tudo bem. Vá em frente!

Isaac Bell rumou diretamente para a ponte do Brooklyn e encontrou-se com Scudder Smith na passagem de pedestres. A manhã estava ensolarada e luminosa. Smith escolhera como posto de observação a relativa semiobscuridade da sombra do píer de Manhattan sob a ponte. Smith era um dos melhores agentes disfarçados da Van Dorn em Nova York. Um ex-jornalista, demitido — dependendo de quem estivesse contando a história — por escrever a verdade, ou por deturpá-la, ou por estar embriagado antes do meio-dia. Ele conhecia profundamente todos os bairros da cidade. Passou a Bell seu binóculo.

— Eles ficam andando de um lado para outro da ponte, fingindo ser fanáticos por fotografias turísticas, mas, de alguma forma, suas câmeras Brownie estão sempre apontadas para o estaleiro lá embaixo. E não acho que aquelas sejam Brownies autênticas dentro de corpos de Brownies, mas alguma coisa com lentes especiais. O sujeito grandão e rechonchudo é Abbington-Westlake. Aquela mulher com aparência formidável é a esposa dele, Lady Fiona.

— Já tinha visto. Quem é o baixinho?

— Peter Sutherland, major reformado do Exército britânico. Dizem que ele deve viajar ao Canadá para dar uma olhada nos campos de petróleo.

A primavera estranhamente fria persistira até maio e o vento frio soprava inclemente sobre o East River. Os três observados usavam sobretudo. O da mulher tinha gola de zibelina combinando com o chapéu, que ela segurava com uma das mãos a cada rajada de vento.

— Dar uma olhada nos campos de petróleo para quê?

— Ontem à noite, durante o jantar, Sutherland disse: "O petróleo é o combustível do futuro para o transporte aquático". Considerando que o Abbington-Westlake é um adido naval, você pode apostar que o transporte aquático significa couraçados.

— Como é que você conseguiu ouvir a conversa?

— Eles achavam que eu fosse o garçom.

— Vou tomar providências antes que peçam mais faisão?

— Quer o binóculo?

— Não, vou entrar em ação…

Scudder Smith misturou-se aos pedestres que atravessavam em direção a Manhattan.

Bell encaminhou-se para os pretensos turistas.

Antes de chegar ao meio da ponte, ele tinha uma visão clara do estaleiro da Marinha no Brooklyn, imediatamente ao Norte da ponte. Dava para ver as carreiras de construção. Dava para ver todos os navios, mesmo os da área mais ao Norte, que abrigava o início da construção do Casco 44. Todas as áreas eram ao ar livre, completamente diferente dos barracões fechados do estaleiro da New York Ship, em Camden. As vigas projetadas como guindastes da ponte acompanhavam os trilhos elevados, permitindo-lhe posicionar-se diretamente acima dos navios em construção. As locomotivas de manobra impulsionavam os vagões de carga, carregados com chapas de aço, por todo o estaleiro.

Afastados da área de construção, carroções puxados por cavalos e caminhões motorizados entregavam as provisões diárias para os navios de guerra, fundeados nos atracadouros que avançavam pela margem do rio. Compridas fileiras de marinheiros vestidos de branco carregavam os sacos pelas pontes de embarque e desembarque. Bell avistou uma doca seca de uns 250 metros de comprimento por uns 30 de largura. No meio da baía, havia uma ilha artificial contendo docas, carreiras e atracadouros. Um *ferryboat* fazia o transporte entre ela e a terra firme, e barcos de pesca e navios de passageiros avançavam lentamente de um lado para outro por um canal movimentado que corria entre a ilha artificial e um mercado na margem.

O trio continuava tirando fotografias quando Bell, rapidamente, aproximou-se dele. Surgindo de repente de uma torrente de pedestres que se encaminhava para o Brooklyn, ele exibiu sua Kodak 3A portátil, de bolso, e gritou em tom amistoso:

— Ei, vocês aí, gostariam que tirasse uma foto dos três juntos?

— Não é preciso, meu velho — replicou Abbington-Westlake em um tom aristocrático afetado. — Além do mais, como teríamos acesso ao filme?

Bell bateu a fotografia assim mesmo.

— Quer que eu use uma de suas câmeras? Vocês têm muitas — disse Bell, cordialmente.

A desconfiança endureceu os traços atraentes de Fiona Abbington-Westlake.

— Espere aí! — exclamou ela, com um sotaque que conseguiu parecer contido e carregado ao mesmo tempo. — Acho que já o vi em algum lugar antes. Bem recentemente, para falar a verdade. Nunca me esqueço de um rosto.

— E num ambiente parecido — respondeu Isaac Bell. — Na semana passada, no estaleiro da New York Ship, em Camden, New Jersey.

Lady Fiona e o marido se entreolharam. O major observava atentamente. Bell disse:

— E hoje estamos "observando" o estaleiro naval da Marinha em Nova York, no Brooklyn. Esses nomes invertidos devem causar confusão entre os turistas — ele ergueu a câmera de novo. — Vejamos se eu consigo reunir os três na foto com o estaleiro naval bem atrás de vocês, da maneira como estavam fotografando.

Foi Abbington-Westlake quem respondeu bruscamente:

— Espere aí! — e acrescentou com arrogância: — Quem diabos você pensa que é? Vá andando, meu senhor. Vá andando!

Bell lançou um olhar duro para o "major reformado" Sutherland.

— Está pesquisando petróleo no Brooklyn?

Sutherland permitiu-se esboçar um sorriso amarelo, de quem foi pego de surpresa, mas não Abbington-Westlake. O adido naval passou entre os companheiros e avançou com uma atitude intimidadora sobre Isaac Bell.

— Se sabe o que é melhor para você, é bom ir andando daqui agora mesmo. Ou vou chamar um policial.

Bell respondeu em voz baixa.

— Um policial é a última pessoa que o senhor gostaria de ver nesse momento, comandante. Encontre-me no bar do porão do Knickerbocker, às 18 horas em ponto. Tome o bilhete do metrô.

Desconcertado por Bell usar seu posto hierárquico, Abbington-Westlake transformou-se de um oficial naval aristocrático e arrogante em um tipo que Bell conhecera na faculdade — o rapaz ansioso para parecer mais velho e empertigado antes da hora.

— Receio que eu não use o metrô, meu chapa. É um meio de transporte plebeu demais, não acha?

— A entrada do metrô permitirá que me encontre para um coquetel sem que a elite lá em cima perceba, "meu chapa". Às 18 horas em ponto. Deixe a esposa e Sutherland. Vá sozinho.

— E se eu não aparecer? — bufou Abbington-Westlake.

— Vou procurá-lo na Embaixada britânica.

O adido naval empalideceu. Nenhuma surpresa, considerando o que lhe assegurara o pessoal da Pesquisa. Os representantes do Ministério das Relações Exteriores da Grã-Bretanha, da Inteligência militar e da Inteligência naval não desconfiavam totalmente uns dos outros.

— Espere um momento, senhor! — ele sussurrou. — Não é assim que se joga esse jogo. Não se invade a embaixada de um adversário gritando segredos.

— Não sabia que existiam regras...

— Regras cavalheirescas — replicou Abbington-Westlake, com uma piscadela amigável estudada. — Você conhece a disciplina. Faz o que é conveniente, mas dá um bom exemplo para os criados e não assusta os cavalos.

Isaac Bell estendeu-lhe seu cartão.

— Não sigo as regras dos espiões. Sou um detetive particular.

— Um *detetive*? — Abbington-Westlake repetiu desdenhosamente.

— Temos nossas próprias regras. Laçamos criminosos e os entregamos à polícia.

— Mas que diabos vo...

— Em raras ocasiões, concedemos uma trégua aos criminosos; porém, só quando eles nos ajudam a laçar criminosos muito, mas muito, piores do que eles. Às 18 em ponto. E não se esqueça de me trazer um presentinho.

— O quê?

— Um espião pior do que o senhor — Isaac Bell dirigiu-lhe um sorriso gelado. — Muito pior.

Girando nos calcanhares, ele caminhou de volta a Manhattan, certo de que Abbington-Westlake apareceria às 18 horas como mandara. Descendo as escadas da passarela da ponte do Brooklyn, não notou um pivete caolho molambento, disfarçado de vendedor de jornais, oferecendo a edição vespertina do *Herald*.

**

Bell chegara até a escadaria do metrô quando um sexto sentido lhe disse que estava sendo observado.

Passou pela entrada do metrô, cruzou a Broadway e desceu pela via pública, congestionada por caminhões de entrega e carroças, ônibus e bondes. Parou diversas vezes, observou os reflexos nas vitrines, desviou dos veículos em movimento e entrou e saiu de algumas lojas. Será que Abbington-Westlake tinha homens que, lhe dando cobertura, tinham seguido seu rastro? Ou seria o suposto major? Não podia menosprezar o major. Sutherland parecia competente, como um homem que estivera nas guerras. E seria sensato lembrar que o comportamento vagamente tolo e empolado de Abbington-Westlake não obscurecia seus sucessos na espionagem.

Bell saltou para dentro de um trólebus na movimentada Fulton Street e olhou para trás. Ninguém. Seguiu no trólebus até o rio, saltou como se estive seguindo para o *ferryboat*, mas subitamente inverteu o curso e embarcou em um trólebus que seguia para Oeste. Não avistou ninguém. Porém, ainda tinha uma intensa sensação de estar sendo seguido.

Entrou em uma casa lotada especializada em ostras e escorregou um dólar a um garçom, para que lhe permitisse usar a porta da cozinha a fim de sair em um beco que o levaria à Platt Street. Ainda sem avistar alguém, mas sentindo sua presença, mergulhou nas ruelas antigas da baixa Manhattan — Pearl, Fletcher, Pine e Nassau.

Por mais que tentasse, Bell não via quem o seguia.

Estudava os reflexos nos vidros dos expositores de uma fábrica de balanças e instrumentos de avaliação de diamantes, tendo acabado de entrar e sair pelos fundos do Nassau Café, quando se encontrou na Maiden Lane — o bairro dos joalheiros de Nova York. Os andares superiores dos edifícios de quatro e cinco andares, com janelas de ferro fundido que escureciam o céu, eram uma colmeia de lapidadores, importadores, joalheiros, ourives e relojoeiros. Embaixo das fábricas e oficinas, joalherias de vendas a varejo alinhavam-se em toda a extensão das calçadas, dos dois lados da rua, e as vitrines cintilavam como baús de piratas.

Enquanto Bell mantinha o olhar atento em todas as direções ao longo da rua estreita, sua expressão carrancuda amenizou-se e um sorriso enigmático despontou e foi se abrindo nos cantos da boca. A maioria dos homens, que lotavam as calçadas, era mais ou menos de sua idade, estavam vestidos elegantemente com sobretudos e chapéus-cocos, mas curvavam-se sobre os expositores com expressão desorientada, enquanto perambulavam de uma joalheria para outra. Solteiros prestes a propor casamento, conjecturou Bell, tentando selar uma decisão momentânea com a compra de uma joia valiosa da qual temem não entender nada.

O sorriso de Bell alargou-se. Esta era uma perfeita causalidade feliz. Talvez ninguém o estivesse seguindo, afinal. Talvez um "Ser Superior" com senso de humor tivesse ludibriado seu sexto sentido normalmente confiável para levá-lo a vaguear sem destino pela baixa Manhattan, com o propósito expresso de comprar, para sua linda noiva, um anel de noivado.

O sorriso tornou-se menos seguro quando ingressou na passeata de homens caminhando pela calçada e refletiu sobre as dezenas de expositores nas vitrines que reluziam com infinitas possibilidades e uma infinidade de opções. Finalmente, o detetive alto resolveu pegar o touro à unha. Endireitando os ombros, entrou na loja que lhe pareceu a mais careira.

* *

O menino que observava Isaac Bell entrar na joalheria — um garoto arrumadinho o bastante para não ser posto para fora do bairro dos joalheiros, com uma caixa de engraxate a tiracolo como disfarce — esperou até ter certeza de que o tira da Van Dorna não entrara ali só para fugir de novo. Ele era o quarto a seguir seus passos naquela perambulação. Observando as silhuetas indistintas de Bell e do joalheiro através da vitrine, ele fez sinal para outro garoto e passou-lhe a caixa.

— Assuma. Vou fazer o relatório.

O menino correu ao longo dos poucos quarteirões, no sentido Oeste, até o distrito de apartamentos e armazéns limítrofe ao North River, disparou para dentro do Hudson Saloon ao lado do píer e pediu uma refeição de graça.

— Saia já daqui! — reclamou o balconista.

— Comodoro! — o pequeno engraxate respondeu apressado, recheando duas fatias de pão com carne assada. — Depressa!

— Desculpe, garoto! Não o reconheci. Por aqui — o balconista o guiou pelo salão até um escritório particular, que tinha o único telefone da vizinhança. O proprietário observou-o cautelosamente.

— Saia — disse o garoto. — Isto não é da sua conta.

O proprietário trancou a escrivaninha e saiu, abanando a cabeça. Houve uma época em que um Gopher do Hell's Kitchen que se aventurasse por essas imediações até o centro da cidade acabaria pendurado em um poste de iluminação. Aqueles tempos haviam terminado depressa.

O garoto telefonou para o bar do Comodoro Tommy. Disseram que Tommy não estava lá, mas que lhe telefonaria de volta. Isso era estranho. O chefe estava sempre no bar. As pessoas diziam que há anos Tommy não saía durante o dia. O garoto saiu para comer outro sanduíche grátis, e, quando voltou, o telefone estava tocando. O Comodoro Tommy parecia enfurecido por ser deixado esperando. Quando parou de gritar, o garoto lhe contou sobre a caminhada de Isaac Bell pela cidade, partindo do meio da ponte do Brooklyn.

— Onde ele está agora?

— Na Maiden Lane.

27

Isaac Bell saiu totalmente confuso da quarta joalheria em que entrava em uma hora. Tinha tempo para mais uma ou duas antes de seguir para a cidade alta e dar um aperto em Abbington-Westlake, no Knickerbocker.

— Quer engraxar os sapatos, senhor?

— Até que não é má ideia.

Ele se recostou contra a parede e submeteu a botina esquerda aos dedos manchados de graxa do garoto mirrado com a caixa de madeira. Seus pensamentos corriam soltos. Fora, ao mesmo tempo, informado de que um diamante lapidado, engastado em um anel de platina, era a "única pedra adequada para fazer uma garota se sentir convenientemente comprometida" e que uma pedra semipreciosa grande, incrustada em um anel de ouro, era "considerada mais de acordo com a moda atual", especialmente se comparada a um diamante pequeno. Embora até mesmo um diamante pequeno fosse "uma prova admissível do compromisso de noivado".

— O outro pé, senhor.

Bell tirou a faca de lançamento, segurando-a na palma da mão, e deixou que o garoto engraxasse a botina direita.

— É sempre movimentado assim por aqui?

— Maio e junho são os meses com mais casamentos — respondeu o garoto, sem afastar os olhos da tira de tecido que manobrava com tamanha velocidade que não era vista com clareza.

— Quanto é? — indagou Bell quando o garoto terminou e suas botinas brilhavam como espelhos.

— Um níquel.

— Tome um dólar.

— Não tenho troco para tanto, senhor.

— Fique com ele. Fez um bom trabalho.

O garoto o encarou. Pareceu prestes a falar alguma coisa.

— O que foi? — indagou Bell. — Está tudo bem, garoto?

O garoto abriu a boca. Olhou ao redor e, de repente, agarrou a caixa, saiu correndo, desviando dos camelôs, e desapareceu na curva da esquina. Bell deu de ombros e entrou em outra joalheria, Solomon Barlowe, um estabelecimento pequeno no térreo de um prédio de cinco andares, um edifício em estilo italiano com grades de ferro trabalhado. Barlowe avaliou-o com os penetrantes olhos castanhos, de um modo tão astuto quanto um delegado de polícia.

— Quero comprar um anel de noivado. Acho que deve ser de diamante.

— Está pensando em um solitário ou numa incrustação de várias peças?

— O que recomendaria?

— Se não importar o preço, é claro…

— Suponha que não — Bell resmungou.

— Ah! Bem, nesse caso, vejo que é um homem de bom gosto, senhor. Vamos dar uma olhada em algumas pedras, para sua avaliação — o joalheiro abriu uma caixa e estendeu uma bandeja de veludo negro sobre o balcão entre eles.

Bell assobiou, assombrado.

— Já vi garotos atirando pedras menores do que estas.

— Temos a sorte de contar com um bom fornecedor, senhor. Somos os próprios importadores. Normalmente, teria mais em estoque para lhe mostrar, mas os meses casamenteiros estão aí e as joias têm tido muita procura.

— Em outras palavras, compre agora antes que seja tarde?

— Só se precisar de alguma imediatamente. Seu casamento está próximo?

— Acho que não — disse Bell. — Já não somos crianças e temos muito o que fazer. Por outro lado, gostaria de firmar um compromisso.

— Um diamante solitário grande, de um matiz incomum, é um bom caminho para isso, senhor. Este aqui, por exemplo…

A porta se abriu e um cavalheiro bem vestido, com mais ou menos a idade de Bell, entrou na loja de Barlowe exibindo uma bengala com castão dourado, adornada com pedras preciosas incrustadas. Ele era vagamente familiar, mas o detetive não conseguia situá-lo exatamente. Era raro deixar escapar rostos da memória e ele desconfiou de que seria o caso de estar vendo alguém completamente fora do contexto, como se tivessem se cruzado em um bar no Wyoming ou sentado lado a lado na plateia de alguma luta em Chicago. Era evidente que não se tratava de um solteiro ansioso. Nada em seu comportamento indicava um comprador compulsivo, o que era reforçado pelo sorriso confiante.

— Senhor Riker! — exclamou Barlowe. — Que surpresa maravilhosa! — para Bell, ele disse: — Com licença, senhor. Só vai demorar um minuto.

— Não, não — disse Riker. — Não me faça interromper uma venda.

Barlowe disse:

— Mas eu estava só conversando com o meu cliente, que está procurando alguma coisa especial e não está com muita pressa para encontrar — ele se voltou para Bell. — Este é o próprio cavalheiro que mencionei ao senhor, nosso fornecedor de pedras preciosas. O senhor Erhard Riker, da Riker & Riker. Estamos com sorte, senhor. Se o senhor Riker não conseguir encontrar uma pedra para o senhor, ela não existe. Ele é o maior fornecedor das melhores pedras preciosas do mundo.

— Minha nossa, Barlowe — Riker sorriu. — Sua generosidade pode levar seu cliente a acreditar que sou um fazedor de milagres e não um simples mercador.

Riker falava num inglês com um sotaque semelhante ao tom aristocrático de Abbington-Westlake, mas a cor de seu casaco sugeria a Bell que talvez fosse alemão. O casaco era um Chesterfield, com a tradicional gola de veludo negro. Os Chesterfields ingleses ou americanos eram confeccionados com um tecido azul-marinho ou cinza-escuro. O de Riker era feito de um tecido verde-escuro.

Riker descalçou as luvas, passou a bengala para a mão esquerda e estendeu a direita.

— Bom dia, senhor! Como acabou de escutar, sou Erhard Riker.

— Isaac Bell.

Eles apertaram as mãos. Riker tinha um aperto forte e firme.

— Se me der a honra, poderei procurar a pedra perfeita para sua noiva. Qual é a cor dos olhos dessa dama?

— Verde-esmeralda.

— E o cabelo?

— Seu cabelo é louro. Claro como a palha de milho.

— Pelo sorriso em seu rosto, faço uma ideia da beleza dela.

— Multiplique por dez.

Riker curvou-se ao estilo europeu.

— Nesse caso, encontrarei para o senhor uma pedra que seja *quase* igual a ela.

— Muito obrigado — disse Bell. — É muita bondade sua. Não nos encontramos antes? Seu rosto me parece familiar.

— Não fomos *apresentados* antes — respondeu Riker. — Mas eu também o reconheço. Acredito que de Camden, New Jersey, no início da semana.

— No lançamento do *Michigan*! É claro. Agora me lembro. O senhor entregou ao proprietário do estaleiro o brinde com que ele presenteou a jovem dama que batizou o navio.

— Estava representando um dos meus clientes de Newark, que decorou o pingente com minhas pedras preciosas.

— Bem, não é uma coincidência maravilhosa? — exclamou Solomon Barlowe.

— Duas coincidências — corrigiu-o Isaac Bell. — Primeira, o senhor Riker aparece por acaso enquanto estou procurando um diamante especial. Segunda, revelou-se que comparecemos ao mesmo lançamento de navio em Camden, na segunda-feira passada.

— Como se estivesse escrito nas estrelas! — Riker deu uma risada. — Ou deveria dizer nos “diamantes”? Pois o que são os diamantes, se não estrelas do tamanho do homem? Minha caçada começa neste instante! Não hesite em se manter em contato, senhor Bell. Em Nova York, eu me hospedo no Waldorf-Astoria. O hotel encaminha minha correspondência quando preciso viajar.

— Pode me encontrar no Yale Club — disse Bell, e eles trocaram os cartões de visita.

**

Todo funcionário da Van dorn, do aprendiz ao investigador chefe, aprendia, desde o primeiro dia de trabalho, que as coincidências eram consideradas culpadas enquanto não fossem declaradas inocentes. Bell pediu ao pessoal da Pesquisa para investigar a importadora de pedras preciosas Riker & Riker. Depois, abriu sua câmera fotográfica, pediu para que o filme fosse revelado e trazido a ele imediatamente, e, em seguida, desceu ao saguão no subsolo do hotel, ao lado do qual ficava um confortável e sossegado bar à meia-luz.

Abbington-Westlake chegara antes dele, um bom sinal de que conseguira tirar o sossego do adido naval com a ameaça de procurar a embaixada britânica.

Bell concluiu que, no momento, seria mais bem-sucedido com ele se usasse um tratamento mais brando. Ele disse:

— Obrigado por ter comparecido!

Imediatamente percebeu que estava enganado. Abbington-Westlake empertigou-se numa postura imperiosa e despachou:

— Não me recordo de ter tido alguma opção a esse respeito.

— O conteúdo de suas fotografias — retrucou Bell — seria motivo suficiente para sua prisão, se eu fosse um agente do governo.

— Ninguém pode me prender. Tenho imunidade diplomática.

— Sua imunidade diplomática pode livrá-lo de problemas com seus superiores em Londres?

Abbington-Westlake comprimiu os lábios com força.

— É claro que não — disse Bell. — Não sou agente do governo, mas certamente sei onde encontrar um. E a última coisa que o senhor quer é que seus rivais do Ministério das Relações Exteriores saibam que foi surpreendido com a mão na massa.

— Veja bem, meu velho, não vamos nos precipitar e meter os pés pelas mãos.

— O que foi que me trouxe?

— O que... Como assim? — Abbington-Westlake empacou.

— *Quem* foi que trouxe para mim? Dê-me um nome. Um espião estrangeiro que possa ser preso em seu lugar.

— Meu velho, parece que faz uma ideia muito exagerada de meus poderes. Não *conheço* ninguém que possa lhe entregar.

— E o senhor parece que faz uma ideia muito exagerada da minha paciência — Bell olhou ao redor inquisitivamente. Casais bebiam nas mesas vizinhas. Vários homens estavam sentados sozinhos no bar. Bell perguntou: — Está vendo aquele cavalheiro à direita? O que está usando um chapéu-coco?

— O que tem ele?

— Serviço Secreto. Devo convidá-lo para se juntar a nós?

O inglês umedeceu os lábios.

— Tudo bem, Bell. Deixe-me contar-lhe o que posso. Mas devo advertir que é muito pouco.

— Comece por baixo — disse Bell friamente. — Vamos começar por aí.

— Tudo bem. Tudo bem — ele umedeceu os lábios de novo e relanceou o olhar ao redor. Bell desconfiou que estivesse preparando uma mentira. Deixou o inglês falar sem interrupção. Depois de se enredar com aquilo, ficaria mais vulnerável à pressão.

— Existe um francês chamado Colbert — começou Abbington-Westlake. — Ele trafica armas.

— Colbert, foi o que disse? — "Deus abençoe os rapazes da Pesquisa", pensou Bell.

— Raymond Colbert. E embora o tráfico de armas dificilmente seja um negócio que cheire bem, na verdade não passa de um disfarce para as ações sinistras de Colbert… Está a par do submarino holandês?

Bell inclinou a cabeça, concordando. Falconer o inteirara do assunto e lhe emprestara um livro a respeito.

Enquanto o adido naval desfiava sua história, Isaac Bell sentiu-se tomado de admiração — que não se permitiu revelar — pela coragem e frieza de Abbington-Westlake. Diante da ameaça de ser desmascarado, ele transformava a desventura em uma oportunidade de destruir o homem que vinha chantageando sua esposa. Ele prosseguiu, tagarelando sobre o furto de projetos de um arquiteto em torno de um giroscópio especial para manter o barco no rumo quando submerso. Bell deixou-o falar à vontade, até que a porta se abriu e entrou um aprendiz da Van Dorn, com um grande envelope de papel pardo. Bell observou com aprovação que o garoto só se aproximou depois que ele lhe fez um sinal com a cabeça e retirou-se silenciosamente depois de lhe entregar o envelope.

— Enquanto conversamos, meu velho, Colbert está a caminho de Nova York em um vapor correio da Compagnie Générale Transatlantique. Você poderá capturá-lo no instante em que atracar no Píer 42. Está vendo só?

Bell abriu o envelope e folheou as fotografias dentro dele.

Abbington-Westlake indagou acidamente.

— Estou o aborrecendo, senhor Bell?

— De maneira nenhuma, comandante. Não conseguiria me recordar de uma obra de ficção mais interessante.

— Ficção? Veja aqui...

Bell passou uma fotografia sobre a mesa.

— Eis aqui uma foto sua e de Lady Fiona com o estaleiro da Marinha no Brooklyn aos fundos... Cuidado, o papel ainda está meio úmido.

O inglês suspirou profundamente.

— O senhor já deixou perfeitamente claro que estou à sua mercê.

— Quem é Yamamoto Kenta?

Bell jogava com o fato de que, não muito diferente dos ladrões de banco e homens de confiança, os espiões da corrida naval internacional estavam cientes dos seus rivais e colegas de competição. Viu que era verdade. Mesmo à luz fraca, os olhos de Abbington-Westlake brilharam como se visse subitamente um modo de escapar daquela enrascada em que se metera.

— Cuidado! — advertiu Bell. — No instante em que eu ouvir uma ponta de ficção, esta fotografia irá para aquele cavalheiro do Serviço Secreto, junto a cópias para a embaixada britânica e a Inteligência Naval americana. Estamos nos entendendo?

— Sim.

— O que sabe sobre ele?

— Yamamoto Kenta é um espião japonês altamente condecorado. Ele está nisso há muitos anos. E é o número um da Sociedade do Mar Negro, que age em defesa dos interesses japoneses no exterior. Ele foi um dos mais importantes instigadores da infiltração japonesa da frota asiática russa e uma das principais razões de os japoneses ocuparem atualmente Port Arthur. Desde a guerra, ele vem atuando na Europa e zombando de todas as tentativas dos britânicos e alemães de manter algum segredo em torno da sua construção naval. Ele sabe mais sobre a Krupp do que o Kaiser e mais sobre o HMS *Dreadnought* do que seu próprio comandante.

— O que ele está fazendo aqui?

— Eu não sei.

— Comandante — disse Bell num tom de advertência.

— Eu não sei. Juro que não sei. Mas vou lhe dizer uma coisa.

— É melhor que seja interessante.

— É interessante — retrucou Abbington-Westlake confiante. — É muito interessante porque não faz absolutamente nenhum sentido que um espião japonês do calibre de Yamamoto esteja atuando aqui nos Estados Unidos.

— Por quê?

— Os japoneses não querem lutar contra vocês. Não agora. Eles não estão preparados. Muito embora saibam que vocês, americanos, também não estão. Não é preciso ser um gênio naval para classificar a Grande Frota Branca como uma piada, mas eles sabem muito bem que a frota deles também não está pronta e não estará por muitos e muitos anos.

— Então por que Yamamoto veio para cá?

— Desconfio que Yamamoto esteja participando de algum tipo de jogo duplo.

Bell encarou o inglês. Havia certo embaraço na sua expressão que parecia absolutamente genuíno.

— O que quer dizer com isso?

— Yamamoto está trabalhando para outra pessoa.

— Alguém de fora da Sociedade do Mar Negro?

— Exatamente.

— Quem?

— Não faço a mínima ideia. Não é para o Japão.

— Se não sabe para quem ele está trabalhando, o que o faz pensar que não seja para os japoneses?

— Porque Yamamoto me procurou oferecendo-se para comprar informações.

— Que informações?

— Ele suspeitou que eu tivesse informações relativas ao novo couraçado *dreadnought* francês. Ofereceu uma bela quantia por elas. O custo obviamente não era o caso.

— E o senhor tinha as informações?

— Não se trata de ter ou não ter — Abbington-Westlake respondeu sem expressão. — A questão é: os japoneses não dão a mínima para os franceses, meu velho. A Marinha francesa não pode lutar no Pacífico. Ela mal consegue defender a baía de Biscaia.

— Então o que ele estava procurando?

— Essa é a questão. É isso que estou lhe dizendo. Yamamoto pretendia vender as informações a alguém que *de fato* se preocupa com os franceses.

— Quem?

— Quem mais a não ser os alemães?

Bell estudou o semblante do inglês por um minuto inteiro. Depois, se inclinou para bem perto dele e disse:

— Comandante, agora está bem claro para mim que, por trás da fachada de um desastrado amigável, o senhor é extremamente bem informado sobre seus colegas espiões. Na verdade, desconfio que saiba mais sobre eles do que sobre os navios que deveria estar espionando.

— Bem-vindo ao mundo da espionagem, senhor Bell! — replicou o inglês cinicamente. — Que eu seja o primeiro a cumprimentá-lo em sua tão recente entrada!

— Que alemães? — cobrou Bell asperamente.

— Bem, não posso lhe dizer com exatidão, mas...

— Não deve acreditar nem por um segundo que os alemães estejam pagando Yamamoto Kenta para espioná-los — cortou Bell. — De quem o senhor suspeita?

Abbington-Westlake abanou a cabeça, visivelmente consternado.

— Ninguém de que eu tenha ouvido falar... Nenhum dos atuais agentes habituais deu de cara com ele... É como se o Cavaleiro Negro viesse galopando do Além e atirasse sua luva sobre a Távola Redonda do rei Artur.

— Um franco-atirador — refletiu Bell.

28

— **Um franco-atirador de fato,** senhor Bell. Matou a charada. Mas a possibilidade de um franco-atirador que age de maneira independente meramente levanta uma questão mais ampla — a face redonda de Abbington-Westlake iluminou-se com o alívio de ter conseguido intrigar Bell a ponto de o deixar em paz. — A quem pode servir um sujeito desses?

— É comum usarem agentes autônomos no jogo da espionagem? — indagou Bell.

— Usam-se todos os recursos disponíveis.

— Alguma vez o senhor agiu como autônomo?

Abbington-Westlake sorriu desdenhosamente.

— A Marinha Real *contrata* colaboradores autônomos. Não trabalhamos para ele.

— Estou me referindo ao senhor pessoalmente... Se precisasse de dinheiro.

— Eu trabalho para a Marinha de sua majestade. Não sou um mercenário — ele se levantou. — E agora, senhor Bell, se me der licença, acredito que paguei por sua fotografia em moeda equivalente. De acordo?

— De acordo — disse Bell.

— Tenha um bom-dia, senhor!

— Antes que se vá, comandante...

— O que é?

— Tenho tratado com o senhor na minha condição de investigador particular. Como *americano*, porém, deixe-me adverti-lo de que, se alguma outra vez souber que está tirando fotografias do estaleiro da Marinha no Brooklyn, ou de qualquer outro navio em meu país, vou atirar sua câmera da ponte e o senhor depois dela.

**

Isaac Bell subiu correndo as escadas até o escritório da Van Dorn. Aquele era um caso grande que continuava a crescer e se ampliar. Se Abbington--Westlake estivesse falando a verdade — e Bell apostava que sim —, então Yamamoto Kenta não era o chefe do círculo de espiões que estavam atacando o Casco 44, mas apenas outro dos seus inúmeros agentes, como o alemão Weeks, o assassino de aluguel, e quem quer tivesse atirado o jovem especialista em controle de tiro do penhasco. Quem seria o espião independente? E a quem ele serviria?

Bell sabia que estava em uma encruzilhada. Precisava decidir se prendia Yamamoto e arrancava o máximo de informações possíveis dele ou se continuava o seguindo, na esperança de que o espião japonês o levasse a um ponto mais alto da cadeia de engodos. Era arriscado esperar. Quanto tempo levaria para um profissional experiente como Yamamoto sentir a proximidade dos seus perseguidores e se esconder?

Enquanto Bell se encaminhava a passos rápidos para a sala dos fundos, o homem encarregado dos telefones disse:

— Ele acabou de chegar, senhor, está entrando — e estendeu-lhe o do meio. — O chefe.

— De onde?

— Washington.

— Yamamoto acabou de tomar o trem para Nova York — disse Van Dorn, sem preâmbulos. — Está indo em sua direção.

— Sozinho?

— Sem contar três dos nossos homens no mesmo vagão e outros vigiando em cada estação de parada do Congressional Limited.

— Vou vigiar o *ferryboat* da ferrovia. Quero saber com quem ele veio se encontrar.

**

Yamamoto Kenta tinha uma entre três escolhas de transportes fornecidos pela Pennsylvania Railroad para atravessar o rio: a do Exchange Place Terminal de Jersey City para a ilha de Manhattan. Depois de desembarcar do Congressional Limited na enorme estação de teto de vidro, poderia tomar um barco para a 23rd Street, outro para a Desbrosses Street próximo a Greenwich Village, ou um que o levasse até o centro da cidade em Cortland Street. Havia ainda um barco para o Brooklyn e outro que subia o East River até o Bronx. Sua escolha dependeria das ações dos tiras da Van Dorn que o seguiam.

Reconhecera dois detetives no vagão em que viajava. E suspeitava que um homem mais velho, vestido como um pastor anglicano, o seguira durante vários dias, disfarçado de condutor de bonde de Washington, D. C. Chegara a pensar em saltar do trem, próximo a Filadélfia, e despistar o pessoal da Van Dorn que vigiava a plataforma. Mas, com tantas alternativas o esperando em Nova York, não viu necessidade de se incomodar em interromper a viagem mais cedo.

Passava da meia-noite e o número de passageiros que saíam apressados do trem era escasso, oferecendo menos cobertura do que desejava. Ainda assim, a vantagem estava do seu lado. Os detetives não faziam ideia de que ele sabia que o seguiam há uma semana. Um sorriso discreto curvou ligeiramente seus lábios. Seria uma aptidão natural para a espionagem? Ou simplesmente experiência? Fazia parte daquele jogo antes que muitos daqueles perseguidores disfarçados tivessem nascido.

Como sempre, ele viajava desimpedido, carregando apenas uma maleta. A Sociedade do Mar Negro tinha reservas ilimitadas de dinheiro; ele poderia comprar roupas sempre que precisasse, em vez de carregá-las quando uma situação semelhante a essa exigisse um rápido deslocamento. Sua capa de chuva de gabardine era de um tom bege, tão clara que era quase branca. Seu chapéu era de uma cor distinta semelhante, um panamá meticulosamente tecido com uma faixa escura.

No encontro da plataforma de desembarque e do salão de passageiros, ele viu o pastor avançar devagar à frente e fazer um sinal a um homem alto, que Yamamoto vira pela última vez em Camden, New Jersey. Suas frenéticas pesquisas em Washington — estimuladas pela descoberta de que estava sendo seguido — levavam-no a acreditar que o homem da Van Dorn era o famoso Isaac Bell. Bell usava um terno branco e um chapéu de aba larga, de cor igual ao que usava no lançamento do *Michigan.* Nessa noite, estava vestido como um marinheiro de convés, com blusão de gola alta e um gorro de tricô cobrindo o atraente cabelo dourado. Yamamoto sorriu consigo mesmo. O jogo poderia ser travado entre os dois.

Empurrado pela torrente de passageiros e de carregadores que levavam carrinhos com baús, Yamamoto seguiu as placas indicativas do salão de passageiros à estação dos *ferryboats*. Uma fileira de embarcações esperava nos atracadouros — magníficos monstros vermelhos de dois andares e duas frentes, soltando fumaça pelas chaminés, grandes como couraçados e batizados com os nomes de cidades americanas: *Cincinnati*, *St. Louis*, *Pittsburgh*, *Chicago*. Motores engatados, propulsores empurrando-os contra os atracadouros, eles ofereciam ao espião japonês escolhas adicionais sobre em qual deles viajar.

Parelhas de cavalos de tiro, socando as ferraduras no chão, puxavam carroças de carga para embarcar nos conveses de veículos, espaços abertos imensos que dividiam com automóveis e caminhões. Os passageiros a pé podiam viajar ao lado deles, separados por anteparas de cabinas de passageiros que ocupavam todo o comprimento da embarcação. As cabines principais ficavam acima. Como passageiro da primeira classe, Yamamoto poderia desfrutar da breve travessia do rio em uma cabine privativa. Havia um caminho demarcado para cavalheiros e outro para damas. Ou poderia permanecer ao ar livre, onde o vento salgado do porto dispersaria a fumaça e as cinzas.

Ele escolheu o *ferryboat* não por seu destino, mas porque os marinheiros do convés já estavam fechando o portão tesoura, impedindo o embarque de mais passageiros.

— Calma aí, seu china! — um marinheiro corpulento gritou para ele.

Yamamoto já tinha dez dólares na mão. Os olhos do homem se arregalaram com sua boa sorte e ele se apressou a recolher a nota, gritando:

— Depressa, senhor! Depressa!

Yamamoto esgueirou-se pela passagem estreita e seguiu para dentro do barco, dirigindo-se, em passos rápidos, à escada que levava ao convés superior.

O apito soprou uma nota alta de tenor. O convés parou de tremer quando as hélices que mantinham a embarcação deixaram de girar. Então, o barco enorme estremeceu de proa a popa quando as hélices foram invertidas para impulsioná-lo para fora do atracadouro.

Yamamoto alcançou a escada de madeira, decorada com ornamentos esculpidos, que levava ao piso superior em uma curva graciosa. Pela primeira vez, olhou para trás, um olhar rápido por cima do ombro. Viu Isaac Bell correndo a plena velocidade na borda do atracadouro. Ali, o detetive atirou-se ao ar em uma tentativa de vencer, de um salto, a distância que aumentava rapidamente. O espião japonês esperou para confirmar se Bell caíra na água revolta.

Isaac Bell pousou graciosamente, como uma gaivota, encaminhou-se rapidamente para o portão tesoura e começou a conversar com os marinheiros.

Yamamoto subiu correndo pela escada. Mostrou o bilhete do trem para entrar no salão de cavalheiros da primeira classe, encaminhou-se para o salão, entrou em um reservado e fechou a porta. Virou a capa de chuva bege do avesso, revelando o forro preto. A faixa do chapéu era formada por múltiplas camadas de seda embutidas. Ele desatou a faixa e ela se transformou em um lenço comprido, inclinou a aba do panamá para baixo e prendeu à cabeça com o lenço. O toque final estava guardado na maleta. Tudo o que tinha a fazer era, quando o barco atracasse, esperar que todos os homens deixassem a cabine de primeira classe. Tinha acabado de abrir a maleta quando, embaixo de seus pés, o rumor das hélices parou abruptamente.

O impulso à frente cessou tão bruscamente que ele precisou se apoiar contra a parede. O apito soou três vezes. As hélices voltaram a girar, abalando o convés. E, para o horror e a descrença de Yamamoto, o *ferryboat* gigantesco retornou para o atracadouro do terminal de onde acabara de zarpar.

**

Entre as centenas de passageiros incomodados do *ferryboat* da Pennsylvania Railroad, o mais agitado era um senador dos Estados Unidos. Ele urrava como um leão irado ao comandante da embarcação:

— Mas que maldição dos diabos está acontecendo aqui? Viajei o dia inteiro desde Washington e estou atrasado para um encontro em Nova York!

Ninguém ousou perguntar a um senador viajando sem a esposa com quem ele ia se encontrar à meia-noite. Até mesmo o comandante do *ferryboat*, um veterano marinheiro de North River, não teve coragem suficiente para explicar que um detetive da Van Dorn, vestido como um marinheiro de convés, tinha aparecido na sua casa do leme e tirado da carteira um passe ferroviário diferente de tudo o que jamais havia visto. O documento exigia que todos os funcionários lhe concedessem privilégios de movimento que excediam até mesmo os que um senador que votara religiosamente em favor da legislação das ferrovias aprovaria. Escrito à mão e assinado e selado pelo presidente da companhia, e com o endosso de um juiz federal, estava acima de todos os cartórios de despacho. Seus únicos limites eram o bom-senso e as regras de segurança.

— O que você fez para conseguir esse passe? — indagara o comandante, enquanto sinalizava à casa de máquinas: *parar máquinas.*

— O presidente retribuiu um favor — dissera o detetive. — E eu sempre digo ao presidente que sou muito bem tratado por seus funcionários.

Então, o comandante disse ao legislador:

— Uma avaria mecânica, senador.

— Por quanto tempo vamos ter de esperar aqui?

— Todo mundo vai desembarcar e tomar o barco seguinte, senhor. Permita-me carregar sua bagagem — o comandante pegou a maleta do senador, conduziu-o ao convés principal e, em seguida, à prancha de desembarque, onde detetives de expressão sombria observavam todos os passageiros que desembarcavam.

Isaac Bell postou-se atrás dos outros agentes da Van Dorn, atento, sobre a cabeça deles, a cada rosto que passava. A maneira como Yamamoto decidira fugir — saltando a bordo no último instante — deixava claro que seus perseguidores tinham sido enganados e o espião japonês sabia que estava sendo seguido. Agora aquilo era uma caçada.

Trezentos e oitenta passageiros, homens, mulheres e crianças adormecidas, passaram apressados. Graças ao Senhor, pensou Bell, era o meio da noite. Os barcos transportavam milhares de pessoas no horário de maior movimento.

— Este é o último deles.

— Muito bem. Agora vamos verificar cada canto e cada esconderijo do barco. Ele deve estar escondido em algum lugar.

**

Uma mulher idosa e baixinha, usando um vestido comprido preto, xale e um boné de palha preso à cabeça com um lenço preto, embarcou em um trólebus em frente ao Exchange Place Terminal, de Jersey City. Foi uma longa corrida, com várias paradas até a cidade de Hoboken. O trólebus deu uma volta em torno da praça nas ruas Ferry e River, e agora avançava rapidamente enquanto descia para o primeiro dos túneis subterrâneos concluídos do McAdoo. Por um níquel, ela embarcou em um trem elétrico de oito vagões tão novo que ainda cheirava a tinta.

O trem seguiu rapidamente por baixo do Rio Hudson. Dez minutos depois de embarcar, ela deixou o trem subterrâneo na primeira estação de Nova York. Os condutores que acionavam as portas a ar comprimido entreolharam-se. A vizinhança das ruas Christopher e Greenwich, acima dos tetos abobadados lindamente iluminados da linha subterrânea, não era nem de longe um lugar tão agradável quanto a estação subterrânea, particularmente naquela hora avançada da noite. Antes de poderem adverti-la, a mulher passou apressada por uma floricultura ao pé da escada — fechada, com as luzes ainda acesas sobre as flores — e desapareceu.

No nível da rua, ela encontrou uma praça, às escuras, de paralelepípedos. Armazéns assomavam acima de residências antes requintadas, que, há muito tempo, foram divididas em casas de cômodos. A mulher atraiu a atenção de um brutamontes, que a seguiu, aproximando-se quando ela se avizinhou de um beco sem saída. Ela girou rapidamente, pressionou uma pequena pistola na testa dele e disse em uma voz masculina suave, com um sotaque quase imperceptível, que o brutamontes nunca ouvira antes:

— Posso pagar muito bem para você me levar a um quarto limpo onde eu possa passar a noite. Ou posso puxar o gatilho. Deixo você escolher.

29

— **Tenho um trabalho** para Harry Wing e Louis Loh — disse Olhos O'Shay.

— Quem? — indagou Tommy Thompson, que estava começando a pensar que andava vendo mais aquele sujeito do que gostaria.

— Aqueles seus comparsas da Hip Sing — disse Olhos impacientemente. — Os chineses metidos da sociedade secreta com quem você fez aquele acordo no mesmo dia em que apareci dos mortos. Pare de bancar o estúpido comigo! Já conversamos sobre isso antes.

— Eles não são meus, já lhe disse. Só fiz aquele acordo com eles para abrir alguns pontos de jogo.

— Tenho um trabalho para eles.

— E para que precisa de mim?

— Não quero me encontrar com eles. Quero que você faça um acordo com eles para mim. Está entendendo?

— Você não quer que eles vejam sua cara.

— Nem que saibam nada a meu respeito. Nem uma palavra, Tommy. A menos que você queira passar o resto da vida cego.

Tommy Thompson já estava ficando de saco cheio. Recostou-se na cadeira, equilibrando-se em suas duas pernas traseiras, e disse friamente:

— Estou começando a achar que está na hora de puxar uma arma e estourar seus miolos, O'Shay.

Brian O'Shay levantou-se de um salto. Chutou uma das pernas da cadeira, estilhaçando-a. O chefe da gangue estatelou-se no chão. Com o barulho, que abalou o prédio, os capangas de Tommy irromperam no escritório. Estancaram de imediato. Apoiado sobre um joelho, O'Shay mantinha o chefe numa gravata, apontando a face de Tommy para o teto, com a goiva de aço encostada no seu olho esquerdo.

— Fale com seus cupinchas.

— Saiam já daqui — disse Tommy, numa voz estrangulada.

Os capangas recuaram para fora do escritório. O'Shay soltou-o abruptamente, deixando o homenzarrão cair de costas no chão e levantar uma nuvem de serragem das calças.

— Eis o que eu quero — disse O'Shay como se não tivesse acontecido nada. — Quero que mande Harry Wing e Louis Loh a São Francisco.

— O que tem em São Francisco? — indagou Tommy, taciturno, levantando-se e tirando uma garrafa da escrivaninha.

— O estaleiro naval de Mare Island.

— Que diabos vem a ser isso?

— É um estaleiro naval. Exatamente como o estaleiro do Brooklyn. É onde os navios da Grande Frota Branca serão reabastecidos e terão o fundo pintado, antes de zarpar para Honolulu, Auckland e o Japão.

— Olhos, em que maldita coisa você está se metendo agora?

— Existe um paiol de munição no estaleiro naval de Mare Island. Quero que Harry Wing e Louis Loh o mandem pelos ares.

— Explodir um estaleiro da Marinha? — Thompson largou a garrafa e levantou-se de um salto. — Você ficou louco?

— Não.

Tommy olhou ao redor freneticamente, como se os tiras, de repente, estivessem pressionando suas orelhas contra suas paredes bem guardadas.

— Por que está me pedindo isso?

— Porque, quando o paiol de Mare Island explodir, você vai ganhar tanta grana como nunca viu em toda a sua vida.

— Quanto?

Olhos lhe contou, e o Comodoro Tommy sentou-se, sorridente.

**

O detetive John Scully, da Van Dorn, continuou espionando Chinatown, usando uma grande variedade de disfarces. Um dia era um camelô, outro dia um catador de lixo, um bêbado dormindo na calçada, como um soldado do "exército dos bancos de parque", e um funcionário do departamento de saúde da cidade, que angariava propinas suficientes para bancar todas as despesas. Ele continuava levantando indícios sobre a gangue dos Gophers e sua mudança para o centro da cidade. As prostitutas comentavam, melancólicas, que o salão de jogos de alta classe e a casa de ópio eram realmente exigentes com relação às garotas que contratava, mas admitiam que quem dirigia pessoalmente a espelunca, uma namorada de um chefe da Hip Sing, tratava as pessoas honestamente.

— Garotas chinesas? — indagou Scully de olhos arregalados, provocando risadas entre as mulheres com que se sentava para beber, na Canal Street.

— Não existem garotas chinesas em Chinatown.

— Não tem garotas chinesas?

— Eles não têm permissão de trazê-las para o país.

— E onde eles conseguem as garotas?

— São garotas *irlandesas.* O que é que você acha?

— A namorada do chinês é irlandesa? — perguntou Scully, como se tal combinação estivesse além da imaginação.

Uma das mulheres abaixou a voz e olhou ao redor, antes de sussurrar furtivamente:

— Ouvi dizer que ela faz parte dos Gophers.

Diante disso, Scully não fingiu surpresa. O fato era tão incomum, até impossível, que parecia mesmo uma evidência de uma nova, estranha e perigosa aliança entre Hell's Kitchen e Chinatown.

Scully sabia que devia relatar, para a sede da Van Dorn, até mesmo a sugestão de uma coalizão entre a sociedade secreta chinesa e os Gophers ou, ao menos, confiá-la a Isaac Bell. Mas seus instintos e seus anos de experiência lhe disseram que estava à beira de uma descoberta que resolveria o caso do Casco 44. Sentia-se tão perto de entender a história toda que decidiu deixar para fazer o relatório completo dali a um dia, no máximo.

Será que os Gophers tinham oferecido a garota como prêmio para selar o acordo? Ou fora ela que o iniciara? De acordo com Harry Warren, as mulheres Gophers eram geralmente piores criminosas do que os homens — muito mais inteligentes e mais desonestas. Fosse qual fosse a conexão, o detetive John Scully considerou um ponto de honra chegar ao

Knickerbocker com a história completa, em vez de uma miserável parte de uma fofoca.

Alguns dias depois, ele encontrou uma mina de ouro.

Estava de volta ao traje de caipira, um terno tão disforme que parecia folgado demais no seu corpo volumoso, com as bainhas das calças mal cobrindo as botinas fora de moda. Mas o novo chapéu de palha, caro, comprado na Brooks Brothers na Broadway, que lhe fazia sombra sobre o rosto redondo, e o relógio com corrente de ouro brilhando no bolsinho do colete enviavam um sinal evidente de que era um próspero candidato a ser vítima de uma esparrela.

Ele entrou em uma casa de ópera chinesa na Doyers Street, que os jornais recentemente haviam apelidado de "Esquina Sangrenta", em razão da péssima reputação da rua por ter-se tornado o campo de batalha das sociedades criminosas Hip Sing e On Leong. Em algum lugar na Doyers, ele ouvira falar, ficava uma casa da Hip Sing que oferecia garotas lindas, o ópio mais puro e uma roleta controlada por um crupiê que entendia do riscado.

O detetive tinha visto o bastante de ópio e roleta para ficar longe da roleta. Não tinha nada contra garotas lindas e, por alguma razão, nunca poderia imaginar por que elas sempre se interessavam por ele. E, quando isso acontecia, o ópio só tornava o que era bom ainda melhor.

Quando, por um momento, voltou à rua depois de assistir ao espetáculo, um caipira autêntico estava admirando uma bandeira americana, presa a um mastro que se projetava de uma água-furtada, no terceiro andar do prédio da casa de ópera.

— Ópera chinesa? — indagou ele a Scully. — Como é essa coisa?

— Não é uma ópera como eu conhecia — respondeu Scully. — Eles guincham como um eixo de caminhão pedindo óleo. Mas as roupas e as pinturas são uma coisa fora do comum. A gente fica de olhos esbugalhados.

— E as garotas?

— É difícil dizer.

O caipira estendeu a mão.

— Tim Holian, artefatos de bronze de Waterbury.

— Jasper Smith, têxteis de Schenectady — replicou Scully, e então vivenciou o grande pesadelo de todo detetive.

— Schenectady? Então, com certeza, você deve conhecer meu primo, Ed Kelleher. Ele é o presidente do Rotary em Schenectady.

— Não, desde que ele fugiu com a sobrinha da minha esposa.

— O quê? Não, deve haver algum engano. O Ed é um homem casado.

— Só de pensar nisso meu sangue ferve. A pobre garota mal tinha completado 15 anos.

Holian retirou-se atordoado na direção da Mott Street. Scully continuou vadiando entre a porta da casa de ópera e uma janela em arco, protegida por uma tela de arame. Não demorou muito tempo para um mandrião, que fazia as vezes de chamariz, descobri-lo.

— O irmão aí está procurando diversão?

Scully examinou-o. Meia-idade, poucos dentes na boca e roupas andrajosas, um ex-integrante da gangue dos Bowery Boys, não mais do tipo violento, mas perfeitamente disposto a entregá-lo àqueles que eram, se o olhar fixo na corrente do seu relógio fosse uma indicação disso.

— O que você tem para oferecer?

— Quer conhecer umas garotas?

Scully apontou na direção da Mott Street.

— Aquele cara de chapéu de palha que saiu daqui agora mesmo. Ele está procurando garotas.

— E quanto a você? Não quer ver uns dementes viciados em um antro de ópio?

— Cai fora!

O chamariz considerou sua expressão uma justa advertência e saiu atrás do homem de Waterbury. Scully continuou a vadiar.

Mas, até aquele momento, nada de novo. Não descobrira mais nada desde que se colocara na frente da casa de ópera. Nenhum sinal de clientes indo e vindo. Talvez fosse cedo demais. No entanto, aqueles lugares tendiam a manter as cortinas levantadas e o jogo correndo vinte e quatro horas por dia. Deixou-se ficar ali mais uma hora, sem se dar conta do que se prenunciava. Chamarizes como aquele que mandara passear nunca o abordariam perto de um lugar assim, de alta classe. Ele continuou a despachar os malandros que apareciam e a observar os clientes chegarem.

Uma visão incomum chamou sua atenção. Caminhando rapidamente, lançando olhares ansiosos atrás de si na direção de um tira que parecia segui-la, vinha uma garota irlandesa, de pele clara como convinha, carregando um bebê chinês. Sua constituição era forte como a de uma parede e tinha o tipo de expressão risonha nos olhos, como se estivesse prestes a dar uma piscadela, que Scully apreciava. Ele tocou a aba do chapéu e abriu espaço na calçada estreita, enquanto ela passava, apressada, em direção à Mott. De perto, o bebê não parecia inteiramente chinês, principalmente por causa de um tufo de cabelo louro no alto da cabeça.

O tira passou raspando em Scully e alcançou a mulher na esquina da Doyers. Ele inspecionou, desconfiado, o cobertor da criança. Scully ficou observando, imaginando o que poderia acontecer.

— Vou precisar levá-la comigo — disse o tira.

— Por que maldito motivo? — indagou a mãe.

— Para a sua própria proteção. Toda mulher branca casada com um chinês que aparece deve ter sido raptada e mantida cativa.

— Raptada? Não fui raptada. Estou indo fazer compras para preparar o jantar para o meu marido.

— Vai ter de me mostrar sua certidão de casamento para que eu acredite.

— Não carrego a certidão comigo, pelo amor de Deus. O senhor sabe que sou casada. Só está querendo me importunar. Espera que ponha dinheiro na sua mão.

O tira ficou vermelho de raiva.

— Você vem comigo — disse e pegou-a pelo braço.

John Scully postou-se ao lado dele.

— Policial, podemos conversar em particular?

— Quem é você? Saia daqui.

— De onde eu venho, o dinheiro fala — disse Scully, entregando ao tira as notas que tinha na mão. O tira deu meia-volta e saiu bamboleando em direção à rua Bowery.

— Por que você fez isso? — ela estava com lágrimas de raiva nos olhos.

— Pareceu uma boa ideia no momento — disse Scully. — Eles a incomodam muito?

— Eles fazem isso a todas nós que casamos com chineses. Como se uma garota não pudesse escolher com quem se casar! Eles odeiam que uma mulher branca se case com um chinês, então dizem que fazemos isso porque somos viciadas em ópio. O que há de errado em se casar com um chinês? Meu marido trabalha muito. Chega em casa à noite. Ele não bebe. Não me bate. É claro, eu acabaria com ele se tentasse. Ele é um cara franzino.

— Não bebe? — indagou Scully. — Ele fuma ópio?

— Ele volta para casa para jantar — ela sorriu. — Eu sou seu ópio.

Scully respirou fundo, olhou ao redor, sentindo-se culpado, e falou em voz baixa:

— E se um camarada quisesse fumar um pouco só para ver como é?

— Eu diria que está brincando com fogo.

— Bem, digamos que ele quisesse experimentar. Não sou daqui. Existe algum lugar seguro para um cara experimentar?

A mulher pôs a mão livre nos quadris e encarou-o.

— Vi que deu dinheiro demais para aquele tira. Tem muito dinheiro?

— Tenho, dona. Me dei muito bem até agora, mas está na hora de dar uma relaxada. Realmente, eu quero experimentar algo novo.

— Isso é seu funeral.

— Sim, dona. É como eu vejo. Mas estou disposto a pagar um pouco mais para ir a um lugar onde não corra o risco de me agredirem.

— Você está parado bem em frente a esse lugar — ela indicou, com um movimento de cabeça, a casa de ópera. Scully ergueu os olhos para as janelas altas do segundo andar.

— Lá dentro? Acabei de sair de lá depois de assistir à ópera.

— Existe um lugar para diversões mais ousadas nos andares de cima. Você pode experimentar seu ópio. E outras coisas.

— Bem aqui? — Scully coçou a cabeça e fingiu-se pasmo. Seu trabalho de detetive o levara para bem perto do objetivo. Mas, sem aquela mulher, ficaria olhando para o lugar por uma semana. Só para mostrar que as boas ações eram recompensadas.

— Suba ao balcão como se pretendesse ouvir a ópera. Então, siga até os fundos e verá uma portinha. Bata na porta e eles deixarão você entrar.

— Só isso?

— Para os chineses, existem só dois tipos de pessoas: estranhos, do lado de fora, família e amigos, do lado de dentro.

— Mas eu sou um estranho.

— Diga a eles que a Sadie o mandou e não será um estranho.

Scully sorriu.

— Então você brincava com fogo?

— Não — ela riu e deu-lhe um tapinha no ombro. — Vá em frente! Eu conheço algumas das garotas.

Scully comprou outro ingresso, subiu para o balcão, deu as costas para os guinchos que vinham do palco, subiu até o andar de cima e bateu na porta sobre a qual a jovem falara. Ouviu o ruído do olho mágico ser aberto e deu o sorriso inseguro de um homem fora de seu território. A porta foi entreaberta, presa por uma corrente.

— O que você quer? — indagou um chinês corpulento.

Scully percebeu o cabo de uma machadinha projetando-se de sua túnica.

— A Sadie me mandou aqui.

— Ah! — o guarda soltou a corrente, abriu a porta e disse solenemente: — Entre — em seguida, apontou para uma escada acarpetada e John Scully subiu, sentindo o ar denso com uma fumaça adocicada.

À primeira vista, o detetive da Van Dorn não precisou fingir o assombro de caipira na cidade grande ao entrar em um espaço imenso, banhado por uma luz dourada. O teto era forrado por um tecido vermelho e cada centímetro das paredes era coberto por cortinas, tapetes pendurados e painéis de seda pintada, retratando dragões, montanhas e garotas dançando. Decorado com uma mobília de madeira trabalhada e iluminado por lanternas coloridas, era semelhante, pensou Scully, à ideia que fazia da sala do trono de um palácio de Pequim, só que sem os guardas eunucos.

O homem da Hip Sing, de olhar mortífero, com aquela machadinha e vestindo um terno social preto, permaneceu observando as rodas em que se jogava o faraó, as mesas em que alguns se arriscavam no jogo do fantã e as belas garotas que levavam cachimbos de ópio para os clientes descansando nos sofás. As garotas, que usavam um vestido solto que lhes chegava à altura dos joelhos, eram brancas, embora as que tinham cabelo escuro se maquiassem para parecer chinesas. Exatamente como lhe haviam dito as prostitutas, mulheres chinesas de verdade eram mais escassas em Chinatown do que galinhas com dentes.

Os clientes recostados, semiconscientes em meio à fumaça, eram um misto de homens amarelos e brancos. Ele viu comerciantes chineses com aparência de prósperos, alguns envergando jalecos tradicionais mandarins, outros em ternos e chapéu-coco ou chapéu de palha. Entre os brancos, incluíam-se bacanas da 5th Avenue e universitários abastados, do tipo que dependia do talão de cheques do pai para saldar as dívidas de jogo. Os mais interessantes eram alguns gângsteres de cara amassada de boxeadores em ternos justos e gravatas berrantes, que Scully apostaria um mês de salário que eram Gophers do Hell's Kitchen.

Há quanto tempo estariam ali? Ele permanecera do lado de fora durante horas e não vira um único deles entrar. Obviamente, o estabelecimento tinha outra entrada, por outra rua que não a Doyers. Estivera esperando na porta dos fundos, enquanto eles entravam pela da frente.

Um homem branco sentou-se em seu sofá, enterrou o chapéu-coco na cabeça e levou os pés sem muita firmeza ao chão. Quando ele se levantou, seus olhares se cruzaram. Scully quase deixou cair os dentes. Que diabos Harry Warren estaria fazendo ali?

Os dois detetives desviaram o olhar abruptamente.

Será que Harry ouvira os mesmos rumores que ele? Não, Scully recalculou. Harry Warren vinha seguindo os Gophers disfarçado. Fora assim que viera parar ali. O especialista em gangues não sabia ainda sobre a aliança entre os Gophers e a Hip Sing. Ele apenas seguira um Gopher e acabara ali dentro, sem ter somado dois mais dois. Scully achava-se quilômetros à frente de Harry e seus supostos especialistas, pensou, com orgulho. Antes de ter completado sua missão, já havia derrotado os agentes da Van Dorn de Nova York em sua própria cidade.

Duas garotas se aproximaram.

A primeira era uma formosa irlandesa morena, maquiada como uma chinesa. A outra era uma ruivinha delicada, um atrativo irresistível para os bacanas, com olhos azuis tão luminosos que pareciam brilhar à luz suave das lanternas. Ela fez Scully lembrar-se da famosa atriz e cantora Lillian Russell, nos tempos em que era mais magra, embora isso pudesse ser o efeito de seu chapéu enorme, com a aba dobrada para cima, ou uma reação natural às nuvens intoxicantes da fumaça picante, ou ainda a grossa camada de maquiagem, como a de uma atriz, sobre um rosto que não precisaria de cosmético nenhum.

A ruiva despachou a morena com uma leve inclinação de cabeça.

A pulsação de Scully se acelerou. Jovem como era, ela agia como se fosse a própria chefe da operação, a namorada do chefão da Hip Sing que ele vinha caçando.

— Bem-vindo ao nosso humilde estabelecimento! — disse ela, fazendo Scully pensar em uma princesa chinesa num palco de *vaudeville*. Exceto que o sotaque dela era o mais puro do Hell's Kitchen. — Como foi que nos achou?

— A Sadie me indicou.

— A Sadie nos proporcionou uma grande honra. O que o agradaria, senhor?

Scully engoliu em seco, igual a um matuto do interior sufocado diante das possibilidades. Na verdade, ele *estava* um pouco sufocado. Ela falava profissionalmente, como qualquer madame digna do posto, mas o fitava nos olhos como se estivesse se oferecendo. E *ela própria*, Scully precisava admitir um tanto atordoado, era uma beldade acima do comum.

— O que lhe daria prazer?

— Sempre quis experimentar um pouco de ópio...

Ela pareceu desapontada.

— Poderia conseguir com seu boticário. De onde é?

— Schenectady.

— Um homem com seus recursos não pode conseguir ópio em uma farmácia?

— Dá um pouco de medo fazer isso em casa, se entende o que quero dizer.

— É claro. Eu entendo. Bem, será ópio então. Me acompanhe.

Ela tomou a mão dele nas suas, que eram pequenas, fortes e mornas. Levou-o até um sofá meio escondido por cortinas e ajudou-o a se acomodar, com a cabeça apoiada em almofadas macias. Uma das garotas "chinesas" maquiadas trouxe-lhe um cachimbo. A ruiva disse:

— Divirta-se! Voltarei mais tarde.

30

— **Os Gophers pegaram** um dos meus rapazes — informou, pelo telefone, Harry Warren a Isaac Bell, no Knickerbocker.

— Quem?

— Little Eddie Tobin, o mais jovem.

Bell correu até o Roosevelt Hospital, na 59th com a 9th Avenue.

Harry encontrou-o no meio do caminho.

— Instalei-o em um quarto particular. Se o chefe não pagar, eu pago.

— Se o chefe não pagar, pago eu — disse Bell. — Como ele está?

— Chutaram-lhe o rosto com a ponta reforçada das botinas, racharam a cabeça com um cano de chumbo, quebraram o braço direito e as duas pernas.

— Ele vai resistir?

— Os Tobins são pescadores e marinheiros de Staten Island, ostras, rebocadores, contrabando; então ele é um garoto durão. Ou era. É difícil dizer como um homem escapa de uma surra como essa. Até onde posso dizer, foram quatro deles. Ele não teve a menor chance.

Bell entrou no quarto e parou, com os punhos fechados, diante do detetive inconsciente. A cabeça dele estava toda enfaixada com uma bandagem branca manchada de sangue. Um médico aplicava um estetoscópio em vários pontos de seu peito. Uma enfermeira, vestida de branco, esperava ao lado.

— Não poupem despesas — disse Bell. — Quero uma enfermeira com ele dia e noite.

Ele voltou a se encontrar com Harry Warren no corredor.

— É sua cidade, Harry, o que vamos fazer em relação a isso?

O especialista em gangues hesitou, nitidamente insatisfeito com a resposta que precisava dar.

— Individualmente, eles não são páreo para o pessoal da Van Dorn. Mas os Gophers são muito mais numerosos do que nós, e, se começarmos uma guerra, eles estarão lutando no próprio território.

— A guerra já começou — disse Isaac Bell.

— Os tiras não ajudarão em nada. Da maneira como a cidade funciona, políticos, construtores, a igreja, os tiras e os gângsteres, todos têm sua participação. Enquanto alguém não exagerar a ponto de provocar os reformadores, ninguém incomodará ninguém por causa de um detetive surrado. Portanto, está por nossa conta. Ouça, Isaac, isso é estranho. Não é o estilo de Tommy Thompson procurar problemas onde não há. Estaria nos mandando um recado? Eles fazem isso com uma gangue rival, os Dusters ou os Five Pointers. Ele sabe que não se faz isso com o pessoal da Van Dorn. É bem possível que esteja recebendo ordens do espião.

— Quero que mande um recado de volta.

— Não adianta mandar um recado que as pessoas não entendam, se é isso o que quer dizer.

— Diga a eles que Isaac Bell está contratando seu velho amigo Jethro Watt, o chefe da polícia da Southern Pacific Railroad, e pedindo que ele despache duzentos seguranças a Nova York para guardar as instalações de carga nas imediações da 11th Avenue.

— Você é capaz de fazer isso?

— O Jethro está sempre querendo uma boa briga e eu sei, com certeza, que as ferrovias estão por aqui com seus trens de carga sendo roubados. Tommy Thompson vai pensar duas vezes antes de mexer com o pessoal da Van Dorn de novo. Os detetives sujos da Southern Pacific podem ser a escória, mas são duros na queda, e a única coisa que eles temem é o Jethro. Enquanto não chegarem aqui, nenhum dos nossos rapazes age sozinho. Dois agentes da Van Dorn ou mais por tarefa, e que tomem cuidado quando estiverem de folga.

— Por falar em sozinho, trombei com seu amigo, John Scully.

— Onde? Faz algumas semanas que não tenho notícias dele.

— Eu seguia, disfarçado, um tenente dos Gophers em Chinatown. Não deu em nada. Ele passou o dia fumando ópio. Scully entrou numa boca de fumo disfarçado de turista.

— O que o Scully estava fazendo?

— Da última vez que o vi, esvaziando um cachimbo.

— De fumo? — indagou Bell, em dúvida.

— Acho que não.

Bell olhou direto para Harry Warren.

— Bem, se você conseguiu sobreviver a isso, o Scully também conseguirá.

**

O vapor transatlântico *Kaiser Wilhelm der Gross II* espetava quatro chaminés pretas altas e dois mastros ainda mais altos contra o céu, nas proximidades de Greenwich Village. Sua proa reta elevava-se acima dos rebocadores, do píer e das frotas de carruagens de aluguel puxadas por cavalos e táxis motorizados.

— Bem, aqui está bom, Dave — disse Isaac Bell através do tubo de comunicação de uma limusine Packard verde-garrafa oferecida pela esposa do pai de Lillian, Archie Abbott. O magnata das ferrovias não pudera vir receber a filha em sua chegada de navio, uma vez que viajava pelo continente em seu trem particular em busca, supôs Bell, de uma ferrovia independente para acrescentar ao seu império. Bell, que tinha motivos urgentes para conversar com Archie, oferecera-se para tomar seu lugar.

— Pegue-me na Jane Street depois de carregarem a bagagem.

Saltou sobre os paralelepípedos e observou a escada de desembarque. Como previsto, os recém-casados foram os primeiros a deixar o navio, guiados à terra por comissários de bordo solícitos e seguidos, de perto, por um grupo de repórteres de jornais, que deviam ter embarcado no navio em Sandy Hook para cumprimentar o jovem casal mais popular de Nova York. Mais repórteres esperavam no píer. Alguns portavam câmeras, outros estavam acompanhados de desenhistas.

Bell, que preferia não ver seu rosto estampado nas bancas de jornais enquanto investigasse disfarçado, retirou-se do píer e esperou na rua de casas baixas e estábulos.

Quinze minutos depois, a limusine reduzia a marcha e ele embarcava agilmente.

— Desculpe por todo aquele rebuliço — o nobre Archibald Angell Abbott IV cumprimentou-o, apertando sua mão. Eles eram os melhores amigos um do outro, desde as lutas de boxe contra colegas rivais. — Toda Nova York está morrendo de vontade de ver a minha noiva corada.

— Não me surpreende — disse Bell, beijando calorosamente a formosa e jovem Lillian na bochecha, antes de se acomodar no assento dobrável que o colocava de frente para o casal. — Lillian, você está absolutamente radiante!

— Culpe o meu marido — ela riu, correndo os dedos pelo espesso cabelo ruivo de Archie.

Quando chegaram à mansão Henessy, toda de calcário, na Park Avenue, Bell e Archie conversaram em particular na biblioteca.

— Ela está radiante — disse Bell. — Você parece cansado.

Archie ergueu o copo com a mão trêmula.

— Festas todas as noites, catedrais e banquetes em mansões durante o dia, depois mais festas. A gente até se esquece de como tinha energia quando tinha 19 anos.

— O que descobriu no navio?

— Os europeus estão procurando briga — replicou Archie, muito sério. — E todos estão preocupados com quem dará o primeiro golpe. Os britânicos estão convencidos de que a guerra será contra a Alemanha. Eles sabem que o Exército alemão é imenso, e os militares alemães têm o apoio do Kaiser. Apoio, diabos... O Exército e a Marinha têm o coração do Kaiser e sua bênção!

— Os alemães — continuou Archie — estão convencidos de que a guerra será contra a Inglaterra, porque a Inglaterra não tolerará a expansão do Império Alemão. Os britânicos sabem que derrotar a Marinha alemã não garantiria a vitória, ao passo que a derrota da Marinha britânica significaria o fim do Império Inglês em todo o mundo. Se isso não fosse o bastante, os alemães desconfiam que a Rússia os atacará para impedir uma revolução, distraindo seus camponeses com uma guerra. Se isso acontecer, temem os alemães, os britânicos tomarão o partido da Rússia porque a França é aliada dos russos. Portanto, a Alemanha forçará a Áustria e a Turquia a ficarem do seu lado. Mas nenhum desses idiotas compreende que suas alianças causarão uma guerra como nunca se viu.

— A coisa está preta assim?

— Felizmente, para nós, nenhum deles quer os Estados Unidos como inimigo.

— É por isso — disse Bell — que imagino se a Inglaterra e a Alemanha estão tentando fazer os Estados Unidos pensarem que um ou outro é o inimigo.

— Esse é exatamente o tipo de conversa bizantina que ouvi no navio — disse Archie. — Você tem uma mente maligna.

— Tenho andado com más companhias.

— Pensei que fosse a formação de Yale — disse Archie, formado em Princeton.

— Cortejando os Estados Unidos para serem seu aliado, Inglaterra e Alemanha poderiam, cada uma, estar manobrando secretamente para fazer seu inimigo parecer o nosso inimigo.

— E quanto aos japoneses?

— O capitão Falconer afirma que tudo o que enfraquece as posições europeias no Pacífico encoraja os japoneses. Eles ficarão de fora o tempo que puderem e depois passarão para o lado vencedor. Francamente, ele parece tomado de medo dos japoneses. Ele os viu de perto na Guerra Russo-Japonesa, então acha que os conhece melhor do que a maioria. Ele insiste em que são espiões formidáveis. Seja como for, respondendo à sua pergunta, mantivemos um japonês sob vigilância por uma semana. Infelizmente, ele conseguiu escapar.

Archie abanou a cabeça, incrédulo.

— Eu me afasto para uma simples lua de mel e a atividade de detetive vira um inferno. Quem você imagina que ele seja?

— A última vez que o vi foi em um *ferryboat* da ferrovia, aqui mesmo em Nova York. Estamos vasculhando toda a cidade. Ele é uma peça-chave do caso. Preciso pegá-lo a qualquer custo.

**

— Recebi o relatório sobre a Riker & Riker — informou Grady Forrer, quando Bell voltou à sede da Van Dorn. — Está na sua mesa.

Erhard Riker era filho do fundador da Riker & Riker, uma importadora de pedras e metais preciosos para os setores joalheiros de Nova York e

Newark. O Riker mais novo expandira a empresa desde que assumira a direção, sete anos antes, quando o pai fora morto num fogo cruzado na Guerra dos Bôeres, na África do Sul. Ele viajava regularmente entre os Estados Unidos e a Europa em transatlânticos luxuosos de carreira, preferindo o alemão *Wilhelm der Grosse* e o britânico *Lusitania*, ao contrário do pai, que preferia os vapores mais antigos e sossegados, a exemplo do *Umbria*, da Cunard Line, e o *Havel*, da North German Lloyd. Um fato chamou a atenção de Bell: a Riker & Riker mantinha um serviço de proteção particular tanto para a guarda das remessas de joias quanto para a escolta pessoal de Riker, quando ele próprio transportava os artigos de valor.

Bell mandou chamar o chefe do setor de Pesquisa.

— São comuns esses serviços de guarda particular no setor de pedras preciosas?

— Isso parece ser uma constante entre os europeus que precisam viajar muito — disse Grady Forrer.

— Qual o perfil dos seguranças contratados?

— Costumam ser sujeitos violentos, mas boas-pintas. Do tipo que anda sempre muito bem vestido.

Um recepcionista enfiou a cabeça no vão da porta.

— Pode atender ao telefone, senhor Bell? Não quis se identificar. Tem sotaque inglês.

Bell reconheceu a fala arrastada e afetada do comandante Abbington--Westlake.

— Vamos nos encontrar para outro coquetel, meu velho? Quem sabe até para beber dessa vez?

— Para quê?

— Tenho uma surpresa interessante para você.

31

— **Polícia! Polícia!** Ninguém se mexa!

A porta do balcão da casa de ópera, por onde John Scully entrara no antro de ópio da Hip Sing, escancarou-se com um estrondo e jogou o chinês pesadão que a guardava contra a parede. O primeiro homem a atravessar o vão da porta foi um sargento de capacete, grandalhão como um cavalo de tiro.

Os chineses que jogavam na mesa de fantã estavam acostumados com as batidas policiais. Eles se moveram rápido. Cartas, fichas e papel-moeda voaram, enquanto eles desapareciam através de uma cortina que encobria uma porta oculta. Os leões de chácara da Hip Sing recolheram todo o dinheiro da mesa de faraó e fugiram. Os jogadores brancos da roda de faraó também correram, mas, ao se esgueirarem por outras cortinas, encontraram paredes nuas. As garotas gritaram. Os fumantes de ópio ergueram os olhos.

A madame ruiva correu até o sofá de Scully.

— Venha comigo!

Ela empurrou Scully através de outra cortina enquanto os tiras invadiam, brandindo cassetetes e gritando ameaças. Scully não viu nenhuma porta na penumbra, mas, quando empurrou a parede, um painel estreito se abriu. Eles atravessaram e ela fechou o painel, trancando-o com dois ferrolhos pesados, no alto e em baixo.

— Depressa!

Ela o fez descer por uma escada íngreme e estreita, com um vão suficiente apenas para o detetive passar espremendo o corpo volumoso. A cada patamar, aparecia outra porta estreita, que ela abria, fechava e aferrolhava atrás deles.

— Aonde estamos indo? — indagou Scully.

— Ao túnel.

Ela destrancou uma porta com uma chave. Dali partia o túnel, de teto baixo, estreito e úmido. Ele se estendia na escuridão. Ela tirou uma lanterna à bateria de um escaninho na parede e, com seu feixe de luz, conduziu-os pelo subterrâneo por um percurso que Scully calculou como a distância de dois quarteirões da cidade. Pelas curvas, desvios e intervalos nas paredes, ele supôs que fosse, na verdade, uma passagem construída através de uma série de porões interligados.

Ela abriu outra porta, pegou-lhe a mão de novo e conduziu-o por dois lances de escadas até a sala de recepção de um apartamento, mobiliada de maneira convencional, com janelas altas de onde se avistava a estação do elevado de Chatham Square, iluminada pelo sol.

Scully passara tanto tempo no escuro que achou difícil acreditar que a luz do dia ainda existisse.

— Obrigado por me salvar, dona!

— Eu me chamo Katy. Sente-se. Relaxe.

— Jasper — disse Scully. — Jasper Smith.

Kathy deixou a bolsa de lado, ergueu as mãos e começou a tirar os alfinetes que prendiam o chapéu.

Scully assistiu avidamente. Ela era ainda mais bonita à luz do dia.

— Sabe — ele riu —, se eu tivesse uma faca tão comprida quanto seus alfinetes de chapéu, a polícia me prenderia como pessoa perigosa.

Ela lhe fez graça com um beicinho.

— Uma garota não pode usar o chapéu torto.

— Não importa se uma garota usa uma roda de carro ou um enfeite delicado de sininho, ela sempre o prende com alfinetes de chapéu tão compridos quanto seu braço. Vejo que você é uma companheira republicana.

— De onde foi que tirou essa ideia?

Scully estendeu a mão para o alfinete de aço, de 25 centímetros, que ela estava tirando, e segurou-o contra a luz. A cabeça decorativa de bronze trazia a imagem de um gambá segurando um taco de golfe.

— "Billy Possum". É assim que chamam William Howard Taft. Esse gambazinho é chamado de *possum* ou *opossum*.

— Parece que tentaram colocar o gambá imitando um ursinho de pelúcia, o "Teddy Bear" da campanha, mas todo mundo sabe que Taft não é Roosevelt.

Ela espetou os quatro alfinetes numa almofada do sofá e atirou o chapéu ao lado deles. Depois fez uma pose, com as mãos fortes sobre os quadris delgados.

— Ópio é um prazer que não posso lhe oferecer aqui. O que acha de um uísque com soda?

— Entre outras coisas — respondeu Scully, com um sorriso irônico.

Ele a observou misturar o uísque com a água com gás em copos altos. Depois, tilintou o seu no dela, tomou um gole e inclinou-se para beijá-la na boca. Ela deu um passo atrás.

— Deixe-me vestir algo mais à vontade. Passei o dia inteiro com essa roupa.

Scully examinou o aposento rápida, completa e silenciosamente. Procurava um recibo de aluguel ou conta de gás que revelasse de quem era o apartamento. O trem passou ruidosamente no elevado, e ele precisou parar a busca, já que não podia ouvir se ela voltava do quarto. O trem passou e ele continuou a busca.

— Diga, como pretende voltar aqui? — indagou na direção do quarto.

— Espere e verá.

Scully procurou mais um pouco. Nada. As gavetas e os armários estavam vazios como num quarto de hotel. Ele lançou um olhar para o corredor e abriu a bolsa dela. Exatamente no momento em que a ouviu abrir a porta, ele encontrou o que queria. Duas passagens de trem para as 3 horas e 30 minutos do dia seguinte, pela 20th Century Limited — com tarifa adicional para o expresso rápido de dezoito horas para Chicago — com baldeação em São Francisco. Passagens para Katy e quem mais? O chefe? O namorado da Hip Sing?

**

Quando ela encontrou a pequena calibre 25 de 370 gramas guardada no coldre, na parte de baixo das costas dele, quis saber o que estava fazendo ali.

— Fui roubado uma vez quando carregava o salário dos meus funcionários. Não vai acontecer de novo.

Ela pareceu acreditar nele. Pelo menos aquilo não interferiu em sua forma de agir. Então, ele a viu colocar as gotas de sedativo em seu segundo uísque.

Scully sentiu-se subitamente velho e triste.

Ela era tão boa naquilo! Teve a paciência de esperar para servir o segundo drinque, de modo a ser menos provável que ele sentisse o sabor amargo do hidrato de cloral. Escondeu o frasco habilmente, entre o vinco da palma da mão e a parte carnosa do polegar. Cruzou as pernas enquanto o fazia, com uma rápida exposição das coxas muito brancas. Sua única falha era sua juventude. Ele era velho demais para ser tapeado como um guri.

— Saúde! — ela sorriu.

— Saúde! — Scully sussurrou em resposta. — Sabe, nunca saí com uma garota como você — fitando emocionado aqueles belos olhos azuis, ele estendeu a mão como se estivesse cego e derrubou o copo da mesa.

**

Isaac Bell chegou ao bar no subsolo do Knickerbocker dez minutos mais cedo. No meio da tarde de um dia ensolarado, o local estava praticamente vazio e ele viu de imediato que Abbington-Westlake ainda não tinha chegado. Só se via um homem no bar, dois casais nas mesas e um sujeito sozinho, sentado em uma banqueta atrás da mesinha onde ele se sentara com o adido naval inglês, no canto mais escuro do salão. Imaculadamente vestido com uma sobrecasaca antiquada, gola levantada e uma gravata com nó americano, ele acenou, levantando-se um pouco e curvando o chapéu.

Bell aproximou-se, mal acreditando nos próprios olhos.

— Yamamoto Kenta, eu suponho?

32

— **Senhor Bell,** tem alguma familiaridade com a Nambu Tipo B?

— Uma pistola semiautomática, de 7 milímetros, de baixa qualidade — respondeu Bell, procurando ser sucinto. — A maioria dos oficiais japoneses compra uma Browning para seu próprio uso.

— Sou um patriota sentimental — disse Yamamoto. — E ela é *de fato* eficaz para atravessar um tampo de mesa estreito. Mantenha as mãos onde eu possa ver.

Bell sentou-se, estendeu as mãos grandes sobre a mesa, uma palma para baixo, outra palma para cima, e examinou minuciosamente o rosto que nada revelava.

— Até onde acha que chegaria se me baleasse em um hotel lotado?

— Considerando até onde cheguei escapando de uma dezena de detetives profissionais nas últimas duas semanas, ser perseguido por cidadãos comuns bebendo em um bar de hotel me causa menos temor. Mas certamente você pode imaginar que não o atraí até aqui para alvejá-lo, o que eu podia ter feito tarde da noite de ontem, enquanto você voltava para casa deste hotel para seu clube na 44th Street.

Bell respondeu com um sorriso sombrio.

— Meus cumprimentos à Sociedade do Mar Negro por ensinar a seus espiões a arte da invisibilidade.

— Aceito o cumprimento — Yamamoto retribuiu o sorriso. — Em nome do Império do Japão.

— Por que um patriota do Império do Japão tornou-se um instrumento de vingança de um espião inglês?

— Não se ofenda com Abbington-Westlake. Você feriu o orgulho dele, o que é algo perigoso a fazer a um inglês.

— Da próxima vez que o encontrar, não vou ferir o orgulho dele.

Yamamoto sorriu de novo.

— Isso é entre nós. Vamos nos lembrar de que não somos inimigos.

— Você assassinou Arthur Langner na Fábrica de Canhões — retrucou Bell friamente. — Isso nos torna inimigos.

— Eu não matei Arthur Langner. Outra pessoa o fez. Um subordinado zeloso em excesso. Tomei as medidas cabíveis contra ele.

Bell aquiesceu. Não via vantagem em desafiar aquela completa mentira rematada enquanto não soubesse das intenções de Yamamoto.

— Se não assassinou Langner e não somos inimigos, por que está apontando uma arma para a minha barriga por baixo da mesa?

— Para ter sua atenção enquanto explico o que está acontecendo e o que posso fazer para ajudá-lo.

— Por que quer me ajudar?

— Porque você pode me ajudar.

— Está me oferecendo um acordo.

— Estou me oferecendo para negociar.

— Negociar o quê?

— O espião que organizou o assassinato de Langner *e* o assassinato de Lakewood, o especialista em controle de tiro, *e* o assassinato do especialista em turbinas, MacDonald, *e* o assassinato de Gordon, o fundidor de blindagens em Bethlehem, *e* a tentativa de sabotagem do lançamento do *Michigan*, que você tão habilmente contrariou.

— Negociar a troco de quê?

— De tempo para eu desaparecer.

Isaac Bell abanou a cabeça enfaticamente.

— Isso não faz o menor sentido. Você já demonstrou que é capaz de desaparecer.

— É mais complicado do que simplesmente desaparecer. Tenho as minhas responsabilidades, responsabilidades com o meu país, que não têm nada a ver com você, porque não somos inimigos. Preciso fazer a limpeza e eliminar todos os motivos para que me persigam ou que me causem constrangimento no meu país.

Bell raciocinou depressa. Yamamoto estava confirmando o que suspeitara: que outro espião no lugar dele era o planejador que recrutara não só o assassino japonês, como também o sabotador alemão, e que conhecia muitos outros.

Yamamoto falou persistentemente.

— Discrição é sobrevivência. As derrotas e vitórias devem ser acompanhadas em silêncio, após o ocorrido, à distância.

Para salvar a própria pele, e sabe-se lá por que outros motivos, Yamamoto trairia o planejador. Como observara tão cinicamente o traiçoeiro Abbington-Westlake nessa mesma mesa: "Bem-vindo ao mundo da espionagem, senhor Bell".

— Como posso confiar em você?

— Vou dizer duas razões pelas quais pode confiar em mim. Primeira, não tê-lo matado, e eu poderia ter feito isso. Concorda?

— Poderia ter tentado.

— Segunda, aqui está a minha pistola. Estou passando a arma para você por baixo da mesa. Faça o que quiser.

Ele estendeu a pistola, com a coronha voltada para Bell.

— A trava de segurança está acionada? — indagou Bell.

— Está apontada para mim — replicou Yamamoto. — Agora vou me levantar, com sua permissão.

Bell aquiesceu.

Yamamoto levantou-se. Bell disse:

— Confiarei mais em você depois que me entregar aquela segunda pistola escondida no bolso lateral.

Yamamoto sorriu timidamente.

— Olhos atentos, senhor Bell! Mas, para lhe entregar a mercadoria, posso precisar dela.

— Nesse caso — disse Bell —, leve essa também.

— Obrigado!

— Boa caçada!

**

Tarde naquela noite, Yamamoto Kenta encontrou-se com o espião, em seu depósito à margem do rio em Alexandria, Virgínia.

— Seu plano de atacar a Grande Frota Branca em Mare Island — ele começou, com as palavras medidas e formais de um diplomata — não é do interesse do meu governo.

Fazia dois dias que chovia sem parar e o Rio Potomac estava subindo, inchado pela vasta bacia hidrográfica que drenava milhares de quilômetros quadrados de Maryland, Virgínia, Virgínia Ocidental, Pensilvânia e Washington, D. C. A corrente poderosa fazia o piso tremer. A chuva tamborilava sobre o teto gasto. Pelas goteiras, a água pingava dentro de um capacete virado de cabeça para baixo sobre a escrivaninha do espião, gotejava sobre o velho holofote atrás dele e escorria por sua lente.

O espião não conseguiu esconder seu espanto.

— Como descobriu isso?

Yamamoto deu um sorriso sutil.

— Talvez seja pela minha "aptidão natural para espionar e uma astúcia e autocontrole não encontrados no Ocidente" — seu sorriso congelou em uma linha rígida, os lábios tão apertados que o espião pôde ver seus dentes alinhados atrás dela.

— Não permitirei isso — continuou o japonês. — Você vai abrir um precedente entre o Japão e os Estados Unidos exatamente no momento errado.

— O precedente já está em andamento — disse o espião, brandamente.

— Que bem haverá nisso?

— Depende do seu ponto de vista. Do ponto de vista alemão, envolver o Japão e os Estados Unidos em um conflito criará oportunidades no Pacífico. Nem os britânicos lamentarão se a Marinha americana for forçada a concentrar seus couraçados na Costa Oeste. Eles poderiam até mesmo aproveitar a oportunidade para reocupar as Índias Ocidentais.

— Isso não interessa em nada para o Japão.

— Tenho amigos alemães e britânicos dispostos a me pagar por suas oportunidades.

— Você é ainda pior do que eu pensei.

O espião deu uma risada.

— Não está entendendo? A corrida internacional de couraçados representa oportunidades esplendorosas para um homem com estômago forte o bastante para aproveitá-las. As nações rivais pagarão o que for preciso para deter umas às outras. Sou um homem de vendas em um mercado vendedor.

— Você está jogando os dois extremos contra o meio.

O espião riu mais alto.

— Você me subestima, Yamamoto. Estou jogando *todos* os extremos contra o meio. Estou acumulando uma fortuna. O que vai me custar para deixá-lo de fora do meu jogo?

— Não sou um mercenário.

— Ah, tinha me esquecido! Você é um patriota — preguiçosamente, ele pegou uma grossa toalha preta que estava dobrada sobre o braço da sua cadeira. — Um espião cavalheiro, com princípios elevados. Mas um espião cavalheiro é como uma pistola que atira balas de festim: boa para dar a largada em corridas de bicicleta, e só para isso.

Yamamoto estava friamente seguro de sua posição.

— Não sou um espião cavalheiro. Sou um patriota como seu pai, que serviu ao seu Kaiser como eu sirvo ao meu imperador. Nenhum de nós venderia nosso país.

— Quer deixar meu pobre pai morto fora disso? — indagou o espião, cansado.

— Seu pai entenderia por que eu devo impedi-lo — Yamamoto tirou a pistola semiautomática Nambu do casaco, puxou habilmente o cão e apontou o cano curto para a cabeça do espião.

O espião olhou para ele com um sorriso débil.

— Está falando sério, Kenta? O que vai fazer, me entregar para a Marinha americana? Eles podem ter perguntas para você também.

— Tenho certeza de que teriam. E é por isso que vou entregá-lo para a Agência de Detetives Van Dorn.

— Para quê?

— Os agentes da Van Dorn vão cuidar de você até eu estar em segurança fora do país. *Eles* vão entregá-lo para a Marinha americana.

O espião fechou os olhos.

— Você está se esquecendo de uma coisa. Eu não tenho país.

— Mas eu sei de onde você vem, Olhos O'Shay. Senhor Brian "Olhos" O'Shay.

O espião esbugalhou os olhos. Ficou olhando para a toalha que tinha levado ao rosto. Ela jazia em suas mãos como uma oferenda.

Yamamoto vangloriou-se.

— Está surpreso?

— Estou muito surpreso — admitiu o espião. — Brian O'Shay não tem sido meu nome há muito tempo.

— Eu lhe disse, estou nesse jogo muito antes de você nascer. Ponha as mãos onde eu possa ver ou vou entregar ao pessoal da Van Dorn seu cadáver.

O espião fechou os olhos de novo.

— Você me assusta, Kenta. Estou meramente tentando enxugar a transpiração do meu rosto — ele apalpou a testa, depois pressionou a toalha preta o mais fortemente que pôde contra os olhos. Oculto aos seus pés estava um grosso cabo elétrico que ligava a entrada de energia da rua a um comutador de faca na posição de circuito aberto. A alavanca de metal articulada do comutador encontrava-se poucos centímetros acima do seu borne dentado. Ele bateu com o pé na manopla isolada da alavanca, fechando o circuito. Uma gorda centelha azul estourou como um tiro de pistola.

De trás dele, o holofote de 200 milhões de velas, capaz de iluminar navios inimigos a mais de dez quilômetros de distância, disparou um feixe como fogo branco nos olhos de Yamamoto. Era tão brilhante que o espião pôde ver os ossos das próprias mãos através das pálpebras, da toalha grossa e da sua pele e carne. Ele tostou as retinas de Yamamoto, cegando-o. O espião japonês caiu para trás, gritando.

O espião chutou o comutador para abri-lo de novo e esperou que a luz se apagasse, antes de tirar a toalha dos olhos e levantar-se, piscando para afastar os círculos rosados que giravam diante de seus olhos.

— Os comandantes da Marinha disseram-me que os holofotes defendem os contratorpedeiros melhor do que os canhões — disse, indiferente. — Posso informar que funcionam muito bem também com traidores.

Da gaveta da escrivaninha, ele tirou um exemplar dobrado do *Washington Post* e, de dentro dele, um cano de chumbo de 30 centímetros. Deu a volta na escrivaninha e contornou a cadeira caída. Era poucos centímetros apenas mais alto do que o franzino Yamamoto, que se contorcia no chão, mas era tão forte quanto três homens e movia-se com o propósito concentrado de um torpedo.

Levantou o cano de chumbo bem alto e golpeou a cabeça de Yamamoto. Um golpe foi mais do que suficiente.

Apalpou o interior dos bolsos de Yamamoto para ter certeza de que ele portava uma identificação e encontrou, na carteira dele, uma carta de apresentação de um museu japonês ao Smithsonian Institution. Perfeito! Deu uma busca no depósito até encontrar um colete salva-vidas de cortiça. Certificou-se de que a lona ainda estivesse resistente, depois passou os braços de Yamamoto pelo colete e amarrou-o firmemente.

Arrastou o corpo até o píer no lado do depósito em que a construção se projetava acima do Rio Potomac. Uma alavanca de madeira, que ficava à altura de seus ombros, liberava o alçapão no piso. Este abriu com um forte ruído. O corpo chocou-se contra a água. Em uma noite de chuva como aquela, o rio o levaria a quilômetros de distância.

Acabara o que tinha de fazer por ali. Estava na hora de deixar Washington. Deu a volta pelo depósito empoeirado, entornando os lampiões de querosene usados em furacões, que colocara lá para a hora da partida. Deu a volta de novo, acendendo fósforos e atirando-os sobre o querosene derramado. Quando as chamas alaranjadas começaram a brotar, saiu pela porta e caminhou para dentro da chuva.

33

Bell esperou o dia seguinte todo por notícias de Yamamoto. Toda vez que um telefone tocava ou a chave do telégrafo retinia, ele tinha um sobressalto, apenas para se recostar outra vez, desapontado. Havia algo errado. Não fazia sentido o japonês o trair. Ele se apresentara voluntariamente. Fora ele quem sugerira o acordo. À medida que a tarde transcorria, os telefones continuaram tocando o tempo todo.

De repente, o agente que se ocupava deles fez um sinal e Bell atravessou o escritório correndo.

— A operadora acabou de ligar. Mensagem de Scully.

— O quê?

— Tudo o que ele disse foi: “Grand Central, 15 horas e 30 minutos”.

Bell pegou o chapéu. Enigmático até mesmo para os padrões de Scully, o recado significava que o lobo solitário descobrira alguma coisa de importância vital ou que se encontrava em perigo.

— Continue esperando informações de Yamamoto. Se puder, telefono da Grand Central. Mas assim que Yamamoto der notícias, mande um mensageiro me avisar.

**

John Scully decidira que estava na hora de colocar Isaac Bell a par das informações. Para falar a verdade, admitia para si mesmo, enquanto procurava os telefones públicos na Grand Central, que até já passara da hora. Não conseguia encontrar a maldita coisa. A antiga estação ferroviária estava sendo derrubada para ser substituída por um imenso terminal novo e toda hora mudavam o lugar dos telefones. No local onde ficavam os telefones da última vez que os usara, havia um poço que permitia a vista das linhas lá embaixo, a mais de 1 metro e 80 de altura. Quando finalmente os encontrou, perdendo dez minutos no processo, falou à operadora:

— Agência de Detetives Van Dorn. Knickerbocker.

Um atendente uniformizado mostrou-lhe uma das cabines de madeira.

— Boa tarde! — ouviu o tom de voz musical de uma operadora escolhida pela voz bonita e clareza de ideias. — Está falando com a Agência de Detetives Van Dorn. Com quem gostaria de falar?

— Mensagem para Isaac Bell. Diga-lhe que Scully disse: "Grand Central, 3 horas e 30 minutos da tarde". Entendeu? "Grand Central, 3 horas e 30 minutos da tarde".

— Sim, senhor Scully!

Ele pagou ao atendente e saiu apressado em direção à linha designada para o 20th Century Limited. O terminal estava um caos. Trabalhadores por toda parte, enxameando sobre andaimes e batendo martelos em pedra, aço e mármore. Operários aglomeravam-se no saguão, empurrando carroças e carrinhos de mão. Entretanto, no portão temporário do Limited, ao lado do qual um quadro-negro informava chicago, os funcionários da empresa verificavam respeitosamente os bilhetes e seu famoso tapete vermelho já estava estendido, levando para o interior da plataforma. Era como se, uma vez que o passageiro alcançasse esta distância do famoso expresso de Chicago, seus problemas haviam se acabado.

— Jasper! Jasper Smith!

A pequena senhorita Gotas de Sedativo, do antro de ópio da casa de ópera, corria na direção dele em um elegante traje de viagem e um chapéu de aba larga ao estilo *viúva alegre*.

— Mas que coincidência maravilhosa! Graças a Deus eu o encontrei!

— Como sabia que eu estava aqui?

— Não sabia. Apenas vi você. Ah, Jasper, não sabia se voltaria a vê-lo um dia! Você saiu com tanta pressa ontem à noite.

Alguma coisa não batia. Ele olhou ao redor. Onde estava o namorado da Hip Sing? Já no trem? Então ele viu, atravessando os grupos de passageiros apressados, um carrinho de entrega de charutos empurrado por um chinês. E havia três carroções de entulhos de construção sendo empurrados por operários irlandeses. O carrinho e os carroções convergiam na direção deles como uma caravana formando um círculo para se defender de um ataque de índios.

— O que você está fazendo aqui? — Scully perguntou a ela.

— Vou tomar o trem — ela informou.

"Fiquei parado em frente àquela casa de ópera como um pato", pensou Scully. "Por tempo suficiente para a Hip Sing ficar de olho em mim".

Os irlandeses, empurrando o carroção, olhavam para ele. Seriam Gophers? Ou estariam admirando a linda garota que sorria para ele como se o adorasse?

Ou será que me viram com Harry Warren, reconhecendo-nos lá dentro? O chinês empurrando os charutos olhava na direção dele, inexpressivo. Seria o homem da machadinha da sociedade criminosa?

A passagem de trem! Ela me deixou encontrar a passagem de trem. Ela armou para me trazer aqui. Scully estendeu a mão às costas para pegar sua pistola Vest Pocket. Até mesmo a batida policial podia ser falsa. Poderiam ter pago os tiras para fazer uma batida para ele fugir com a garota.

Algo o atingiu na cabeça.

Uma bola de futebol quicou aos seus pés e um estudante de faculdade, grandão e sorridente, de casaco e gravata, apareceu correndo.

— Desculpe, senhor, não queríamos incomodar, só estávamos brincando.

Salvo! Salvo por um golpe de sorte que não merecia.

Seis robustos rapazes privilegiados brincando com uma bola enquanto corriam para pegar o trem tinham assustado o chinês da sociedade criminosa e os Gophers. Eles passaram correndo, desculpando-se e se oferecendo para cumprimentá-lo. De repente, ele e Katy estavam cercados, no meio de um tumulto. Mas só quando três dos universitários seguraram seus braços e a pequena Katy arrancou um dos alfinetes de aço de 30 centímetros do seu *viúva alegre* foi que Scully percebeu que a pequena senhorita Gotas de Sedativo o tapeara completamente.

**

Isaac Bell correu pelo local em construção, abarrotado de gente. Avistou um grupo de pessoas ao redor do portão de entrada para o 20th Century

Limited. Um policial gritava: "Para trás! Para trás!" e chamava um médico. Com uma sensação horrível de que fosse tarde demais, Bell abriu caminho à força para o meio do tumulto.

O policial tentou detê-lo.

— Van Dorn! — Bell gritou. — É um dos meus homens?

— Dê uma olhada.

John Scully estava caído de costas, os olhos fitando o vazio, as mãos dobradas sobre o peito.

— Parece que teve um ataque cardíaco — disse o policial. — É dos seus?

Bell ajoelhou-se ao lado dele.

— Sim.

— Sinto muito, senhor. Pelo menos ele descansou em paz. Provavelmente nunca soube o que o atingiu.

Isaac Bell espalmou a mão sobre o rosto de Scully e delicadamente fechou-lhe os olhos.

— Durma bem, meu amigo.

Um apito soou.

— Todos a bordo! — gritaram os condutores. — 20th Century Limited para Chicago. Tooodos a booordo!

Bell procurou nos bolsos de Scully. Dentro do casaco, havia um envelope com seu nome. Bell levantou-se e o abriu. Impresso em letras pretas, um bilhete do assassino:

Olho por olho, Bell.
Você mereceu o Weeks, então, não vamos contá-lo.
Mas você me devia pelo alemão.

— Senhor Bell! Senhor Bell! — um aprendiz da Van Dorn aproximava-se correndo, quase sem fôlego. — Cabograma do senhor Van Dorn.

Bell leu-o de um relance.

Yamamoto Kenta fora encontrado flutuando no Potomac.

Estava tudo perdido.

O detetive alto ajoelhou-se novamente ao lado do amigo e retomou metodicamente a busca em seus bolsos. No colete de Scully, ele encontrou uma passagem de trem para o 20th Century Limited, com baldeação em São Francisco.

— Booordo! Todos a boo…

O aviso final do condutor foi engolido pelo sinal de "À frente", emitido pelo maquinista com um majestoso sopro duplo de seu apito. Isaac Bell levantou-se, pensando furiosamente. John Scully devia estar seguindo um espião ou sabotador suspeito, que se dirigia para São Francisco, onde a Grande Frota Branca seria reabastecida antes de cruzar o Oceano Pacífico.

Ele falou asperamente ao aprendiz da Van Dorn, que fitava, com olhos arregalados, o detetive caído.

— Olhe para mim, filho!

O garoto desviou o olhar de Scully.

— Precisamos fazer muita coisa e você é o único agente da Van Dorn aqui que pode ajudar. Investigue todas as testemunhas. Aqueles trabalhadores ali, aqueles caras chineses com o carroção e aqueles sujeitos perambulando por ali. Alguém viu alguma coisa. Este policial vai ajudá-lo, não vai?

— Farei o que for possível — disse o policial, hesitante.

Bell colocou algumas notas na mão dele.

— Segure essa gente aqui, enquanto este jovem cavalheiro telefona para a sede da Van Dorn e pede a ajuda de todos os agentes disponíveis. Vá logo, filho! Depois volte direto para cá e mãos à obra. Lembre-se, as pessoas ficam felizes em falar se você lhes der uma chance.

O piso tremeu. O 20th Century Limited partia para Chicago.

Isaac Bell disparou para a plataforma, correu ao longo do tapete vermelho do trem expresso e depois saltou.

A FROTA

34

1º de maio de 1908
Rumo ao Oeste no 20th Century Limited

— **Isso pede um drinque** — disse o espião.

Uma bebida especial em homenagem a Isaac Bell.

Pouco antes de a linha telefônica ser desconectada, quando o 20th Century Limited deixou a estação Grand Central, Katherine Dee informara que John Scully tinha ido para aquela parte do reino reservada aos detetives da Van Dorn. Ele colocou o fone no gancho e fez sinal ao garçom do vagão de observação.

— Seu barista sabe como preparar um coquetel Yale?

— Com certeza, senhor.

— Será que ele tem *Crême Yvette*? — indagou o espião, seriamente.

— É claro, senhor.

— Traga-me um, então... Ah, e sirva a estes cavalheiros o que quiserem também — acrescentou ele, indicando uma dupla de homens de negócios de papada rosada, de Chicago, que lhe lançava olhares indignados.

— Desculpem, cavalheiros, espero não ter atrapalhado nenhum telefonema importante de última hora.

A oferta de uma bebida gratuita foi apaziguadora e um deles admitiu:

— Só ia ligar para o escritório para informar que estou no trem.

O amigo disse:

— Acho que eles vão imaginar isso quando você não os procurar para se lamentar por tê-lo perdido — os viajantes próximos riram e repetiram a piada para os que não a ouviram.

— Veja! Lá está um sujeito que quase perdeu.

— Ele deve ter saltado!

— Ou voado!

O espião relanceou o olhar para os fundos do vagão. Um homem alto, de terno branco, avançava da entrada traseira.

— Talvez ele não tenha passagem, decidiu pegar uma carona.

— Ali vai o condutor... Caindo em cima dele como um cão de caça.

— Guarde meu coquetel — disse o espião. — Acabei de me lembrar que preciso ditar uma carta.

O 20th Century Limited fornecia um estenógrafo, sem nada cobrar por isso. Ele se afastou rapidamente para a mesa portátil do profissional à frente do vagão de observação, levantou a gola do casaco, baixou a aba do chapéu e sentou-se de costas para o detetive.

— Quanto tempo para que a carta que eu ditar seja enviada?

— Quarenta minutos. Saio em Harmon, quando paramos para trocar a locomotiva elétrica por uma a vapor — ele estendeu a mão para um envelope timbrado, "via 20th century". — A quem devo endereçá-la, senhor?

— K. C. Dee, Plaza Hotel, Nova York.

— Será recebida esta noite — o estenógrafo endereçou o envelope, pegou uma folha de papel de carta e posicionou a caneta.

O trem ia acelerando até tomarem o ramal para fora da cidade. Paredes de pedra lançavam sombras, escurecendo as janelas, fazendo o vidro espelhar o interior do vagão lotado. O espião observou o reflexo claro de Isaac Bell atrás de si. O condutor comportava-se solicitamente e ficava claro que, com passagem ou não, Bell era um passageiro bem-vindo.

— Quando quiser começar, senhor — lembrou o estenógrafo.

Ele esperou que Bell e o condutor passassem para o vagão seguinte.

— Querida K. C. Dee — ele começou. Calculara mal a reação de Bell ao assassinato do seu colega detetive e subestimara a rapidez com que o pessoal da Van Dorn reagia quando provocado. Felizmente, deixara Katherine Dee pronta para acelerar os acontecimentos. Era simplesmente uma questão de acioná-la mais cedo.

— Ponto, senhor?

— Parece que nosso cliente não recebeu nossa última remessa — ele disse. — Novo parágrafo. É imperativo que faça uma viagem pessoal a Newport, Rhode Island, hoje à noite, para resolver a situação.

* *

Isaac Bell apresentara a passagem de Scully para o leito de número 5, no vagão Pullman número 6, e pagou um acréscimo por uma cabina. Informado de que todos os espaços disponíveis estavam vendidos, ele apresentara seu passe ferroviário, assinado pelo presidente da companhia concorrente, mas os titãs adversários sempre acomodavam os mútuos protegidos.

— É claro, senhor Bell. Felizmente, temos uma suíte da empresa vaga.

Na privacidade da cabine forrada de pau-rosa, Bell deu uma gorjeta generosa ao condutor.

— Com esse passe especial, não é preciso gorjeta para receber um bom serviço, senhor Bell — disse o condutor de trem, William Dilber, a mão, não obstante, fechando-se como uma armadilha de rato sobre as moedas de ouro.

Isaac Bell não precisava de serviço. Precisava de um aliado solícito. Tinha menos de dezoito horas, até o 20th Century Limited chegar a Chicago, para descobrir quem matara Scully. Não embarcariam mais passageiros entre Nova York e Chicago, a não ser os detetives da Van Dorn.

— Senhor Dilber, quantos passageiros seu trem está transportando?

— Cento e vinte e sete.

— Um deles é um assassino.

— Um assassino — repetiu o condutor, tranquilamente.

Bell não se surpreendeu. Como capitão do trem expresso luxuoso mais avançado do momento, William Dilber era um sobrevivente inabalável diante de descarrilamentos, magnatas insatisfeitos e Pullmans cobertos de neve.

— Quer ver a lista de passageiros, senhor Bell? Estou com ela aqui.

Ele a tirou da sua túnica azul imaculada.

— Conhece muitos dos passageiros?

— A maioria. Muitos são assíduos. A maioria de Chicago. Homens de negócios que vão e vêm de lá para Nova York.

— Isso pode ajudar. Pode indicar os que não conhece?

O condutor apontou nome por nome, com um dedo cuja unha estava perfeitamente aparada. Realmente, conhecia a maioria, pois o 20th Century Limited era, em grande parte, um clube particular em movimento. A tarifa expressa mais cara restringia seu público a uma minoria de passageiros extremamente abastada, e o trem percorria uma rota limitada, entre Nova York e Chicago, que estava sempre lotada e raramente recebia passageiros das estações intermediárias. Bell viu nomes bem conhecidos no meio empresarial, políticos e industriais, além de alguns atores famosos em apresentações itinerantes. Observou os nomes daqueles poucos que Dilber não conhecia.

— Estou especialmente interessado em estrangeiros.

— Temos o pequeno punhado de costume. Eis aqui um inglês.

— Arnold Bennett. O escritor?

— Acho que faz uma viagem de palestras. Segue na companhia desses dois chineses, Harold Wing e Louis Loh. São estudantes missionários, de um seminário inglês, acredito. O senhor Bennett fez questão de me informar pessoalmente que é o protetor deles em caso de alguém lhes causar problemas. Eu disse a ele que, para mim, tanto fazia, desde que pagassem a passagem.

— Ele disse de que os estaria protegendo?

— Lembra-se daquele assassinato no mês passado na Filadélfia? A garota e toda aquela conversa sobre escravidão branca nos jornais? A polícia está seguindo e observando alguns chineses a ferro e fogo.

O condutor de trem Dilber continuou a comentar a lista.

— Não conheço este cavalheiro alemão, *Herr* Shafer. A passagem dele foi reservada pela Embaixada da Alemanha.

Bell tomou nota.

— Eis aqui um que *eu* conheço — disse o detetive. — Rosania, se estiver viajando com o próprio nome. Mas não pode ser, um sujeito elegantemente vestido na casa dos 40?

— É ele mesmo. Enxuto como um anúncio de revista.

— O que estão transportando no vagão expresso?

— A quantidade usual de cédulas bancárias. Por que pergunta?

— O sujeito é um mago no uso da nitroglicerina.

— Um ladrão de trens? — o condutor perguntou, menos inabalável.

Bell abanou a cabeça.

— Não como norma. Rosania geralmente prefere mansões em que possa entrar para explodir o cofre com as joias, depois de todos terem ido para a cama. Ele é um mestre em sua arte. É capaz de detonar uma explosão em uma biblioteca sem que ela seja ouvida no andar de cima. Mas, segundo a última notícia que tive dele, estava na prisão estadual de Sing Sing. Não se preocupe, vou trocar uma palavrinha com ele para me inteirar dos acontecimentos.

— Seria muito bom, senhor! Agora, esse australiano. Algo me diz que ele está com problemas... Não que tenha demonstrado, mas ouvi, de passagem, sua conversa sobre a venda de uma mina de ouro e me pareceu que era um trapaceiro metido em confusão. Ficarei de olho nele no vagão-salão, caso participe de alguma partida de baralho.

— E tem *outro* que eu conheço — disse Bell. — Engraçado... — Bell apontou para o nome.

— *Herr* Riker. Ah, sim!

— Conhece?

— O mercador de diamantes. Ele é assíduo, a cada dois meses mais ou menos. É amigo seu?

— Nos conhecemos recentemente. Nos encontramos duas vezes.

— Acho que está viajando com seu guarda-costas. Sim, esse camarada aqui, Plimpton. Um brutamontes grande demais para uma cama de trem. Riker ocupa sua cabine de costume. Admito que há algo trancado no vagão expresso que é de propriedade de Riker — ele continuou analisando a lista. — Nenhuma menção à sua protegida.

— Que protegida?

— Uma mocinha adorável. Mas, não, ela não está inscrita para esta viagem. Pena!

— O que quer dizer?

— Nada, senhor. Quer dizer, ela é uma dessas garotas difíceis de esquecer.

— Riker parece jovem para ter alguém sob sua tutela.

— Ela é apenas uma estudante… Ah, entendo o que quer dizer! Não tenha dúvida quanto a isso, senhor. Vejo todo tipo de casal que possa imaginar no Limited. Riker e sua pupila são completamente acima de suspeita. Ocupam sempre cabines separadas.

— Vizinhas? — indagou Bell, que sempre reservava duas cabines quando viajava com Marion.

— Não é o que imagina. A gente aprende a enxergar essas coisas no 20th Century, senhor Bell. Eles não formam esse tipo de casal.

Bell resolveu investigar isso. A Pesquisa não fizera nenhuma menção a uma pupila.

— Qual é o nome dela?

— Só a conheço como senhorita Riker. Talvez a tenha adotado.

O trem seguia a uma velocidade de 90 quilômetros por hora, e os postes de quilometragem passavam voando pelas janelas. No entanto, assim que o condutor terminava de consultar a lista de passageiros, a 40 minutos de Nova York, Bell sentiu a locomotiva diminuir a velocidade.

— Harmon — explicou o condutor, olhando as horas em seu relógio Waltham. — Vamos trocar a elétrica por outra a vapor e depois seguiremos mais rápido, mais de 6 quilômetros em 3 minutos.

— Vou trocar uma palavrinha com meu velho conhecido da nitroglicerina e descobrir o que ele planejou para seu vagão expresso.

Enquanto trocavam as locomotivas, Bell telegrafou para a Van Dorn, perguntando sobre o alemão, o australiano, os chineses que viajavam com Arnold Bennett e sobre a pupila de *Herr* Riker. Enviou também um cabograma ao capitão Falconer:

INFORME FILHA DO ARTILHEIRO QUE ASSASSINO MORTO.

Um singelo vislumbre de justiça em um dia desprovido de alegria. A morte de Yamamoto poderia confortar Dorothy Langner, mas dificilmente seria considerada uma vitória. O caso, já tumultuado pelo assassinato de Scully, estava completamente desarticulado com a morte do espião japonês, que chegara muito perto de entregar a Bell sua verdadeira fonte de informações.

O detetive tornou a embarcar no 20th Century.

A locomotiva a vapor, de rodas altas, Atlantic 4-4-2, ganhou rapidamente velocidade e disparou rumo ao Norte pela margem do Rio Hudson. Bell seguiu para a frente do trem. O vagão-salão era equipado com poltronas confortáveis. Os homens fumavam, bebiam coquetéis e esperavam a vez no barbeiro e na manicure.

— Larry Rosania, que curioso encontrá-lo aqui!

O ladrão de joias levantou os olhos de um jornal com manchetes sobre a Grande Frota Branca, que se aproximava de São Francisco. Ele olhou por cima da armação de ouro dos óculos de leitura e fingiu não reconhecer o detetive alto e de cabelos dourados, que usava um terno branco. Seus modos eram elegantes, a voz, aristocrática.

— Fomos apresentados, senhor?

Bell sentou-se, sem ser convidado.

— Da última vez que tive notícias suas, meus velhos camaradas, Wally Kisley e Mack Fulton, haviam lhe garantido uma longa hospedagem em Sing Sing.

À menção dos amigos de Bell, Rosania deixou cair a fachada.

— Lamentei saber da morte deles, Isaac. Eram pessoas interessantes e detetives honestos, em um mundo carente das duas coisas.

— Agradeço pela consideração. Como conseguiu sair: explodindo algum muro da prisão?

— Não ficou sabendo? Recebi um indulto do governador. Gostaria de vê-lo?

— Sim — disse Isaac Bell. — Muito.

O afável arrombador de cofres tirou do casaco uma carteira elegante e costurada à mão. Dela retirou um envelope, ornado com o desenho de folhas em relevo dourado, e, do envelope, desdobrou uma folha de papel pergaminho com o selo do governador do estado de Nova York no alto e o nome de Rosania em arabescos rebuscados, como se tivesse sido ornamentado por monges.

— Admitindo, por ora, que isso não seja uma falsificação, importa-se de eu perguntar como foi que conseguiu esse indulto?

— Se lhe contasse, não acreditaria.

— Tente.

— Quando tinha 12 anos de idade, ajudei uma senhora delicada a atravessar a rua. Acabou se revelando de que se tratava da mãe do governador, antes de ele se eleger governador. Ela nunca esqueceu a minha gentileza. Eu disse que não acreditaria em mim.

— Para onde está indo, Larry?

— Com certeza você já deve ter conferido a lista de passageiros. Sabe perfeitamente bem que vou para São Francisco.

— O que pretende explodir por lá?

— Vou ser direto, Isaac. Não quero mais saber de cofres.

— O que quer que esteja fazendo, você sempre faz bem — observou Bell. — Esse trem não é de se jogar fora.

— Vou lhe dizer a verdade — falou Rosania. — Não vai acreditar nessa também, mas conheci uma viúva que acredita que o Sol e a Lua giram em torno de mim. Uma vez que ela herdou mais dinheiro do que eu poderia roubar em toda a minha vida, não pretendo impedir que ela continue pensando assim.

— Posso informar ao condutor do trem que o vagão expresso está seguro?

— Seguro como uma residência. O crime não compensa. E quanto a você, Isaac? Indo para a filial de Chicago?

— Na verdade, estou procurando alguém — disse Bell. — E aposto que até mesmo ladrões de joias aposentados são ótimos observadores dos outros passageiros num trem de luxo. Por acaso reparou em estrangeiros que poderiam me interessar?

— Diversos. Na verdade, um deles está bem aqui, nesse vagão.

Rosania inclinou a cabeça em direção ao fundo do vagão-salão e baixou a voz.

— Um alemão que finge ser um vendedor. Se for, é o caixeiro-viajante mais desagradável que já conheci em toda a minha vida.

— O de pescoço duro, que parece um oficial prussiano? — Bell notara Shafer no caminho para o vagão-salão. O alemão tinha cerca de 30 anos, vestia-se com roupas caras e exalava um ar francamente inamistoso.

— Você compraria alguma coisa de um sujeito desses?

— Nada de que não precisasse. Mais alguém?

— Fique atento àquele australiano malvestido que diz estar vendendo uma mina de ouro.

— O condutor reparou nele também.

— Ninguém engana um bom condutor de trem.

— Ele não reparou em você.

— Já lhe disse, eu mudei de vida.

— Ah, tinha me esquecido! — Bell sorriu com ironia. Depois, perguntou: — Conhece um importador de pedras preciosas chamado Erhard Riker?

— *Herr* Riker, nunca me envolvi com ele.

— Por que não?

— Pelo mesmo motivo que jamais sonharia em explodir o cofre de Joe Van Dorn. Riker mantém o próprio serviço de proteção.

— O que mais sabe sobre ele?

— Do meu ponto de vista *anterior*, isso era tudo de que precisava saber.

Bell levantou-se.

— Interessante encontrar com você, Larry.

De repente, Rosania pareceu embaraçado.

— Na verdade, se não se importa, agora prefiro ser chamado de Laurence. A viúva gosta de me chamar de Laurence. Diz que é mais refinado.

— Quantos anos tem a viúva?

— Vinte e oito — admitiu Rosania, cheio de si.

— Meus parabéns!

Assim que Bell virou-se para se afastar, Rosania o chamou.

— Espere um minuto — de novo, abaixou a voz. — Viu aqueles chineses? São dois deles a bordo.

— O que há de errado?

— Não confiaria neles.

— Pelo que sei, são seminaristas.

Laurence Rosania aquiesceu, com conhecimento de causa.

— Um religioso, um pregador, é um "homem invisível". Quando fiz esse jogo de seminarista e as senhoras me levavam às casas delas, para conhecer as sobrinhas e as netas, os cavalheiros que eram os donos das mansões me viam como parte da mobília.

— Obrigado pela ajuda! — disse Bell, já decidido, assim que o trem parasse para trocar de locomotiva em Albany, a enviar um telegrama ao diretor de Sing Sing, recomendando uma recontagem do efetivo de presidiários.

Retornou pelo vagão-salão, observando o alemão. O traje elegante do europeu disfarçava muito bem sua compleição avantajada. O homem sentava-se com a cabeça erguida, ereto como um oficial de cavalaria.

— Boa tarde! — cumprimentou Bell.

Herr Shafer retribuiu com um olhar frio, em silêncio, e Bell recordou-se de que Archie lhe dissera que, entre os súditos alemães do Kaiser Guilherme, tanto homens quanto mulheres, era obrigatório ceder o assento no trem aos oficiais militares. Eles que tentassem isso aqui, pensou Bell, e levariam um soco no nariz. Tanto de homens *quanto* de mulheres.

Seguiu em direção ao fundo do trem, atravessando os seis vagões Pullman e os vagões de cabines privativas, até achegar ao vagão de observação. Lá, os passageiros tomavam coquetéis enquanto o Sol poente avermelhava o céu do outro lado do Rio Hudson. Os seminaristas chineses usavam trajes inteiramente pretos, idênticos, cada um com uma saliência indicando uma Bíblia próxima ao coração. Sentavam-se na companhia de um inglês barbado, em um terno axadrezado, que Bell presumiu que fosse o protetor deles, o jornalista e romancista inglês Arnold Bennett.

Bennett era um homem de aparência rude, com uma constituição robusta e avantajada. Parecia um pouco mais jovem do que Bell imaginara, com base nos artigos que lera na revista *Harper's Weekly.* Falava sem parar, a um público enlevado de homens de negócios de Chicago, sobre os prazeres de viajar pelos Estados Unidos e, pelo que ouviu, Bell teve a nítida impressão de que o escritor experimentava frases para seu próximo artigo.

— Qualquer um teria orgulho em dizer: "Este é o trem dos trens e tenho uma cabine cativa nele".

Um vendedor, com a voz possante como a do Ted Whitmark, de Dorothy Langner, zurrou:

— Este é o melhor trem do mundo, sem comparação.

— O Broadway Limited não passa nem perto — comentou um companheiro do primeiro vendedor.

— O Broadway Limited é para o pessoal da velha guarda — ironizou o vendedor. — O 20th Century é para os homens de negócios de sucesso. É por isso que o pessoal de Chicago gosta tanto dele.

Com uma facilidade estudada, Arnold Bennett apoderou-se da conversa outra vez.

— Os confortos dos americanos nunca deixam de surpreender. Sabiam que o ventilador elétrico, ao lado da minha cama, tem três velocidades? Fico imaginando que outros tipos de entretenimento são oferecidos durante a noite…

Os vendedores de Chicago caíram na risada, dando tapas nas coxas, e gritaram para o garçom trazer mais bebida. Os chineses sorriram sem convicção e Isaac Bell imaginou o quanto entenderiam da conversa travada em inglês. Será que aqueles jovens magros ficavam intimidados na presença de americanos grandes e barulhentos? Ou meramente envergonhados?

Quando Bennett, com um gesto pomposo, retirou um cigarro de um estojo dourado, um seminarista acendeu um fósforo e o outro posicionou um cinzeiro. Pareceu a Bell que Harold Wing e Louis Loh preenchiam funções duplas, como protegidos do jornalista e, também, como criados.

O trem, ao se avizinhar de Albany, atravessou o Rio Hudson por um viaduto alto, que permitia avistar, lá embaixo, os navios a vapor completamente iluminados. A composição parou no pátio de manobras. Enquanto os guarda-freios da New York Central retiravam a locomotiva e acoplavam outra a um vagão-restaurante para a refeição noturna, Isaac Bell enviava e recebia telegramas. A nova locomotiva, uma Atlantic 4-4-2 com rodas manobráveis ainda mais altas do que a anterior, já estava em movimento quando ele saltou de volta a bordo e fechou-se na cabine.

No breve período desde que enviara os telegramas de Harmon, o pessoal da Pesquisa não descobrira nada sobre o alemão, o australiano ou os chineses que viajavam com Arnold Bennett, nem sobre a pupila de *Herr* Riker. Mas o pessoal da Van Dorn que acorrera à estação Grand Central começara a montar o quebra-cabeça com os depoimentos das testemunhas do assassinato de Scully. Os detetives não encontraram ninguém que dissesse ter visto o alfinete de chapéu ser enterrado na cabeça de John Scully, o que demonstrava que o assassinato fora coordenado com precisão militar.

Até o momento, sabia-se o seguinte: um chinês que entregava charutos para os trens de partida relatara ter visto Scully se aproximar correndo da plataforma do 20th Century. O detetive parecia estar procurando alguém.

Os operários irlandeses que recolhiam os escombros da demolição disseram que Scully conversava com uma ruiva bonita. Achavam-se tão próximos que estavam certos de que ela tinha a mesma procedência deles.

O policial só se aproximara depois que uma multidão se formara ao redor do incidente, mas um viajante do interior de Nova York testemunhara um tumulto de universitários ao redor de Scully e da ruiva: "Como se ele estivesse dentro de uma formação em cunha".

Então, os universitários se afastaram e Scully jazia estendido no chão.

Para onde eles foram?

Para todos os lados, como gelo derretido.

Como eram eles?

Alunos de faculdade.

"Fizeram um bom trabalho com ele", escrevera Harry Warren no telegrama a Bell. "Não dá para saber o que o atingiu."

Bell, lamentando a perda do amigo, duvidou disso. Até mesmo os melhores homens podiam ser enganados, é claro; no entanto, Scully era perspicaz, tinha o olhar aguçado, ele saberia se fosse enganado. Tarde demais para se salvar, infelizmente. Mas Bell apostava que ele sabia, nem que fosse em seu último suspiro.

Harry Warren chegou a especular se a garota vista com Scully não seria a mesma ruiva que vira no antro de ópio da Hip Sing, onde os detetives se encontraram inadvertidamente. As descrições das testemunhas na Grand Central eram genéricas demais para afirmar com certeza. Uma bela garota ruiva, como outras mil em Nova York, cinco... Dez mil! Mas nem as roupas nem a maquiagem condiziam com os trajes e a espessa camada de pintura usados pela garota que Harry vira no salão de jogos e de drogas em Chinatown.

Bell tirou do bolso o bilhete provocante do espião e o leu-o novamente.

Olho por olho, Bell.
Você mereceu o Weeks, então, não vamos contá-lo.
Mas você me devia pelo alemão.

O espião admitia que tanto Weeks quanto o alemão atuavam sob suas ordens, o que pareceu, a Bell, um comportamento temerário em uma atividade profissional em que a discrição significava sobrevivência e as vitórias deveriam ser comemoradas do modo mais sereno possível. Não era capaz de imaginar o frio Yamamoto ou até mesmo o presunçoso Abbington--Westlake como autores de um bilhete desse tipo.

O espião também parecia enganado. Será que realmente acreditava que Isaac Bell e toda a Agência Van Dorn ignorariam seu ataque? Ele praticamente apostava em um revide.

Bell dirigiu-se ao vagão-restaurante esperando encontrar uma vaga em alguma mesa.

As mesas eram dispostas com lugares para duas e quatro pessoas, e o costume era sentar-se em qualquer uma, onde houvesse lugar. Ele viu que Bennett e seus chineses tinham um lugar vago em sua mesa para quatro. Como no vagão de observação, anteriormente, o espirituoso escritor regalava as mesas vizinhas enquanto seus protegidos, solenes, sentavam-se sem pronunciar uma palavra. O alemão, Shafer, comia em um silêncio rígido, à frente de um caixeiro-viajante americano que tentava, sem o menor sucesso, iniciar uma conversa. O australiano encontrava-se em outra mesa para dois, conversando seriamente com o companheiro de mesa, vestido como se pudesse pagar pela compra de uma mina de ouro. Em outra mesa para dois, Laurence Rosania conversava longamente com um homem mais jovem, em trajes elegantes.

Bell escorregou uma nota na mão do *maître*.

— Gostaria de me sentar naquele lugar vazio à mesa do senhor Bennett.

No entanto, no momento em que o *maître* o conduzia à mesa do escritor, Bell ouviu um comensal gritar em sua direção.

— Bell! Isaac Bell. Imaginei que fosse você.

O comerciante de pedras preciosas Erhard Riker levantou-se de sua mesa, levando o guardanapo aos lábios e estendendo a mão.

— Outra coincidência, senhor? Parece que elas se repetem conosco! Está sozinho? Se importaria em me acompanhar?

Os chineses teriam de esperar. A relação de passageiros indicava que eles fariam a baldeação em São Francisco, enquanto Riker trocaria de trem, pela manhã, para Atchison, Topeka, pelo California Limited de Santa Fé.

Eles apertaram as mãos. Riker indicou a cadeira vazia à sua frente. Bell sentou-se.

— Como vai sua caça ao diamante?

— Parece que encontrei uma esmeralda própria de uma rainha, ou até mesmo de uma deusa. Ela estará esperando por nós quando eu voltar a Nova York. Só podemos rezar para que a senhora goste dela — acrescentou com um sorriso.

— Para onde está indo?

Riker olhou ao redor para se assegurar de que não o escutavam.

— San Diego — sussurrou. — E você?

— São Francisco. O que há em San Diego?

De novo, Riker olhou ao redor.

— Turmalinas cor-de-rosa — sorriu, com modéstia. — Desculpe o zelo excessivo. O inimigo tem espiões em toda parte.

— Inimigo? Que inimigo?

— A Tiffany & Company está tentando se apoderar da carga de turmalinas em San Diego porque Tz'u-hsi, a viúva do imperador da China, uma déspota excêntrica com toda a riqueza da China à sua disposição, adora as turmalinas cor-de-rosa de San Diego. Gosta de usá-las em incrustações, botões e coisas do gênero. Depois que começou a se interessar pela turmalina cor-de-rosa, fez surgir um novo mercado. A Tiffany tenta dominá-lo — ele abaixou ainda mais a voz. Bell inclinou-se para ouvi-lo. — Isso criou oportunidades esplêndidas para um comerciante de pedras preciosas independente, capaz de lançar mão das melhores peças antes dos outros. É um verdadeiro "salve-se quem puder" no mercado de pedras preciosas, senhor Bell — ele acrescentou uma piscadela ao seu sorriso, e Bell não sabia se o levava a sério.

— Não sei nada sobre o comércio de joias.

— Com certeza um detetive tem contato com joias, ao menos com as que são roubadas.

Bell encarou-o, sério.

— Como soube que sou um detetive?

Riker deu de ombros.

— Quando me disponho a procurar uma joia de valor, sempre investigo se o cliente pode pagar por ela ou se meramente *deseja* poder pagar.

— Os detetives não são ricos.

— Os que herdam fortunas bancárias de Boston são, senhor Bell. Perdoe se pareço me intrometer em sua privacidade, mas acho que entende que coletar informações sobre meus clientes é uma parte necessária do negócio. Minhas operações são modestas. Não posso me permitir gastar semanas em busca de pedras para um cliente que se revele com olhos maiores do que a barriga.

— Compreendo — disse Bell. — Imagino que entenda por que não faço muito alarde disso.

— É claro, senhor! Seus segredos estão seguros comigo. No entanto, quando descobri quem era, fiquei imaginando como um detetive tão bem-sucedido consegue evitar o sensacionalismo.

— Fugindo das câmeras e dos retratistas.

— Mas, teoricamente, quanto mais criminosos captura, mais famoso se torna.

— Quem sabe... — disse Bell. — Apenas entre os criminosos atrás das grades.

Riker deu uma risada.

— Bem observado, senhor. Veja, estou falando demais. O garçom está esperando. Vamos pedir nosso jantar.

Atrás de si, Bell ouviu Arnold Bennett anunciar:

— Esta é a primeira vez que janto à *la carte* em um trem. Um jantar excelente, bem servido e com muita gentileza. O carneiro estava irrepreensível.

— Eis aí um elogio de peso — disse Riker. — Talvez devesse experimentar o carneiro.

— Nunca conheci um inglês que entendesse o mínimo de boa comida — replicou Bell, e perguntou ao garçom: — Ainda estamos na temporada do sável?

— Sim, senhor! Como quer que o peixe seja preparado?

— Grelhado. E pode reservar algumas ovas dele para o café da manhã?

— Será outro vagão-restaurante pela manhã, senhor. Engatado em Elkhart. Mas vou deixar uma porção no gelo com o condutor do Pullman.

— Peça duas porções — disse Riker. — Sável à noite e ovas de sável pela manhã. O que me diz, Bell, devemos dividir uma garrafa de vinho do Reno?

Depois que o garçom os deixou, Bell comentou:

— Seu inglês é admirável, como se o tivesse falado a vida inteira.

Riker deu uma risada.

— Aprendi inglês à força em Eton. Meu pai me mandou à Inglaterra para o curso preparatório, antes da faculdade. Achava que seria bom para os negócios se tivesse de tratar com outras pessoas além dos nossos compatriotas alemães. Mas me diga uma coisa; falando de pais, como consegue ficar de fora dos negócios bancários da família?

Ciente de que os relatórios da Van Dorn davam conta de que o pai de Riker fora morto durante a Guerra dos Bôeres, Bell respondeu evasivamente, mantendo certa distância.

— Meu pai era e ainda é responsável por tudo — olhou com curiosidade para Riker, e o alemão disse:

— Eu o invejo. Não tive essa escolha. Meu pai morreu na África enquanto eu ainda terminava a faculdade. Se não tivesse assumido os negócios, a empresa teria se arruinado.

— Pelo que entendi dos comentários do joalheiro, parece que conseguiu se superar.

— Meu pai me ensinou todos os truques do negócio e mais alguns que ele próprio inventou. Além disso, ele era bem relacionado com as fábricas e as oficinas. Seu nome ainda abre portas, especialmente aqui nos Estados Unidos, em Newark e Nova York. Não ficaria surpreso se me deparasse com velhos camaradas dele em San Diego — ele piscou de novo. — Seja como for, os compradores da Tiffany precisarão ter sorte para sair com algum filão nas mãos.

* *

O espião recuperara-se por completo do choque inicial de ver Bell surgir inadvertidamente a bordo do 20th Century Limited, na estação Grand Central. Katherine Dee logo estaria mexendo os pauzinhos em Newport, enquanto ele invertia a inesperada presença no trem a seu favor. Acostumara-se a tratar com agentes do governo — ingleses, franceses, russos, japoneses — além dos diversos representantes da Inteligência Naval, incluindo os americanos, e tinha uma opinião depreciativa da sua capacidade. No entanto, o detetive particular era um novo problema, que, tarde demais, viera a perceber como merecedor de uma observação cuidadosa antes de tomar alguma iniciativa.

Fora bom ter ordenado a morte do detetive John Scully. O choque custaria caro a Isaac Bell, ainda que o detetive alto o escondesse bem, deslocando-se pelo trem como se fosse seu dono. Deveria matar Bell também? Parecia necessário. A questão era: quem o substituiria? O amigo de Bell, Abbott, voltara da Europa. Um adversário agressivo também, pelo que pudera apurar, embora não à altura de Bell. Será que o formidável Joseph Van Dorn entraria pessoalmente em cena? Ou permaneceria acima da refrega? A agência dele tinha abrangência nacional, com um rol diversificado de colaboradores. Deus sabe quem o esperaria nas sombras…

Por outro lado, refletiu com um sorriso, era improvável que Deus soubesse de todos os que *ele* mantinha esperando nas sombras.

35

— **Continuamos investigando** os chineses que viajam na companhia de Arnold Bennett. Isso talvez leve algum tempo. O mesmo se aplica a Shafer, o alemão. A Pesquisa não conseguiu encontrar nada a respeito deles, mas, como disse, senhor Bell, parece estranho a embaixada ter reservado passagens para um vendedor.

Na privacidade da cabine de Bell, o agente da Van Dorn apressava-se com o relatório enquanto o trem permanecia parado em Syracuse, para acoplar uma nova locomotiva e retirar o vagão-restaurante.

— Sing Sing confirmou a história de Rosania.

Rosania fugira, mas fora libertado, como afirmava, pelo governador. O australiano que se dizia minerador de ouro era, na realidade, um trapaceiro canadense que costumava aplicar o golpe da mina de ouro nas ferrovias do Oeste, onde podia mostrar imagens de terras de mineração sem valor "temperadas" com paredes de rocha "dinamitadas" por projéteis de espingarda feitos de ouro.

O apito da locomotiva assinalou a partida iminente.

— Preciso ir!

Bell disse:

— Quero que providencie um telefone interurbano que me ligue diretamente ao senhor Van Dorn, na nossa próxima parada, em East Buffalo.

Duas horas depois, quando pararam para nova troca de locomotivas, em um campo de manobras fortemente iluminado e barulhento em East Buffalo, um detetive da Van Dorn aguardava para levar Bell ao escritório do chefe da estação. Bell indagou-lhe sobre as últimas notícias enquanto os operadores do telefone interurbano completavam as ligações.

— Até onde pudemos apurar entre todas as testemunhas, Scully conversava com uma ruiva bem-vestida. Uma bola de futebol voou pelos ares e o acertou no ombro. Os universitários que corriam por ali o cercaram, se desculpando. Alguém gritou que o trem se preparava para partir e eles correram para o trem. Scully achava-se caído de costas como se tivesse sofrido um ataque cardíaco. Algumas pessoas aglomeraram-se ao seu redor para ajudar. Um policial apareceu, gritando por um médico. Depois, você chegou correndo e, em seguida, um garoto da agência de Nova York. Então, você correu para o Limited e uma mulher viu o sangue e gritou. Logo em seguida, o policial falou para todos os presentes permanecerem em seus lugares. Pouco depois, chegou um punhado de agentes da Van Dorn com seus blocos de anotações.

— Onde foi parar a ruiva?

— Ninguém sabe.

— Bem-vestida, você disse?

— Elegante.

— Quem disse isso? O policial?

— Foi uma senhora que é gerente na Lord & Taylor, um empório de alto nível em Nova York.

— Não estava vestida como uma prostituta?

— Muito chique.

No momento em que Bell pensou que precisaria correr para pegar o trem, o telefone finalmente tocou. A ligação estava distante, com muito ruído.

— Van Dorn falando. Isaac, você está aí? O que conseguiu?

— Temos um relato de uma ruiva usando maquiagem, roupas e tudo o mais que se espera de uma garota em um antro de ópio e outro de uma ruiva vestida como uma dama, e ambas foram vistas com Scully.

— Será que Scully preferia as ruivas?

— Não sei — disse Bell. — Nós só conversávamos sobre criminosos e armas de fogo. Encontraram a arma dele?

— Uma Browning Vest Pocket ainda no coldre.

Bell abanou a cabeça, impressionado por Scully ter sido pego assim tão de surpresa, aparentemente desprevenido.

— O quê? — gritou Van Dorn. — Não consigo ouvi-lo.

— Ainda não acredito que tenham surpreendido Scully dessa maneira.

— É nisso que dá trabalhar sozinho.

— Seja como for…

— O quê?

— Seja como for, o problema é o espião.

— O espião está no trem com você?

— Não sei ainda.

— O quê?

Bell disse:

— Peça para guardarem a arma de John Scully para mim.

Joseph Van Dorn ouviu o pedido claramente. Conhecia bem seus detetives. De vez em quando, até pensava que sabia o que os motivava. Disse:

— Estarei esperando por você quando voltar a Nova York.

— Darei notícias de Chicago.

No momento em que o 20th Century Limited saiu estrondeando de East Buffalo, com menos de 840 quilômetros a percorrer até chegar a Chicago pela manhã, Bell encaminhou-se ao vagão-salão, na dianteira do trem. Encontrou-o vazio, a não ser por uma mesa em que se jogava pôquer. O vigarista canadense, fingindo ser um minerador de ouro australiano, jogava com homens de negócios mais velhos. Não parecia muito contente com a presença do condutor Dilber ao seu lado o observando.

Bell voltou para o fundo do trem, que ganhava velocidade. Embora passasse da meia-noite, o vagão de observação estava lotado de homens conversando e bebendo. Arnold Bennett, servido por seus solenes chineses, entretinha um grupinho. Shafer, o vendedor alemão, conversava longamente com Erhard Riker. Bell tomou uma bebida e manteve-se à vista até que Riker o visse e acenasse para que os acompanhasse. Riker apresentou o alemão como *Herr* Shafer. Para Bell, o alemão disse:

— Em que negócio disse que trabalhava, senhor Bell?

— Seguros — respondeu ele, inclinando a cabeça para Riker em sinal de agradecimento por não identificá-lo como detetive. Sentou-se onde podia observar também os chineses de Bennett.

— É claro — Riker retribuiu o aceno com a cabeça, mantendo naturalmente o estratagema. — Eu devia ter me lembrado. Portanto, somos todos caixeiros-viajantes ou viajantes comerciais, como nos chamam os ingleses. Todos trabalhando com vendas. Eu forneço pedras preciosas para os joalheiros americanos e o senhor Shafer, aqui, representa uma empresa de órgãos fabricados em Leipzig. Estou certo, senhor?

— Correto! — vociferou Shafer. — Primeiro, eu vendo. Depois a empresa envia um perito alemão em órgãos para montar as peças. Eles sabem como montar os melhores órgãos.

— Órgãos de igreja? — indagou Bell.

— Igrejas, salas de concertos, estádios, universidades. Os órgãos alemães, veja bem, são os melhores do mundo, porque a música alemã é a melhor do mundo. Veja bem.

— Sabe tocar órgão?

— Não, não, não, não. Sou um mero vendedor.

— E como um oficial de cavalaria torna-se um vendedor? — indagou Isaac Bell.

— O quê? Que oficial de cavalaria? — Shafer relanceou o olhar para Riker, depois voltou a olhar para Bell, a expressão dura. — O que está querendo dizer, senhor?

— Não pude deixar de notar que suas mãos são calejadas por causa das rédeas — respondeu Bell, em voz branda. — E sua postura lembra a de um soldado. Não acha mesmo, Riker?

— E senta-se como um soldado também.

— Ah, é? — um rubor subiu pelo pescoço de Shafer e avermelhou-lhe o rosto. — *Ja* — ele disse. — É claro! Sim, já fui soldado, muitos anos atrás. — Fez uma pausa e olhou para as mãos fortes. — É claro, ainda cavalgo sempre que encontro algum tempo livre em meio a essa ocupação de vendedor. Desculpem-me, já volto! — ele começou a se levantar, deteve-se e se recompôs. — Devo pedir ao garçom para trazer outra rodada de bebidas?

— Sim — disse Riker, contendo um sorriso até Shafer ter-se afastado em direção ao toalete, no fundo do vagão. — Voltando à nossa conversa — continuou ele, permitindo que o sorriso se alargasse —, está começando a me parecer cada vez mais que meu pai era um homem sábio, como observou Mark Twain sobre o dele. Papai estava certo em me mandar estudar na Inglaterra. Nós, alemães, não nos sentimos à vontade na presença de outras nacionalidades. Costumamos nos vangloriar sem considerar as consequências.

— Na Alemanha, é comum os oficiais do Exército mudarem para os negócios? — indagou Bell.

— Não. Mas quem sabe por que ele deixou o serviço? É jovem demais para ter-se reformado, mesmo com metade do soldo. Talvez tenha precisado ganhar a vida.

— Talvez — disse Bell.

— Até parece que você não está de folga — observou Riker, sorrindo. — Ou os detetives estão sempre trabalhando em um caso?

— Os casos tendem a se misturar uns com os outros — disse Bell, imaginando se o comentário de Riker fora um desafio ou meramente uma expressão de camaradagem entre companheiros de trem. — Por exemplo — disse, observando atentamente a reação de Riker —, no curso de uma investigação sem nenhuma relação, eu soube, quando embarquei no trem, que você sempre viaja com uma jovem dama que se acredita ser pupila sua.

— Realmente — disse Riker. — É verdade.

— Você é jovem para ter uma tutelada.

— Sou, mas, assim como não pude me esquivar de assumir a responsabilidade pela empresa de papai, também não consegui me furtar da obrigação de cuidar de uma órfã quando sua família foi vítima de uma tragédia. Uma fatalidade sempre pode aparecer, até para um homem desembaraçado, senhor Bell, quando ele menos espera. Mas vou lhe dizer uma coisa: os eventos que não planejamos, às vezes, são a melhor coisa que pode acontecer conosco. A garota trouxe luz à minha vida, na qual só havia escuridão.

— Onde ela está agora?

— Na faculdade. Vai se formar em junho — ele apontou para Bell no outro lado da mesa. — Espero que possa conhecê-la. Neste verão, ela vai me acompanhar em uma viagem de navio a Nova York. Como tem uma vida um tanto confinada, faço o possível para alargar seus horizontes. Conhecer um detetive particular certamente faria parte dessa perspectiva.

Bell aquiesceu.

— Não vejo a hora de conhecê-la. Qual é o nome dela?

Riker pareceu não ouvir a pergunta. Ou, se ouviu, preferiu não respondê-la. Em vez disso, ele disse:

— Igualmente instrutiva para ela será a oportunidade de conhecer uma mulher envolvida com o cinema. Senhor Bell, por que parece surpreso? É claro que sei que sua noiva produz filmes. Já lhe disse, não me envolvo num negócio às cegas. Sei que pode pagar pelo que há de melhor e sei que ela saberá apreciar o melhor que tenho a oferecer. Juntos, vocês representam um verdadeiro desafio. Só espero estar à altura.

Shafer regressou. Tinha lavado o rosto, ajustado o nó da gravata. Estava sorrindo.

— É muito observador, senhor Bell. Pensava que, ao tirar o uniforme, tivesse me despido do passado. Será este um hábito no ramo de seguros: notar essas discrepâncias?

— Ao lhe vender um seguro, estou arriscando quanto à sua pessoa — replicou Bell. — Portanto, estou sempre de sobreaviso em relação aos riscos.

— Será que *Herr* Shafer é um bom candidato? — indagou Riker.

— Homens de hábitos constantes são sempre bons candidatos. *Herr* Shafer, peço que me desculpe se fui muito bisbilhoteiro.

— Não tenho nada a esconder!

— Por falar em esconder — disse Riker —, parece que o garçom tem. Com que diabos alguém consegue um drinque por aqui?

Bell fez um sinal com a cabeça. Um garçom apareceu correndo e tomou os pedidos.

Arnold Bennett anunciou aos companheiros chineses:

— Cavalheiros, vocês parecem estar com sono.

— Não, senhor. Estamos muito contentes.

— Esperem dormir pouco em um trem. Os luxos podem ser abundantes: alfaiataria, biblioteca, manicure, até mesmo banhos de água fresca e salgada. Mas, ao contrário da Europa, onde os melhores trens parecem querer fomentar esse mau hábito, nunca dormi por uma hora inteira em nenhum dormitório americano, por causa das paradas bruscas, partidas repentinas, apitos e rodas guinchando nas curvas fechadas.

Rindo, os comerciantes de Chicago protestaram que este era o preço a pagar pela velocidade e que valia cada centavo.

Isaac Bell voltou-se para seus companheiros alemães — Erhard Riker, que parecia muito inglês, até mesmo americano, e *Herr* Shafer, que era tão teutônico quanto uma ópera de Wagner.

— Na companhia não de um, mas de dois súditos do Kaiser, devo perguntar sobre as conversas sobre a guerra na Europa.

— Alemanha e Inglaterra são adversários, não inimigos — respondeu Riker.

— Nossos países equiparam-se — acrescentou Shafer rapidamente. — A Inglaterra tem mais couraçados. Nós temos um Exército muito maior, o mais moderno e avançado, o mais forte do mundo.

— Só naquelas paragens do mundo é que seu Exército pode marchar — gritou Arnold Bennett da mesa vizinha.

— Como assim, senhor?

— O almirante Mahan, um de nossos anfitriões, observou muito a propósito: "O país que governa os mares governa o mundo". Seu Exército vale tanto quanto uma cuspida em um balde se não puder ir onde a luta está.

Shafer ficou roxo. As veias incharam em sua testa.

Riker advertiu-o com um gesto e respondeu:

— Não há luta. As conversas sobre a guerra são apenas conversas.

— Então por que vocês continuam construindo mais navios de guerra? — volveu o escritor inglês.

— Por que a Inglaterra faz o mesmo? — retrucou Riker, brandamente.

Os negociantes de Chicago e os seminaristas chineses acompanhavam com os olhos as falas dos alemães e do inglês, como espectadores de uma partida de tênis. Para surpresa de Isaac Bell, um dos chineses silenciosos respondeu antes que o inglês tivesse a oportunidade.

— A Inglaterra é uma ilha. Os ingleses não têm escolha.

— Obrigado, Louis! — disse Arnold Bennett. — Eu mesmo não poderia ter respondido melhor.

Louis arregalou os olhos escuros amendoados e abaixou a cabeça como se estivesse envergonhado por ter falado.

— Por essa lógica — disse Riker —, a Alemanha também não tem escolha. A indústria alemã e o comércio alemão exigem uma frota imensa de navios mercantes para transportar nossas mercadorias por todos os mares.

Devemos proteger nossa frota. Mas, francamente, minha intuição é de que homens de negócios sensatos nunca irão à guerra.

Herr Shafer resfolegou.

— Meu compatriota é ingênuo. Os homens de negócios não têm como interferir nesse assunto. A Grã-Bretanha e a Rússia conspiram para obstruir o crescimento da Alemanha. A França também tomará o partido da Inglaterra. Graças a *Gott* pelo Exército Imperial Alemão e pelos nossos oficiais prussianos.

— Prussianos? — gritou um comerciante de Chicago. — Os oficiais prussianos obrigaram meu avô a emigrar para a América.

— Ao meu também — gritou outro, com o rosto vermelho. — Graças a "Gott" eles nos tiraram daquele inferno.

— Socialistas — comentou Shafer.

— *Socialistas?* Vou lhe mostrar o que é um socialista…

O comerciante de Chicago foi contido pelos colegas.

Shafer não se fez de rogado.

— Estamos cercados pela Inglaterra e seus lacaios.

Arnold Bennett levantou-se de um salto, abriu as pernas numa postura defensiva e disse:

— Não estou gostando nem um pouco do seu tom de voz, senhor.

Metade do carro de observação achava-se de pé a essa altura, gesticulando e gritando. Isaac Bell relanceou o olhar para Riker, que o encarou, os olhos acesos, parecendo divertir-se.

— Acho que isso responde à sua pergunta, senhor Bell. Boa noite, senhor, vou para a cama antes que o tumulto comece.

Mas, antes mesmo que ele se levantasse da cadeira, Shafer gritou:

— Cercada por fora e solapada por dentro pelos socialistas e judeus.

Isaac Bell pousou os olhos gelados em Shafer. O alemão recuou, murmurando.

— Espere só. Depois que acabarem conosco, vão cair em cima de você.

Isaac Bell respirou fundo, lembrou a si mesmo por que viajava no trem e respondeu em um tom de voz que percorreu todo o vagão.

— Depois que o almirante Mahan demonstrou que as potências marítimas governam o mundo, também disse algo que, em um sujeito preconceituoso, sempre admirei: "Jesus Cristo era judeu. Isso os torna bons o bastante para mim".

A gritaria cessou. Um homem riu. Outro disse:

— Vejam só, essa é boa. "Bons o bastante para mim."

Shafer levantou-se, empertigado.

— Boa noite, cavalheiros!

Riker observou o cavalariano retirar-se em direção ao próximo garçom e pedir um *schnapps.*

— Por um instante — disse em voz baixa —, pensei que você fosse mandar *Herr* Shaffer para o chão.

Bell encarou o comerciante de pedras preciosas.

— Não se enganou muito, senhor Riker.

— Eu lhe disse. Meu pai me ensinou todos os truques do negócio. O que o irritou tanto?

— Não suporto o ódio.

Riker deu de ombros.

— Para responder à sua pergunta, para falar a verdade, a Europa *quer* a guerra. Os monarquistas, os democratas, os comerciantes, os soldados e os marinheiros estiveram em paz por tempo demais para saber em que estão se metendo.

— Isso é cínico demais para meu gosto — disse Isaac Bell.

Riker sorriu mansamente.

— Não sou cínico. Sou realista.

— E quanto aos comerciantes sensatos de que falava há pouco?

— Alguns verão proveito na guerra. O resto será ignorado.

**

O espião observou Isaac Bell observar seus "suspeitos".

O detetive não sabe se estou aqui, neste mesmo vagão.

Ou se estou dormindo na minha cama.

Ou mesmo se estou no próprio trem.

Nem sabe quem, nesse trem, me pertence.

Durma um pouco, senhor Bell! Vai precisar. Virão más notícias pela manhã.

36

— **Suas ovas de sável,** senhor Bell, e ovos mexidos — anunciou o garçom do vagão-restaurante, com um sorriso largo, que murchou ao ver a expressão no rosto de Bell passar da expectativa agradável para a raiva. A duas horas do destino, o 20th Century Limited recebera os jornais matutinos de Chicago deixados por um expresso que rumava para Leste. Uma edição novinha em folha, dobrada em cada lugar disposto nas mesas, esperava pelos passageiros para o café da manhã.

EXPLOSÃO NA ESTAÇÃO NAVAL DE TORPEDOS
AMERICANA EM NEWPORT:
DOIS OFICIAIS DESINTEGRADOS

Newport, Rhode Island, 15 de maio — Uma explosão causa morte e destruição na Estação Naval de Torpedos em Newport. Dois oficiais navais são dados como mortos em meio à completa destruição da linha de produção.

Isaac Bell estava chocado. Teria tomado a direção errada?

— Bom dia, Bell! Não tocou em suas ovas. Estão passadas?

— Bom dia, Riker. Não, o cheiro está ótimo. São as más notícias do jornal.

Riker abriu o seu e sentou-se.

— Santo Deus! O que causou isso?

— Não dizem. Com licença! — Bell voltou à cabine.

Se não fosse acidente, mas sabotagem, então a influência do espião era maior do que sua maldade. Ao longo de um único dia, sob suas ordens, executaram um traidor em Washington, assassinaram um detetive que estava em seu encalço em Nova York e explodiram uma guarnição naval fortemente protegida na costa de Rhode Island.

**

Poucos minutos depois de o 20th Century ter chegado a Chicago, Isaac Bell montou uma agência de serviço temporária nos fundos do salão de bagagens da estação de LaSalle. Os detetives da Van Dorn, da filial de Palmer House, já haviam coberto a estação ferroviária. Começaram a seguir os suspeitos assim que eles se dispersaram.

Larry Rosania desaparecera imediatamente. Um detetive veterano de Chicago informava, envergonhado, a respeito, quando outro entrou correndo.

— Isaac! O Velho quer que faça um interurbano para ele do escritório do chefe da estação. E quer que esteja sozinho.

Bell apressou-se.

Van Dorn perguntou:

— Você está sozinho?

— Sim, senhor. Algum dos oficiais mortos era Ron Wheeler?

— Não.

Bell soltou um profundo suspiro de alívio.

— Wheeler tinha dado uma escapada para passar a noite com uma mulher. Não fosse por isso, estaria morto também. Os mortos são integrantes da equipe dele.

— Graças a Deus que ele escapou. O capitão Falconer diz que ele é insubstituível.

— Bem, há mais uma coisa que é insubstituível — resmungou Van Dorn. Praticamente mil quilômetros de fios telefônicos de cobre entre Chicago e Washington não foram o bastante para encobrir a expressão da sua raiva. — Isso não saiu nos jornais e nunca sairá. Você ainda está sozinho aí, Isaac?

— Sim, senhor.

— Escute aqui, a Marinha sofreu uma perda terrível. A explosão causou um incêndio. O fogo destruiu todo o seu arsenal de torpedos elétricos experimentais importados da Inglaterra. Aparentemente, o pessoal do Wheeler tinha melhorado imensamente seu alcance e precisão. Mais importante ainda, muito mais importante, o pessoal do Wheeler tinha dado um jeito de armar as ogivas com dinamite. O secretário da Marinha me contou isso esta manhã. Ele está arrasado. A tal ponto, que está pensando em apresentar sua renúncia ao presidente. Aparentemente, o uso de TNT teria dado aos torpedos americanos dez vezes mais potência embaixo da água.

— Podemos presumir que não tenha sido um acidente?

— Sim — respondeu Van Dorn categoricamente. — E, muito embora a Marinha esteja nominalmente encarregada da guarda de suas instalações, todos estão profundamente desapontados com o Serviço de Proteção da Van Dorn.

Isaac Bell não disse nada.

— Não preciso explicar as consequências de ser alvo de críticas de uma entidade governamental, merecendo ou não — continuou Van Dorn. — E não estou inteiramente seguro sobre o que você está fazendo em Chicago quando o espião acaba de atacar em Newport.

Isso exigia uma resposta e Bell disse:

— A Grande Frota Branca está prestes a chegar a São Francisco. Scully seguia o espião, ou os agentes dele, para São Francisco. Graças a Scully, é muito provável que eu o tenha na minha mira.

— O que acha que ele pretende fazer?

— Não sei ainda, mas, seja o que for, deve envolver a frota, e eu vou detê-lo antes disso.

Van Dorn permaneceu em silêncio por um longo minuto. Bell não disse nada. Finalmente, o chefe falou:

— Espero que saiba o que está fazendo, Isaac.

— Depois de Newport, ele não vai fazer as malas e voltar para casa. Vai atacar a frota.

Van Dorn disse:

— Tudo bem. Vou alertar o Bronson em São Francisco.

— Já fiz isso.

Bell retornou ao salão de bagagens. Os agentes da Van Dorn informaram que *Herr* Shafer e os chineses que viajavam com Arnold Bennett tinham feito baldeação para o Overland Limited, rumo a São Francisco, como indicavam suas passagens.

— O trem deles está partindo, Isaac. Se quiser ir com eles, melhor partir agora.

— Vou já.

**

Dois cavalos fortes puxavam um carroção de gelo modificado, com suspensão de carruagem e pneus com câmaras em vez de borracha maciça, o que tornava muito mais suave seu andamento sobre as ruas irregulares de paralelepípedos que desciam para a área costeira de Newport. Na semiobscuridade dos escassos e bastante espaçados lampiões de gás, ninguém notou que o condutor que segurava os cabos dos freios exibia uma silhueta juvenil e era delicado demais para conseguir descarregar os blocos de gelo de quase 50 quilos num atracadouro de pesqueiros. E se alguém considerasse estranho o condutor cantando para seus cavalos:

"Você não pode se lembrar
o que eu não posso esquecer"

num suave tom de soprano, guardaria suas opiniões para si mesmo. Os marinheiros de Newport contrabandeavam rum, tabaco, escravos e ópio havia 300 anos. Se uma garota quisesse distrair seus cavalos enquanto entregava gelo para uma embarcação no meio da noite escura, isso era da conta dela.

A embarcação era uma chalupa robusta de 9 metros de comprimento, proa larga e um mastro à frente da casinhola de governo, de teto baixo. Com a vela carangueja quase quadrada e uma bolina lateral em vez de uma quilha fixa central, era mais rápida do que parecia e navegava com igual facilidade tanto nas águas rasas da baía quanto ao largo da costa. Uma tripulação de homens com impermeáveis e gorros de lã saiu, apressada, da cabina.

Em pé, com as mãos enterradas nos bolsos, a garota observava os homens afastarem para o lado a lona de cima do vagão de carga, colocarem uma rampa inclinada de pranchas de madeira entre o carroção e o atracadouro, e, cuidadosamente, descarregarem, pela rampa, um a um, quatro tubos de metal no formato de charutos de 5 metros de comprimento.

Em seguida, mudaram a rampa de lugar e carregaram os quatro tubos para o barco, amarrando-os fortemente em um leito forrado de velas de lona.

Depois que terminaram, o casco largo de madeira afundava bem mais do que antes na água. Todos os homens, exceto um, subiram no carroção e se afastaram. O que permanecera subiu a vela e soltou os cabos de amarração que prendiam o barco ao atracadouro.

A garota assumiu a cana do leme e conduziu o barco habilidosamente para fora do porto e para dentro da noite.

* *

Naquela mesma noite — a primeira a bordo do Overland Limited em direção ao Oeste, depois da partida de Chicago — os relatórios que esperavam por Bell em Rock Island, Illinois, confirmaram que o comerciante de pedras preciosas Riker embarcara no California Limited rumo a San Diego. Bell, ainda desgostoso com as coincidências, passou um telegrama para Horace Bronson, chefe da agência de São Francisco, pedindo-lhe para designar James Dashwood, um jovem agente que se destacara no caso Wrecker, para interceptar o California Limited em Los Angeles. Dashwood deveria ver se Riker realmente continuaria em direção a San Diego para adquirir as turmalinas cor-de-rosa ou se trocaria de trem rumo a São Francisco. Independentemente do que acontecesse, o jovem detetive deveria seguir Riker e observar suas ações subsequentes. Bell advertiu Bronson de que Riker viajava acompanhado de um guarda-costas chamado Plimpton, que estaria vigiando seus movimentos.

Depois, passou um telegrama para o pessoal da Pesquisa em Nova York, pedindo mais informações sobre a morte do pai de Riker na África do Sul e insistindo com Grady Forrer para apressar a coleta de informações sobre a protegida dele.

O desaparecimento de Laurence Rosania na chegada desencadeara uma busca frenética. Porém, quando Bell chegou a Des Moines, Iowa, esperavam-no informações de que o ladrão aposentado — depois de despistar seus perseguidores da Van Dorn, de maneira inusitada e numa afronta ao orgulho profissional deles — fora citado entre os anúncios de casamento no *Chicago Tribune* e pretendia viajar no automóvel particular da noiva para uma lua de mel em São Francisco. Era demais até para advertir à juventude de que o crime não compensava, observou o pessoal da agência da Van Dorn em Chicago.

Herr Shafer, Arnold Bennett e os companheiros chineses haviam se transferido para o Overland Limited rumo a São Francisco e era com eles que Bell continuava a viagem para Oeste, esperando obter mais informações da Pesquisa nas estações de parada, somadas ao que pudesse investigar pessoalmente.

Então, Nova York enviou um telegrama informando que Shafer era definitivamente um espião alemão.

"*Herr* Shafer" era um ativo oficial da cavalaria, ainda servindo como major no Exército alemão. Seu nome verdadeiro era Cornelius Von Nyren. Von Nyren era especialista em táticas terrestres e no uso de ferrovias de bitola estreita, construídas rapidamente para transportar suprimentos para as linhas de frente do Exército. O que quer que estivesse espionando nos Estados Unidos nada tinha a ver com o Casco 44.

— Ele é formidável em terra — escreveu Archie —, mas não saberia distinguir um couraçado de uma barcaça de transporte de madeira.

37

— **Chineses para o** fim da fila!

Era a segunda manhã depois de deixarem Chicago e o Overland Limited aproximava-se de Cheyenne, Wyoming. Aparentemente havia algo de errado com o vagão-restaurante. O corredor do vagão Pullman seguinte estava lotado de pessoas famintas, em fila, à espera para tomar o café da manhã, já com uma hora de atraso.

— Vocês me ouviram! Chineses, mongóis e asiáticos para o fim da fila!

— Fiquem onde estão — disse Isaac Bell aos seminaristas asiáticos.

Arnold Bennett já se adiantava em defesa deles. Bell o deteve.

— Deixe isso comigo.

Pelo menos era uma oportunidade de conhecer os protegidos de Arnold Bennett, Harold e Louis. Ele se voltou e encarou o preconceituoso que havia gritado. A raiva fria nos olhos azuis de Bell e a impressão inconfundível de que ele mal se continha fizeram o homem recuar.

— Não se preocupem com ele — disse o detetive alto aos seminaristas. — As pessoas tornam-se irritáveis quando estão famintas. Qual é seu nome, meu rapaz? — indagou, estendendo a mão. — Sou Isaac Bell.

— Harold, *senor* Bell. Obrigado!

— Harold de quê?

— Harold Wing.

— E quanto a você?

— Louis Loh.

— L-e-w, Lewis ou L-o-u, Louis?

— L-o-u.

— Prazer em conhecê-lo.

— Não admira que o sujeito inconveniente esteja faminto — grunhiu Arnold Bennett, que era o primeiro da fila. — O serviço de café da manhã desta unidade em especial do Overland Limited não foi projetado na mesma escala que as acomodações de dormitório.

Isaac Bell piscou para Louis e Harold, que pareciam perplexos com os termos empregados por Bennett.

— O senhor Arnold quer dizer que há mais beliches nos Pullmans do que cadeiras no vagão-restaurante.

Os seminaristas aquiesceram com sorrisos vagos.

— É melhor que abram logo o vagão-restaurante — murmurou Bennett. — Antes que seja invadido por hordas de predadores.

— Dormiram bem? — Bell indagou a Harold e Louis. — Estão se acostumando com o movimento?

— Muito bem, *senor* — disse Louis.

— Apesar do que eu disse sobre os solavancos dos trens — disse Bennett.

O vagão-restaurante finalmente foi aberto para o café da manhã e Bell sentou-se com eles. Os chineses eram silenciosos como esfinges, não importava o que Bell dissesse para atraí-los à conversa, ao passo que o escritor contentava-se em falar sem parar sobre tudo o que via, lia ou ouvia. Wing tirara uma pequena Bíblia do paletó e lia em silêncio. Loh olhava pela janela para a terra verdejante com a primavera e pontilhada de cabeças de gado.

**

Isaac Bell esperava por Louis Loh no corredor do lado de fora da cabine de Arnold Bennett.

A Oeste de Rawlins, Wyoming, o Overland Limited ganhava velocidade sobre um planalto elevado. O foguista da locomotiva caprichava no carvão e o trem resfolegava a mais de 120 quilômetros por hora. Quando Bell avistou o seminarista chinês vindo pelo corredor, deixou que o movimento do trem o jogasse contra o homenzinho.

— Desculpe!

O detetive se recompôs segurando-se na lapela de Loh.

— Deram essa pistola de bolso no seminário?

— O quê?

— Esta saliência não é de uma Bíblia.

O seminarista chinês pareceu murchar de vergonha.

— Ah, não, *senor*! Sim, tem razão. É uma arma. É só porque tenho medo. No Oeste, há muito ódio contra os chineses. Deu para ver no vagão que servia o café da manhã. Eles acham que todos são viciados em ópio ou gângsteres.

— Você sabe como usar essa coisa?

Eles se achavam separados por poucos centímetros, Bell inclinando-se para perto do rapaz, ainda segurando sua lapela, o jovem incapaz de recuar. Louis baixou os olhos escuros.

— Na verdade, não, *senor*. Acho que basta apontar e puxar o gatilho... Mas o mais importante é ameaçar. Nunca atiraria.

— Posso vê-la, por favor? — indagou Bell, estendendo a mão aberta.

Louis olhou ao redor, confirmou que continuavam sozinhos e timidamente tirou a pistola do bolso. Bell segurou-a.

— Uma arma da melhor qualidade — disse, surpreso que o seminarista tivesse acesso a uma Colt Pocket Hammerless que parecia recém-saída da embalagem. — Onde a conseguiu?

— Comprei em Nova York.

— Comprou uma das boas. Onde, em Nova York?

— Numa loja próxima da delegacia de polícia. No centro da cidade.

Bell certificou-se de que estivesse travada e devolveu-a.

— Você pode se machucar se mostrar uma arma e não souber usá-la. Poderia atirar em si mesmo por engano, ou alguém a tiraria da sua mão, a usaria contra você e sairia alegando ter sido em defesa própria. Ficaria mais tranquilo se prometesse guardá-la na mala e deixá-la ali.

— Sim, *senor* Bell.

— Se mais alguém lhe causar problemas no trem, basta me procurar.

— Por favor, não conte ao senhor Bennett. Ele não entenderia.

— Por que não?

— Ele é um homem bondoso. Não faz ideia de como as pessoas são cruéis.

— Guarde a arma na mala e não contarei nada.

Louis segurou a mão de Bell entre as suas.

— Obrigado, *senor*! Obrigado por entender!

O rosto de Bell era uma máscara.

— Vá guardá-la na mala — repetiu ele.

O chinês saiu em disparada pelo corredor, em direção à cabine que era contígua à de Bennett. Antes de entrar, voltou-se e acenou com outro sinal de agradecimento. Bell inclinou a cabeça como se pensasse: "Que garoto mais piedoso!".

Na verdade, especulava se os jovens missionários pertenceriam a uma gangue chinesa. E, se fosse o caso, precisava maravilhar-se com a clarividência de John Scully.

Nenhum outro detetive da Agência Van Dorn seria capaz de perambular sozinho por Chinatown e duas semanas depois ligar uma dupla de gângsteres chineses ao grupo de espiões em torno do Casco 44. Sentiu-se tentado a algemar Louis Loh e Harold Wing e trancá-los no vagão de bagagens. A não ser que duvidasse de que Louis e Harold fossem líderes de gangue ou mesmo gângsteres; mas, se fossem comparsas, poderia segui-los até o chefe.

Era típico o espião recrutar chineses de sociedades secretas para sua atividade internacional. Difícil era imaginar que alguém como Abbington-Westlake fosse capaz até mesmo de pensar nisso. Se o espião tivesse envolvido o famoso romancista inglês para dar cobertura a seus agentes, isso indicava uma imaginação tão intrincada quanto diabólica.

**

— A aposta é sua, Whitmark. Sai ou continua?

Ted Whitmark sabia muito bem que não devia permanecer em uma mão de sete cartas tentando completar uma sequência. Suas chances eram ridículas. Precisava de um quatro. Só havia quatro quatros no baralho: um de copas, um de ouros, um de espada e um de paus. O quatro de paus já fora servido do outro lado da mesa e aquele homem apostara quando a carta saíra, sugerindo outro quatro escondido entre as suas cartas. Quatro quatros em um baralho: um certamente já fora; outro, provavelmente. As chances eram menos do que ridículas, eram impossíveis.

Mas ele já pusera uma tonelada de dinheiro no bolo de apostas e tinha a sensação de que sua sorte estava prestes a mudar. Precisava mudar. Sua carreira de perdas começara semanas antes em Nova York e ameaçava destroçá-lo. Perdera mais no trem para São Francisco e, desde que chegara, perdera praticamente todas as noites. Um quatro já era. Um ou até mesmo dois provavelmente já eram. Às vezes, é preciso pegar o touro pelos chifres e ter coragem.

— A aposta é sua, Whitmark. Está dentro ou fora?

Não o chamavam mais de "senhor" Whitmark, reparou Ted. O "senhor" se fora no início da noite, quando tomara emprestado, pela terceira vez, cinco mil. Às vezes era preciso ter coragem.

— Dentro.

— São oito mil.

Whitmark arrastou suas fichas para o bolo de apostas.

— Aqui estão três. E aqui está o meu marcador.

— Tem certeza disso?

— Dê as cartas.

O homem que dava as cartas olhou por cima da mesa, não para Ted Whitmark, mas para o proprietário do cassino da Barbary Coast, que exibia uma cicatriz no rosto e aprovava os empréstimos. O proprietário franziu o cenho. Por um momento, Whitmark sentiu-se salvo. Não poderia apostar se não tivesse o dinheiro. Teria de passar. Poderia voltar ao hotel, dormir e, no dia seguinte, armar um esquema para pagar as perdas com o dinheiro que receberia da Marinha, depois que entregasse as mercadorias para a Grande Frota Branca. Ou a Grande "Fome" Branca, como observara um de seus rivais aprovativamente: catorze mil marinheiros comiam muito.

O proprietário do cassino inclinou a cabeça, concordando.

— Dê as cartas.

O sujeito com o quatro recebeu outro quatro. Whitmark, um nove de paus, a carta mais horrível que poderia receber. Alguém apostou. Alguém pediu cartas. O sujeito dos quatros elevou o nível das apostas. Ted Whitmark saiu.

— Importa-se em me mostrar sua última carta, depois dessa mão? — indagou ao homem à sua esquerda.

Quando a mão terminou e os três quatros do outro lado da mesa venceram, o homem à esquerda de Ted, que recebera a carta que Ted receberia se tivesse continuado, disse:

— Foi um quatro. Aposto que lhe serviria — ele falou por cima da mesa, para o homem da trinca de quatros. Ficaria com a *quadra* de quatros.

— Para mim também serviria — disse Ted e saiu arrastando os pés em direção ao bar. Antes que pudesse levantar um copo, o proprietário do cassino aproximou-se e disse:

— Tenho um recado para você, de Tommy Thompson, Nova York.

Ted encolheu-se ante o olhar gelado do homem.

— Não se preocupe — murmurou. — Vou lhe pagar primeiro, assim que puder.

— O Tommy disse para pagar a mim. Eu comprei seu marcador.

— Além do que já lhe devo? Você está correndo um risco danado.

— Você vai pagar. De uma maneira ou de outra.

— Vou receber muito dinheiro. Vou lhe pagar em breve.

— Não é de dinheiro que preciso, senhor Whitmark. Preciso de uma pequena ajuda e o senhor é o homem que pode me ajudar.

**

"Se eu e você fôssemos a metade dos espertos que pensamos que somos, teríamos dado com eles um mês atrás!", as palavras de John Scully ecoavam num sonho sobre os irmãos Frye.

Isaac Bell acordou, de repente, da primeira noite de sono profundo desde que deixara Nova York. O beliche achava-se inclinado para a frente e ele não precisava olhar pela janela da cabine para saber que haviam passado o ponto mais alto de Sierra Nevada e estavam começando a descida para o Vale de Sacramento. Cinco horas até São Francisco. Levantou-se e vestiu-se apressadamente.

Teria deixado passar alguma coisa?

— Faz alguns dias — murmurou para si mesmo.

Nem uma só vez questionara o papel do romancista Arnold Bennett como protetor de Harold e Louis. E se fosse o contrário? E se o escritor fosse um espião britânico? E se ele fosse como Abbington-Westlake e se escondesse atrás de uma cortina de refinamento, com seus modos superiores e a língua afiada?

O trem parou em Sacramento. Bell correu até a agência do telégrafo e enviou uma mensagem a Nova York. E se fosse Bennett quem recrutara os assassinos da gangue chinesa e os disfarçara de seminaristas? Camuflado à vista de todos. Por tudo o que sabia, concluiu Bell, Arnold Bennett era o próprio espião, o líder do grupo.

* *

Katherine Dee praguejou em voz alta.

Como um marinheiro, ela ria, tonta com a falta de sono e uma tonelada de pó. Praguejava como um marinheiro. O vento e os borrifos faziam o diabo com a cocaína, que cheirava de um frasquinho de marfim para se manter acordada durante a última noite da viagem desde Newport. Podia não ver a costa, mas o estrondo da arrebentação dizia-lhe que a última guinada a levara perto demais.

Descera com o barco totalmente carregado pela Costa Sul de Long Island, cronometrando a passagem desde a ponta Montauk até a entrada da enseada de Fire Island, à primeira luz do dia. Sem ser vista por ninguém, a não ser por alguns pescadores, aproou rumo à abertura entre a barreira de corais da praia. Uma vez lá dentro, livre da viração do oceano, seguiu por um canal demarcado com estacas e procurou o sinal de referência em terra, na praia de Long Island, 5 milhas do outro lado da baía. Ao avistá-lo, cruzou as águas revoltas da Great South Bay, rumando para uma mansão branca de teto vermelho. As estacas assinalavam a boca de uma angra recém-dragada, contornada por um paredão de madeira alcatroada.

A chalupa deslizou pela angra imóvel.

A garagem de barcos era revestida por placas novas de cedro. O teto era alto, a abertura, elevada o bastante para acomodar o mastro baixo. Katherine Dee desceu a vela e observou o barco derivar. Calculara o impulso exato. A chalupa parou perto o bastante para que lançasse o laço do cabo ao redor de um poste. Puxando o cabo com a força necessária, conduziu a proa do barco pesadamente carregado para as sombras sob o teto.

Um homem surgiu, vindo dos fundos, pela porta que se abria para a terra.

— Onde está o Jake?

— Ele tentou me beijar — respondeu ela, em uma voz distante.

— Ah, é? — disse o homem, como se quisesse dizer: "Você é uma garota, o que esperaria sozinha em um barco no meio do oceano?". — Então, onde ele está?

Ela o encarou friamente.

— Um tubarão pulou por cima do barco e o comeu.

O homem considerou o modo como o sorriso dela se congelara nos lábios, a frieza opaca de seus olhos, além de pensar nas pessoas que ela conhecia, e decidiu que Jake recebera o que merecia, e que não estava assim tão interessado em saber como acontecera. Levantou um cesto de vime.

— Trouxe o jantar.

— Obrigada!

— Trouxe o bastante para dois. Não sabia que…

— Ótimo, estou morrendo de fome.

Ela comeu sozinha. Depois abriu o saco de dormir sobre a lona que estofava a carga e dormiu, segura com o pensamento de que Brian O'Shay ficaria orgulhoso com o que fizera. A explosão na fábrica de torpedos mascarara o roubo de quatro torpedos elétricos experimentais que haviam sido importados da Inglaterra para pesquisas. Armados com TNT pelo admirável Ron Wheeler, eram dez vezes mais potentes do que quando haviam sido fabricados pelos ingleses. E ninguém na Estação Naval de Torpedos de Newport percebera que eles não tinham se esmigalhado na explosão.

38

— **Ora, se não é você mesmo,** Bell! Bem que eu dizia, não perderíamos a oportunidade de nos despedir.

Bell surpreendeu-se, ao subir a bordo do trem, depois de ter descido em Sacramento, antes da última etapa de 150 quilômetros até São Francisco, que Arnold Bennett e os chineses, cujas passagens eram para São Francisco, estivessem com a bagagem pronta no corredor.

— Pensei que fossem até São Francisco.

— Mudamos de ideia, inspirados por todos esses pomares e campos cheios de frutinhas maravilhosas — o trem atravessava plantações de morangos com os camponeses de chapéu de palha colhendo a produção. — Vamos descer na próxima estação, em Suisun City. Decidimos tomar um trem até Napa Junction. Um velho colega de escola tem uma fazenda em St. Helena. Ele começou uma vinícola, na verdade, amassando uvas e toda essa coisa. Vamos nos recuperar dos rigores da viagem nesse ambiente bucólico, em todo o seu esplendor, antes de seguir de vez para São Francisco. Pensei em preparar um artigo sobre o tema para a *Harper's*, enquanto os garotos tomam um pouco de ar do campo antes de levar a palavra de Deus de volta à China.

Bell pensou rápido, visualizando as extensas baías sonolentas de São Francisco, protegidas do Oceano Pacífico pela península de São Francisco e pela península Marin. De Suisun City, a ferrovia principal seguia para Sudoeste, por 27 quilômetros, até o *ferryboat* de Benicia, que transportava o trem através do pequeno estreito de Carquinez até Port Costa. Depois, os 50 quilômetros finais eram percorridos ao lado da baía de San Pablo até Oakland Mole, onde um *ferryboat* de passageiros atravessava a baía de São Francisco até a cidade.

Cerca de 32 quilômetros ao Norte da cidade, acima da baía de São Francisco e do outro lado da baía de San Pablo, ficava o Estaleiro Naval de Mare Island. Era o equivalente, na Costa Oeste, ao estaleiro da Marinha americana no Brooklyn, com uma longa história de construção, reparos e reaparelhamento de navios de guerra e submarinos. Napa Junction, ligada a Suisun City por um ramal ferroviário local para o Oeste, ficava a apenas 9 quilômetros a Norte do estaleiro.

Bennett e os chineses estariam a uma curta viagem de Mare Island, por um trem mais rápido ou mesmo um bonde, o local onde a Grande Frota Branca aportaria de sua viagem para se reequipar, reabastecer de suprimentos e água, além de se recarregar com uma nova partida de munições do depósito.

— Não é uma coincidência? — disse Isaac Bell.

— Como assim, o que quer dizer?

— Vou tomar exatamente o mesmo trem.

— Onde estão suas malas?

— Viajo sem bagagem.

O Overland Limited entrou em Suisun City com dez minutos de atraso. O trem para Napa Junction estava soando seu apito. Bell apanhou um punhado de telegramas que o esperavam na sala do telégrafo e correu para embarcar. Era um comboio local de dois vagões, com um alegre toldo listrado cobrindo a plataforma traseira. No último vagão, seguia meia dúzia de passageiros, Arnold Bennett entre eles, começando a contar uma história. Ele a interrompeu para indicar um assento vazio.

— Venha conversar conosco sobre o preparo das uvas em St. Helena.

Bell acenou com os telegramas e encaminhou-se à plataforma traseira, para analisá-los em particular.

— Estarei com vocês em um minuto. Notícias da chefia.

Bennett sorriu jovialmente, gritando por cima do ombro:

— Mas você já sabe que só vão instruí-lo a vender mais seguros.

O trem atravessava pântanos salgados e o vento frio e úmido que turbilhonava sob o toldo cheirava à maresia. O vento fazia vibrar a alça do freio de emergência, pendurada por uma corda curta que batia ritmicamente contra a parede e fustigava as frágeis folhas amarelas dos telegramas.

A Pesquisa ainda não recebera notícias da Alemanha sobre a identidade da estudante que se achava sob a guarda de Riker — a demora prolongada era uma prova de que Joe Van Dorn estava certo em expandir as agências de campo na Europa.

Mas *conseguira* levantar detalhes adicionais sobre a morte do pai de Erhard Riker na África do Sul, em 1902, durante a Guerra dos Bôeres. Smuts, o líder do Transvaal, fizera uma investida repentina contra a ferrovia da mina de cobre de Port Nolloth, onde o mais velho dos Riker investigava a existência de um depósito aluvial de diamantes. Ele se refugiara em uma casa de alvenaria da ferrovia britânica quando os Bôeres atacaram com bombas improvisadas de dinamite.

O terceiro telegrama era de James Dashwood.

RIKER CHEGOU EM LOS ANGELES.
AGORA A CAMINHO DE SAN DIEGO.
GUARDA-COSTAS PLIMPTON SUSPEITO.
J. D. CONFUNDIDO COM AGENTE DA TIFFANY.
GUARDA-COSTAS PERSUADIDO SOBRE J. D.
COMO PREGADOR ANTIALCOÓLICO.

Bell sorriu de lado. Dash levava jeito para se tornar uma figura! Seu sorriso apagou-se de imediato. O último telegrama da pilha começava com a sigla de advertência PSC.

"Para seu conhecimento" — Archie Abbot advertindo que, se Bell não estivesse sabendo, deveria tomar conhecimento.

PSC.
ARNOLD BENNETT ENCONTRA-SE EM PARIS.

— O quê? — disse Bell, em voz alta. Olhou para dentro do vagão através do vidro da porta, avistou o homem de terno de lã axadrezada que alegava ser Arnold Bennett e voltou a olhar para o telegrama.

ESCRITOR NÃO ESTÁ – REPITO, NÃO ESTÁ – NO
OVERLAND LIMITED.

AGENTES VD ESPERAM O TREM NO FERRY DE BENICIA.
FIQUE ALERTA.

Era uma revelação chocante e Isaac Bell alegrou-se.

Ao menos sabia, com certeza, quem estava perseguindo. O homem que alegava ser Arnold Bennett achava-se mancomunado com os chineses, provavelmente com o chefe deles, que possivelmente era o homem que mandara a ruiva matar Scully quando o detetive descobrira a ligação com Chinatown.

E ele tinha uma vantagem. Eles não sabiam que Bell sabia.

— *Senor* Bell?

Bell levantou os olhos de seus telegramas e baixou-os para o cano de uma arma.

39

— **Louis, pensei que tínhamos** concordado que você guardaria essa arma na mala.

Harold achava-se atrás de Louis, tirando uma arma do casaco.

— Você também me desaponta, Harold. Isso não é uma Bíblia. Nem mesmo um machadinho chinês tradicional, mas uma arma de fogo que qualquer bandido americano moderno que se preze ficaria orgulhoso em carregar.

De uma hora para outra, o inglês de Louis soava sem sotaque e ele assumia ares superiores.

— Caminhe até a borda da plataforma, senhor Bell, e dê as costas para nós. Não saque a pistola que esconde em seu coldre de ombro, nem tente tirar a arma do chapéu. E nem pense em alcançar a faca na bota.

Bell relanceou o olhar por cima deles, através da porta de entrada. Na dianteira do vagão, o falso Arnold Bennett continuava a encenação, com gestos largos que cumpriam o efeito desejado de distrair os poucos passageiros a bordo. As rodas rangiam alto demais para que Bell ouvisse suas risadas.

— Para um seminarista, Louis, você é um observador incomum de armas escondidas. Mas já pensou que as testemunhas vão ouvi-lo atirar em mim?

— Só vamos atirar se nos forçar a isso. Depois atiramos nas testemunhas. Estou certo de que ouviu dizer que nós, asiáticos e mongóis, não temos nenhuma consideração pela vida humana. *Vire-se!*

Bell olhou por cima do ombro. A balaustrada era baixa. O leito da estrada desaparecia atrás do trem a uns 90 quilômetros por hora, numa mistura indistinta de trilhos de aço, cravos de ferro, balastro de pedregulhos e dormentes de madeira. Quando se virasse, quebrar-lhe-iam a cabeça com um cano de arma ou enterrariam uma faca em suas costas, antes de empurrá-lo sobre a balaustrada.

Ele abriu a mão.

Os telegramas se espalharam, girando e rodopiando na corrente de vento ascendente, e voaram sobre o rosto de Louis como pássaros enlouquecidos.

Bell levantou os braços, agarrou a borda da armação do toldo, dobrou os joelhos e chutou, com a botina, a cabeça de Harold. O chinês saltou para a esquerda como Bell queria, liberando o caminho para a alça de madeira, pintada de vermelho, do freio de emergência do trem.

Qualquer dúvida quanto a eles não serem seminaristas desapareceu quando a mão de Bell achava-se a poucos centímetros do freio de emergência. Louis chocou o cano da arma contra seu punho, afastando-o com violência da alça do freio. Incapaz de fazer o trem parar de repente, Bell ignorou a dor latejante no punho direito e golpeou com o esquerdo. O golpe na testa de Louis foi forte o suficiente para produzir o efeito desejado e o deixou de joelhos.

Porém, Harold se recuperara. Como um lutador altamente treinado, o chinês, baixo e rijo, concentrou toda a sua força e peso brandindo a arma como um bastão de aço, que se chocou contra o chapéu de Bell. A copa de feltro grosso e o revestimento interno de aço do chapéu amorteceram um pouco o golpe, mas as circunstâncias estavam contra ele. Bell viu o toldo girar acima da cabeça, depois o céu, e então se sentiu caindo sobre a lateral da ferrovia, de encontro aos trilhos. Tudo parecia estar em câmera lenta. E numa terrível fração de segundo, tentando resistir à velocidade de 90 quilômetros por hora do trem, ele viu os degraus da plataforma. Bell agarrou a escada de ferro com firmeza. Se suas mãos escorregassem, estaria perdido. Depois, curvou os braços como se fizesse uma flexão na barra e alçou os pés acima do último degrau.

A pistola de Harold desceu, quase invisível, parecendo encher todo o céu. Bell lançou a mão na direção da arma para segurar o punho de Harold e puxou-o com toda a força. O gângster chinês foi arremessado por cima dele, voou pelos ares e estatelou-se de encontro a um poste telegráfico, o corpo curvando-se ao redor do poste como uma ferradura.

Apoiado nos degraus, Bell procurou sua pistola. Antes de conseguir sacá-la, a automática de Louis chocou-se contra sua cabeça.

— Sua vez!

40

Bell escorou os pés para saltar e relanceou o olhar, como um raio, para o chão que passava acelerado. De sua posição precária sobre os degraus, podia ver mais à frente do que Louis. Ao lado do trem, estendia-se um aterro de cascalho íngreme e uma fileira interminável de postes telegráficos, além de um bosquete de árvores copadas tão mortais quanto os postes. No entanto, mais longe havia um campo aberto, pontilhado de carneiros. Uma cerca de arame farpado corria ao longo da pista, para manter a criação longe dos trilhos. Tinha de evitar a cerca, se quisesse sobreviver ao salto, mas, primeiro, precisava de cinco segundos até o trem alcançar o campo.

Gritou contra o rugir do vento e o estardalhaço das rodas.

— Vou encontrar você, Louis.

— Se sobreviver, empresto minhas orelhas para usar como muletas.

— Eu nunca desisto... — disse Bell, ganhando mais um segundo. Estavam quase chegando ao campo gramado. A encosta era mais íngreme do que parecera de longe.

— Última chance, Bell. Salte!

Bell ganhou mais um segundo, dizendo:

— Nunca!

Em seguida, lançou-se em um mergulho desesperado para se livrar da cerca. Saltara baixo demais. Escapou por pouco de um poste telegráfico e, por menos ainda, de um pau de cerca. Mas a carreira superior do arame farpado vinha na direção do seu rosto. O turbilhão do vento, provocado pelo trem em velocidade, atingiu-o em cheio. O golpe de ar alçou seu corpo acima do arame. Ele atingiu a grama como um jogador de beisebol em seu mergulho para a base e tentou envolver as pernas com os braços, formando uma bola com o corpo. Rolou no chão, incapaz de evitar rochas e pedregulhos em seu caminho. Na confusão do movimento, encontrou, de repente, algo sólido à frente e não teve escolha a não ser chocar-se contra o que quer que fosse.

O choque abalou todas as fibras do seu corpo. A dor e a escuridão envolveram sua cabeça. Sentiu-se vagamente consciente de que os braços e as pernas tinham se soltado e agitavam-se, como os membros de um espantalho, enquanto continuava a rolar sobre a grama. Não teve forças para reuni-los de volta. A escuridão se aprofundava. Depois de um tempo, teve a vaga impressão de que parara de se mover. Ouviu uma batida de tambor. O chão abalou-se sob seu corpo. Então, a escuridão fechou-se por completo e seu corpo permaneceu inteiramente imóvel.

Em dado momento, os tambores cessaram. E, em outro momento, tornou-se consciente de que a escuridão cessara. Seus olhos estavam abertos, olhando para um céu nebuloso. Na mente, viu o campo girar, coberto de carneiros. A cabeça doía. O Sol movera-se cerca de uma hora para o Oeste. E, quando se sentou e olhou ao redor, avistou um rebanho de carneiros reais — flocos lanosos, sem chifres, pastando pacificamente, todos menos um, a cerca de 50 metros, que mancava, esforçando-se para se manter de pé.

Bell esfregou a cabeça, depois apalpou o corpo em busca de ossos fraturados. Não encontrou nenhum. Levantou-se, inseguro, e caminhou na direção do carneiro para verificar se seu ferimento era grave o bastante para que tivesse de nele atirar e lhe poupar sofrimento. No entanto, como que inspirado por seu sucesso, o animal conseguiu se firmar sobre as quatro patas e saiu mancando, com certo esforço, para se unir ao rebanho.

— Desculpe, parceiro! — disse Bell. — Não pretendia atingi-lo, mas estou feliz que isso tenha acontecido.

Saiu à procura do chapéu.

Quando ouviu a aproximação de um trem, escalou o aterro e se colocou no meio dos trilhos. Ficou ali parado, acenando, até o trem parar com a extremidade da grade da locomotiva quase tocando seus joelhos. O maquinista, o rosto vermelho, saltou para a frente da máquina e gritou:

— Quem, diabos, você pensa que é?

— Um agente da Van Dorn — respondeu Bell — a caminho de Napa Junction.

— E por acaso acha que isso o torna dono da ferrovia?

Bell desabotoou o bolsinho do peito do casaco, coberto de fiapos de grama, e apresentou o mais persuasivo dos diversos passes ferroviários que já carregara.

— De certa forma, acho que sim — ele se dirigiu para a escada que levava à cabine e subiu a bordo.

Em Napa Junction, o chefe da estação informou:

— O padre inglês e seu missionário chinês tomaram o trem para o Norte, até St. Helena.

— Quando parte o próximo trem para St. Helena?

— O que vai para o Norte parte às 3 horas e três minutos.

— Espere — Bell firmou-se sobre o balcão. — O que foi que disse? — outro campo de carneirinhos redondos girava em sua cabeça. — *Padre?*

— O reverendo J. L. Skelton.

— Não era um escritor? Um jornalista?

— Quando foi a última vez que você viu um jornalista usando um daqueles colarinhos brancos?

— E ele foi para o Norte? — era distante de Mare Island.

— É.

— Ele levava um seminarista chinês com ele.

— Foi o que lhe disse. Ele comprou duas passagens para Mount Helen.

— Viu os dois embarcarem?

— Eu os vi a bordo. Vi o trem partir da estação. E posso dizer que não voltou.

— Quando sai o próximo trem para o Sul?

— O trem para Vallejo acabou de sair.

Bell olhou ao redor.

— O que são aqueles trilhos? — uma fiação elétrica, suspensa em catenária, estendia-se acima deles. — Interurbanos?

— Da ferrovia entre Napa-Vallejo e Benicia — respondeu o chefe da estação, acrescentando, com uma fungada desdenhosa: — O bonde.

— Quando parte o próximo bonde para Vallejo?

— Não faço ideia. Não converso com a concorrência.

Bell estendeu seu cartão e uma nota de 10 dólares ao chefe da estação.

— Se aquele reverendo voltar aqui, mande um telegrama ao comandante de Mare Island, aos meus cuidados.

O chefe da estação embolsou a meia semana de salário e disse:

— Imagino que nunca o vi, caso o reverendo pergunte?

Bell deu-lhe outra nota de 10 dólares.

— Acabou de tirar as palavras da minha boca.

Esperava na linha do interurbano, a cabeça rodando, quando um automóvel Stanley Steamer de quatro lugares e rodas vermelhas apareceu, aproximando-se silencioso. Parecia novinho em folha, a não ser por alguma lama espirrada nos faróis dianteiros.

— Ei!

Bell correu na direção dele. O motorista parou. Quando levantou os óculos de dirigir, parecia-se com um colegial matando aula. Bell imaginou se não teria "tomado emprestado" o carro do pai.

— Aposto 20 pratas que essa coisa não faz 2 quilômetros num minuto.

— Vai perder.

— São 12 quilômetros até Vallejo. Aposto 20 pratas com você que não consegue chegar lá em seis minutos.

Bell estava perdendo a aposta até que, faltando dois quilômetros para Vallejo, começaram a fazer uma curva fechada da estrada e o motorista puxou o freio. A estrada achava-se bloqueada por uma turma de homens que cavara uma trincheira por toda a sua largura, para instalar o encanamento de um aqueduto.

— Ei! — gritou o motorista. — Como, diabos, vamos chegar a Vallejo?

O capataz, sentado à sombra de um guarda-chuva, apontou para um desvio pelo qual haviam acabado de passar.

— Por cima do morro.

O motorista olhou para Bell.

— Isso não é justo. Não vou fazer o percurso naquele tempo tendo de passar pelo morro.

— Bem, considere um desconto — disse Bell. — Acho que vai vencer a corrida.

O rapaz engatou a marcha e o Stanley cobriu valentemente a distância morro acima. Atravessaram um planalto estreito e subiram por mais uma encosta. No alto do morro, Bell admirou a vista, de tirar o fôlego. Dava para ver toda a cidade de Vallejo lá embaixo, o desenho em grade de suas ruas, as casas e as lojas terminando diante das águas azuis da baía de San Pablo. À direita, Mare Island era assinalada pelas altas torres de rádio de aço, a exemplo das que Bell vira no Arsenal da Marinha em Washington. Navios descansavam ao longo da ilha. À distância, ele viu colunas de fumaça preta elevando-se por trás da Ponta de San Pablo, que dividia a baía de São Francisco da baía de San Pablo.

— Pare o carro — disse Bell.

— Estou perdendo tempo.

Bell entregou-lhe os 20 dólares.

— Você já ganhou.

Uma linha de couraçados brancos rodeava o promontório e navegava à vista. Ele conhecia as silhuetas das pinturas de Henry Reutendhal, reproduzidas ao longo dos meses na *Collier's*. A nau capitânia, o *Connecticut*, com suas três chaminés, liderava a coluna, seguida pelo *Alabama*, com duas chaminés lado a lado; depois dele, vinha o *Kersage*, um pouco menor, com duas chaminés altas alinhadas e cheio de torres, e o *Virginia* fechava a retaguarda.

— Uau! — exclamou o rapaz, à direção. — Diga, para onde eles estão indo? Deviam ancorar na cidade.

— Para lá — disse Bell. — Mare Island, para manutenção e reabastecimento.

**

O rapaz deixou-o em uma rua de alfaiatarias que forneciam uniformes para os oficiais da Marinha.

— Quanto custa para trocar meu traje completo?

— Suas roupas são bastante finas, senhor. Cinquenta dólares, se tiver pressa.

— Cem — disse Bell —, se todos os seus funcionários pararem o que estão fazendo e costurarem para mim em duas horas.

— Fechado! E retocamos seu chapéu como brinde.

— Gostaria de usar seu banheiro e, depois, de me sentar em uma cadeira onde pudesse fechar os olhos.

No espelho acima da pia, ele observou a ligeira dilatação de suas pupilas, informando-lhe que poderia ter sofrido uma pequena concussão. Se fosse só isso, "obrigado, senhor carneiro!".

Lavou o rosto, sentou-se em uma cadeira e adormeceu. Uma hora mais tarde, acordou com o barulho de uma coluna aparentemente interminável de carroças e carroções a caminho do píer de Mare Island. A cada quatro carroções, um trazia o nome t. whitmark gravado na lateral. Ted fazia um bom negócio alimentando os marinheiros.

O alfaiate cumpriu a palavra. Duas horas depois de chegar a Vallejo, Isaac Bell saiu para tomar o *ferryboat Pinafore* para o Estaleiro Naval de Mare Island. Os fuzileiros navais mandaram-no parar no portão. Bell mostrou o passe que Joseph Van Dorn conseguira com o secretário da Marinha.

— Leve-me ao comandante.

O comandante tinha uma mensagem para Bell, da estação ferroviária de Napa Junction.

**

— Meus anfitriões normalmente me proporcionam uma recepção, depois da minha oração — disse o padre inglês visitante, o reverendo J. L. Skelton.

— As coisas são um pouco diferentes aqui em Mare Island — disse o comandante. — Por aqui, senhor, para o seu local de recepção.

Segurando o padre pelo cotovelo, o comandante encaminhou-o à capela, iluminada pela luz que se filtrava por vitrais brilhantes da Tiffany, e abriu a porta para o gabinete do capelão da Marinha. Atrás de uma escrivaninha robusta, Isaac Bell levantou-se da cadeira, todo vestido de branco.

Skelton empalideceu.

— Um momento, esperem, cavalheiros, isso não é o que estão pensando!

— Você era um falso escritor no trem — disse Bell. — Agora é um falso padre.

— Não, sou um padre de verdade. Bem, fui destituído, entendem? Tudo não passou de um mal-entendido: fundos da igreja, uma jovem dama... Bem, podem imaginar.

— Por que se fez passar por Arnold Bennett?

— Surgiu a oportunidade e não pude deixar de aproveitá-la.

— Oportunidade?

Skelton inclinou a cabeça várias vezes, veementemente.

— Eu estava no fim da linha. Tinham me seguido da Inglaterra até Nova York. Precisava sair da cidade. O trabalho era sob medida.

— Quem lhe ofereceu o trabalho? — indagou Bell.

— Ora, Louis Loh, é claro. E o pobre Harold, que imagino não esteja mais entre nós.

— Onde está Louis Loh?

— Não sei muito bem.

— É melhor que saiba — rugiu o comandante. — Ou vou mandar açoitá-lo.

— Não será necessário — disse Bell. — Estou certo de que…

— Espere aí, senhor — vociferou o comandante, interrompendo-o como haviam combinado. — Este é o meu estaleiro. Trato os criminosos à minha maneira. Agora, onde está esse chinês? Rápido, antes que eu chame um contramestre.

— O senhor Bell está certo. Não será necessário. Isto é um grande mal-entendido e…

— Onde está o chinês?

— Quando o vi pela última vez, estava vestido como um japonês, trabalhando na colheita de frutas.

— Colheita de frutas? O que quer dizer com isso?

— Como os camponeses que trabalham na colheita que vimos do trem em Vaca. Você também viu, Bell. Existem grandes comunidades de japoneses empregados na colheita de frutas. Morangos e tudo mais…

Bell olhou de relance para o comandante, que aquiesceu, confirmando.

— Que roupa ele usava? — indagou Bell.

— Chapéu de palha, camisa xadrez, macacão.

— Era um macacão fechado, com peitilho de avental?

— Isso. Exatamente como um japonês trabalhando na colheita.

Bell trocou um olhar com o comandante.

— Existem árvores frutíferas em Mare Island?

— É claro que não. Isso aqui é um estaleiro. Agora, veja bem, você, é melhor que esteja falando a verdade ou…

Bell interrompeu-o.

— Reverendo, esta é sua oportunidade de não passar o resto da vida na prisão. Responda com atenção. Onde viu Louis Loh vestido como um camponês da colheita de frutas?

— Na fila.

— Que fila?

— Na fila de carroças para o *ferryboat* de carga.

— Ele estava em uma carroça?

— Ele dirigia uma, não percebe?

Bell encaminhou-se para a porta.

— Ele está disfarçado de colono japonês entregando frutas?

— É isso que estou tentando lhe dizer.

— Que frutas?

— Morangos.

**

— O passe! Seu mongol nojento — gritou o fuzileiro de guarda na entrada da curta estrada que atravessava Mare Island, do atracadouro do *ferryboat* até os píeres, onde os marinheiros seguiam, em fila, para cima e para baixo nas pranchas de desembarque, carregando provisões para dentro dos navios. — Mostre seu passe!

— Aqui está, senhor — disse Louis Loh, os olhos baixos enquanto estendia o papel. — Eu já mostrei no *ferryboat*.

— Mostre aqui de novo! E, se dependesse de mim, os japas não punham o pé em Mare Island, com ou sem passe.

— Sim, senhor.

O fuzileiro olhou furiosamente para o documento, murmurando:

— Asiáticos dirigindo carroções. Os fazendeiros devem estar matando cachorro a grito — ele iniciou um círculo lento e deliberado em torno do carroção. Arrancou um morango de um dos engradados e atirou para dentro da boca.

Um sargento apareceu, afobado.

— Mas que diabo está acontecendo aqui?

— Só estou verificando o japa, senhor.

— Você tem uma centena de carroças na fila. Ande logo com isso!

— Você ouviu, seu estúpido mongol, dê o fora daqui!

O fuzileiro desceu a mão grande sobre o traseiro da mula e o animal saltou para a frente, quase atirando Louis Loh para fora da carroça. A estrada, pavimentada com paralelepípedos, tinha saídas para armazéns e oficinas de máquinas, e atravessava um trilho ferroviário. No momento em que o caminho fazia uma bifurcação, Louis Loh puxou as rédeas. A mula, que vinha marchando atrás de outras carroças, virou com relutância.

O coração de Loh começou a bater com mais força. O mapa que recebera indicava que o depósito de munição ficava no fim da rua, à beira da água. Ele contornou o prédio de uma fábrica e lá estava, uma construção de pedra uns 400 metros à frente, com janelas pequenas gradeadas e telhado de terracota. O telhado de terracota e o reflexo azulado da baía de San Pablo lembravam sua cidade natal, Cantão, na Costa Sul da China. Assustado como estava, foi subitamente assaltado por uma dose redobrada de nostalgia, que abalou sua decisão. Eram tantas coisas lindas que nunca mais voltaria a ver!

As carroças passavam em fila ao largo do depósito de munição e seguiam para um longo atracadouro, ao fim do qual oscilava, branco e reluzente, o *Connecticut,* a capitânia da Grande Frota Branca. Ele estava perto. À frente, avistou o último posto da guarda controlado pelos Fuzileiros Navais. Estendeu a mão por baixo do assento da carroça e puxou uma corda. Imaginou que podia ouvir o alarme do relógio correndo embaixo dos morangos, mas, na verdade, o aparelho estava completamente abafado pelos barris de explosivos sob as frutas. Estava perto. A única pergunta era: quão mais perto conseguiria chegar antes que o detivessem?

Ouviu o ruído de um motor pesado, acionado por corrente, atrás de si. Era um caminhão de carga cheio de barris vermelhos e brancos empilhados, contendo xarope de Coca-Cola. Será que o caminhão o seguira por engano para fora da fila de abastecimento? Fosse qual fosse a razão, aquela presença tornava seu carroção solitário menos evidente. O caminhão tocou a buzina e passou rugindo à frente dele. Um segundo depois, parou abruptamente, os pneus de borracha maciça derrapando sobre os paralelepípedos. O veículo deslizou para o lado, bloqueando a estrada, que tinha uma valeta de cada lado. Não haveria como contorná-lo e Loh já tinha acionado o contador que detonaria os explosivos.

Louis gritou:

— Senhor, poderia, por favor, afastar seu caminhão? Estou fazendo uma entrega.

Isaac Bell saltou da cabine, agarrou o arreio da mula e disse:

— Olá, Louis!

O temor e a nostalgia de Louis Loh se dissolveram como uma neblina levada pelo vento. O gelo substituiu-a de imediato. Ele estendeu a mão por baixo do assento da carroça e puxou uma segunda corda. Ela seguia para frente, ao longo da lingueta da carroça e por baixo dos tirantes da mula. Uma série de bombinhas sucessivas foi detonada em uma sequência de explosões rápidas. Aterrorizada, a mula recuou com violência, atirando Bell ao chão. O animal mergulhou cegamente na valeta, arrastando consigo a carroça, que virou, espalhando os morangos e os explosivos. O animal, enlouquecido, libertou-se e correu, mas não antes que Louis Loh, vendo que estava tudo perdido, saltasse em seu lombo. Corcoveando e chutando, o animal tentou arremessar Louis Loh, mas o jovem chinês, com habilidade, segurou-se firmemente, disparando em direção à água.

Isaac Bell partiu atrás deles, correndo a toda velocidade sobre o campo que levava para o estreito que separava Mare Island de Vallejo. Viu a mula estacar subitamente e Louis Loh ser catapultado sobre o pescoço do animal. O chinês rolou sobre a grama, levantou-se de um salto e correu. Bell o seguiu. De repente, uma imensa explosão abalou o solo. Bell olhou para trás. Barris de Coca-Cola voavam pelo ar. O carroção desaparecera e o caminhão estava em chamas. Os fuzileiros do posto da guarda e os homens do píer de munições correram em direção ao fogo. O *Connecticut* e o armazém de pedra saíram incólumes.

Bell disparou atrás de Louis Loh, que corria em direção ao píer. Uma lancha estava amarrada ao lado. Um marinheiro saiu de dentro dela e tentou deter o chinês. Louis Loh afastou-o com o braço direito e mergulhou na água. Quando Bell chegou ao píer, ele nadava em direção a Vallejo.

Bell correu para a lancha.

— O vapor está ligado?

O marinheiro ainda estava no píer, atordoado.

— Sim, senhor.

Bell soltou os cabos de proa e de popa dos postes de amarração.

— Ei, o que está fazendo, senhor? — o marinheiro saltou para dentro da lancha e estendeu a mão para Bell. — Pare!

— Você sabe nadar?

— Claro.

— Então, até logo!

Bell pegou a mão do marinheiro e o atirou borda afora. A maré levava o barco para longe da doca. Bell engatou a marcha e manobrou em torno do marinheiro, que gaguejava, indignado.

— Por que fez uma coisa dessas? Deixe-me ajudá-lo.

A última coisa que Bell queria era a ajuda da Marinha. A Marinha prenderia Louis e o manteria no calabouço de um navio.

— Ele é meu prisioneiro — disse ele. — Meu caso.

A maré arrastava Louis correnteza abaixo. Bell seguiu para perto dele na lancha, pronto para resgatá-lo do afogamento. Mas o chinês era um nadador resistente, cortando a água num estilo moderno de natação.

Nos últimos 50 metros, Bell manobrou a lancha em direção a um píer na costa e ficou esperando na margem, segurando as algemas, quando Louis saiu, cambaleante, da água. O chinês parou, respirando com dificuldade, e olhou, espantado, para o detetive alto, que disse:

— Estenda as mãos.

Louis puxou uma faca e mergulhou contra ele, com uma velocidade surpreendente para um homem ensopado, que acabara de nadar numa forte correnteza. Bell segurou as algemas em uma das mãos e, com a outra, bateu-lhe duramente. Louis foi ao chão, atordoado o suficiente para Bell algemar suas mãos às costas. Bell colocou-o de pé, surpreso por ele ser tão leve. Louis não devia pesar mais do que 60 quilos.

O detetive o conduziu em direção ao píer, onde amarrara a lancha. Eram apenas 8 ou 10 quilômetros, descendo até o estreito de Carquinez, de Vallejo à ponta Benicia, onde, com alguma sorte, conseguiria embarcar em um trem sem que a Marinha notasse.

Mas, antes que pudesse chegar ao píer, um *ferryboat* de Mary Island atracou e descarregou uma turma de operários do estaleiro.

— Aqui está ele!

— Vamos pegá-lo!

Os trabalhadores ouviram a explosão, viram os barris voando e somaram dois mais dois. Enquanto corriam na direção de Bell e Louis Loh, um segundo grupo, que fazia os reparos de um bonde próximo, veio correndo com picaretas e barras de ferro e juntou-se ao primeiro. Eles se tornaram uma massa sólida, bloqueando a passagem do detetive da Van Dorn e de seu prisioneiro em direção à lancha.

O grupo de ferroviários acendeu um maçarico de oxiacetileno.

— Queimem o japa! Ao inferno com o julgamento!

Isaac Bell disse à turba de linchadores:

— Vocês não podem queimá-lo, rapazes.

— Ah, é? E por que não?

— Ele não é japonês. É chinês.

— São todos mongóis, cules asiáticos, estão todos do mesmo lado.

— Vocês ainda não podem queimá-lo. Ele me pertence.

— A você? — a turba rugiu, em coro.

— Quem disse que ele é seu?

— Você é só um e nós, cem!

— Cem? — Bell tirou a pistola do chapéu e a Browning do casaco e agitou suas bocas à frente da multidão. — Dois tiros na mão esquerda. Sete na direita. Vocês não são cem. São 91.

Alguns homens da frente recuaram, esgueirando-se entre os que estavam atrás, mas outros os substituíram. A nova fileira da frente aproximou-se, trocando olhares, procurando um líder. Bell, o rosto imperturbável como granito, os olhos frios, olhava de um homem para outro, observando seus olhos.

Só era preciso um que tivesse coragem.

— Quem será o primeiro? E quanto aos colegas da frente?

— Peguem ele! — gritou um homem alto, na segunda fila.

Bell disparou com a Browning. O homem gritou e caiu de joelhos, levando as duas mãos ao ouvido ensanguentado.

41

— **Noventa e nove** — disse Isaac Bell.

A multidão recuou, resmungando mal-humorada.

Um bonde adiantou-se, tocando o sino para afastar os homens dos trilhos. Bell arrastou Louis Loh para perto dos trilhos.

— Vocês não podem subir aqui — protestou o operador. — Esse japa está todo molhado!

Bell dirigiu as bocas da pistola de cano duplo para o rosto do condutor do bonde.

— Sem paradas. Direto para o terminal de Benicia.

Passando em velocidade acelerada pelos passageiros à espera nos pontos de parada ao longo do caminho, em dez minutos eles entraram na estação de *ferryboats* da ferrovia Southern Pacific. Do outro lado do estreito de dois quilômetros, em Port Costa, Bell avistou o *Solano*, o maior *ferryboat* de ferrovia do mundo, que podia carregar uma locomotiva e um comboio de Pullmans da Overland Limited até o leste. Arrastou Loh para o escritório do chefe da estação, identificou-se, comprou passagens com cabines para atravessar o continente e enviou telegramas. Em nove minutos, o *ferryboat* atravessou, atracou e engatou nos trilhos. A locomotiva puxou a metade dianteira do trem para o pátio de manobras. Uma máquina de manobras puxou os quatro vagões traseiros da embarcação. Em dez minutos, o trem estava montado de novo e fumegando para fora do terminal de Benicia.

Bell encontrou sua cabine e algemou Louis ao encanamento.

Assim que o trem transcontinental ganhou velocidade e começou a sair do vale do Rio Sacramento, Louis Loh finalmente falou.

— Para onde está me levando?

— Louis, à qual sociedade secreta você pertence?

— Não pertenço a nenhuma sociedade chinesa.

— Por que tentou fazer parecer que a explosão do depósito de munição era obra de um japonês?

— Não vou conversar com você.

— É claro que vai. Vai me contar tudo o que quero saber sobre o que estava tentando fazer, por que e quem lhe deu as ordens.

— Você não entende um homem como eu. Não vou falar, mesmo que me torture.

— "Esse não é meu estilo" — falou Bell, citando um poema bastante célebre na época entre os torcedores do beisebol.

— "'Primeira vantagem', diz o árbitro" — rebateu Louis Loh, com presunção. — Li seu poema, "*Casey at the Bat*".

— Você já me contou uma coisa antes — replicou Bell. — Só não sabe disso.

— O quê?

O detetive alto permaneceu em silêncio. Na verdade, Louis Loh confirmara a suspeita dele de que era uma pessoa mais sofisticada do que um gângster comum, de sociedade chinesa. Não acreditava que o chinês fosse o espião em si, mas havia mais coisas em relação a Loh do que a tentativa daquele dia em Mare Island revelava.

— Você me dá uma grande vantagem — disse Loh.

— Como isso é possível?

— Admitindo que não é homem o bastante para me torturar.

— É essa a definição de homem da Hip Sing?

— O que é Hip Sing?

— Você vai me dizer.

— Quando o jogo virar — disse Louis Loh —, quando você for meu prisioneiro, eu vou torturá-lo.

Bell estendeu-se na cama e fechou os olhos. A cabeça doía e o carneiro ainda dava cambalhotas.

— Vou usar um cutelo, a princípio — começou Loh. — Uma machadinha. Afiada como uma navalha. Vou começar pelo seu nariz... — Louis Loh continuou a recitar descrições sinistras dos horrores que lhe infligiria até que Bell começou a roncar.

O detetive abriu os olhos quando o trem parou em Sacramento. Ouviram-se batidas à porta da cabine. Bell deixou entrar dois robustos agentes do Serviço de Proteção da agência de Sacramento.

— Levem este aí para o vagão de bagagens, algemem as mãos e os pés. Um de vocês permaneça com ele o tempo todo, enquanto o outro dorme. Tenho beliches no Pullman para vocês. Nunca o percam de vista. Se houver um corte ou um hematoma nele, vocês prestarão contas a mim. Irei vê-los com regularidade. Devemos ficar vigilantes em todas as paradas do trem.

— O caminho todo até Nova York?

— Teremos de trocar de trem em Chicago.

— Acha que os amigos dele tentarão resgatá-lo?

Bell procurou em Loh alguma reação, mas nada viu.

— Trouxeram espingardas?

— De carregamento automático, como mandou. E uma para você também.

— Que eles tentem… Tudo bem, Louis, vá andando! Espero que goste de ser bagagem pelos próximos cinco dias.

— Eu não vou falar nada.

— Descobriremos um jeito — prometeu Bell.

**

Passagens de trem de luxo, um terno de lãzinha xadrez de um "escritor inglês abastado", um relógio de bolso de ouro, malas caras e uma centena de dólares… Isso foi tudo o que custou, ao espião, para contratar o destituído padre J. L. Skelton para se fazer passar por Arnold Bennett — foi o que relatou Horace Bronson, chefe da agência de São Francisco, em um telegrama que esperava por Isaac Bell em Ogden. No entanto, apesar de as ameaças de uma extensa pena de prisão o assustarem a ponto de abrir a boca e contar tudo o que sabia, Skelton não imaginava por que fora contratado para fingir ser o acompanhante dos supostos seminaristas chineses.

"Ele jurou sobre uma pilha de Bíblias", observou Bronson ironicamente, "que não sabia por que foi pago depois, com outra centena de dólares, para voltar à condição de padre e rezar uma missa na capela de Mare Island. E negou saber por que Harold Wing e Louis Loh tentaram fazer parecer que fora obra de japoneses a explosão do depósito de munição de Mare

Island para prejudicar os navios da Grande Frota Branca." Horace Bronson acreditava nele. Isaac Bell também acreditou. O espião era um especialista em fazer os outros executarem o trabalho sujo. Como no caso dos canhões de Arthur Langner, estava a quilômetros de distância da explosão.

A origem do passe que Loh usara para embarcar com seu carroção no *ferryboat* para o estaleiro naval teria sido uma pista, porém o documento se perdera na explosão, junto com o carroção e o caminhão. Nem a mula cooperou. Ela fora roubada em Vaca, no dia anterior. Os guardas que controlavam a entrada de centenas de carroças e carroções não forneceram nenhuma informação sobre os passes ou sobre a carga do carroção de morangos que deixaram entrar na ilha.

Dois dias depois, quando o trem atravessava, a toda velocidade, o estado de Illinois, Bell levou a Louis Loh um jornal de Chicago. O gângster achava-se estendido sobre uma cama dobrável, aberta na semiescuridão do vagão de bagagens sem janelas, com os pulsos e os tornozelos algemados à estrutura metálica. O agente do Serviço de Proteção que o vigiava dormitava sobre um banco.

— Vá tomar um café! — ordenou Bell e, depois de ficarem sozinhos, ele mostrou o jornal a Louis. — Notícias quentes do exterior. Novidades de Tóquio.

— O que me interessa saber sobre Tóquio?

— O imperador do Japão *convidou* a Grande Frota Branca americana para uma visita oficial quando atravessar o Pacífico.

A máscara impassível que Louis Loh habitualmente usava sobre a face deslocou-se um fio de cabelo. Bell detectou uma minúscula queda de seus ombros, que transmitia um colapso na esperança interior de que seu ataque, embora fracassado, provocasse um atrito entre o Japão e os Estados Unidos.

Bell estava confuso. Por que Louis se preocupava tanto? Já fora pego. Seu destino seria a prisão, senão a forca, e perdera o dinheiro que receberia em caso de sucesso. Por que se preocupava? A menos que tivesse feito aquilo por outras razões além do dinheiro.

— Podemos presumir, Louis, que Sua Majestade Imperial *não* convidaria a frota se você tivesse conseguido explodir o estaleiro naval de Mare Island em seu nome.

— Por que deveria me importar com o imperador do Japão?

— Esta é a minha pergunta. Por que um gângster chinês tentaria inflamar o antagonismo entre americanos e japoneses?

— Vá para o inferno!

— E para quem? Para quem você fez aquilo, Louis?

Louis Loh sorriu com ironia.

— Poupe seu fôlego. Torture-me! Nada vai me fazer falar.

— Encontraremos um jeito — prometeu Bell. — Em Nova York.

Agentes fortemente armados da Van Dorn de Chicago, com o apoio da polícia ferroviária, transferiram Louis Loh do Overland Limited para a estação de LaSalle, onde seria embarcado no 20th Century Limited. Ninguém tentou resgatar Louis ou matá-lo, o que Bell mais ou menos esperava. Decidiu deixá-lo aos cuidados do Serviço de Proteção até que o 20th Century chegasse a Nova York. E Bell continuou fora da vista de Louis na estação Grand Central, onde outra equipe de agentes da Van Dorn colocou o chinês em um caminhão e o conduziu ao estaleiro da Marinha no Brooklyn. Lowell Falconer colaborou para que Louis Loh passasse sua primeira noite em um calabouço da Marinha.

Bell esperou que o capitão, em seu iate turbinado *Dyname*, atracasse no píer do Estaleiro Naval, entre as carreiras do Casco 44 e uma enorme barcaça de madeira puxada para o mar por um rebocador. Sobre a barcaça, engenheiros montavam um mastro de observação. Era uma versão em tamanho natural feita a partir do modelo em escala de 12 para 1, que Bell vira no estúdio de projetos de Farley Kent.

Muito acima de sua cabeça, a popa do Casco 44 encobria o céu azul. A colocação das placas do casco avançara bastante sobre o cavername, e a embarcação assumia cada vez mais a forma de um navio. Se viesse a se tornar metade do navio de guerra que Falconer idealizara, e no qual Alasdair MacDonald e Arthur Langner trabalharam tanto, a fim de torná-lo ágil e mortífero — pensou Bell —, esta visão da sua popa o inimigo jamais chegaria a ter, pois seus navios seriam arrasados, submetidos ao poder de fogo do Casco 44.

Falconer subiu a bordo, depois de instalar o prisioneiro. Informou que as últimas palavras de Louis, enquanto trancavam a porta da cela, foram:

— Digam a Isaac Bell que não falarei.

— Ele vai falar.

— Não contaria com isso — advertiu Falconer. — Quando estive no Extremo Oriente, os japoneses e os chineses praticamente estripavam os espiões capturados. Não obtinham uma palavra.

O detetive da Van Dorn e o capitão da Marinha permaneceram no convés exterior enquanto o *Dyname* navegava de volta ao East River, com os nove propulsores girando com a suavidade que Bell ainda considerava surpreendente.

— Tem alguma coisa em Louis Loh que me intriga — refletiu ele. — Ainda não consegui descobrir o que o torna diferente.

— A meu ver, ele não passa de um joguete de segunda categoria.

— Pois eu acho que não — disse Bell. — Ele se porta com orgulho, como um homem com uma missão.

**

— Está um verdadeiro sobe e desce no mundo das gangues de Nova York — disse Harry Warren, e o grupo de detetives da Van Dorn que as vigiavam concordou solenemente. — Um dia elas estão por cima, poderosas, e, no outro, caem na sarjeta.

A sala dos fundos da sede no hotel Knickerbocker estava cinzenta com a fumaça dos cigarros e charutos. Uma garrafa de uísque trazida por Isaac Bell corria de mão em mão.

— Quem está na sarjeta no momento? — indagou ele.

— Os Hudson Dusters, os Marginals e os Pearl Buttons. Os Eastmans estão com problemas, com o Monk Eastman em Sing Sing, e, para piorar sua situação, mantêm uma rixa com os Five Pointers.

— Eles fizeram um belo tiroteio embaixo do elevado da 3rd Avenue, ontem à noite — comentou um detetive. — Ninguém morreu, infelizmente.

— Em Chinatown — continuou Harry —, a Hip Sing vem dominando os On Leongs. No West Side, os Gophers do Tommy Thompson estão com tudo. Ou *estavam.* Os filhos da mãe estão bastante ocupados depois que você atiçou a polícia ferroviária contra eles, pela emboscada ao jovem Eddie Tobin.

O comentário foi seguido de entusiasmadas inclinações de cabeça e de algumas observações num tom relutante de admiração.

— Aqueles detetives do Oeste são os piores bastardos que já vi!

— Eles deixaram os Gophers tão desarticulados que a gangue da Hip Sing abriu um novo antro de ópio, bem no meio do território da gangue dos Gophers.

— Espere aí! — advertiu Harry Warren. — Vi alguns Gophers em um antro da Hip Sing no centro da cidade. O que Scully descobriu, Isaac? Fiquei com a impressão de que havia alguma coisa entre a Hip Sing e os Gophers. Pode ser que Scully também tivesse percebido isso.

Alguns murmuraram, concordando. Tinham ouvido rumores sobre isso.

— Mas nenhum de vocês sabe alguma coisa sobre Louis Loh?

— Isso não quer dizer muita coisa, Isaac. Os criminosos de Chinatown são muito mais discretos.

— E mais organizados. Para não dizer mais espertos.

— E ligados a todas as Chinatowns dos Estados Unidos e da Ásia.

— A conexão internacional é intrigante, se for caso de espionagem — admitiu Bell. — A não ser por uma coisa muito importante: por que mandar dois homens de Nova York, que atravessaram todo o continente, quando podiam ter usado homens da Chinatown local, de São Francisco, que conhecessem o território?

Ninguém respondeu. Os detetives permaneceram em um silêncio incômodo, interrompido apenas pelo tinir de um copo ou o estalido de um fósforo ao ser aceso. Bell olhou ao redor da sala, observando a equipe de veteranos de Harry. Sentia falta de John Scully. Scully tirava coelhos da cartola, era um mago em uma reunião como aquela, em que se trocavam informações e se fomentavam ideias.

— Por que toda aquela charada no trem? — perguntou ele. — Não faz sentido.

Seguiu-se um novo silêncio. Bell perguntou:

— Como vai indo o jovem Eddie?

— Mais ou menos.

— Digam a ele que darei um pulo lá assim que puder.

— Duvido que ele perceba sua presença no quarto.

Harry Warren disse:

— Está aí outra coisa estranha, até onde consigo entender. Por que os Gophers correriam o risco de provocar os agentes da Van Dorn?

— Eles são estúpidos — respondeu um detetive, e todos riram.

— Mas não estúpidos a esse ponto. Como diz Isaac sobre o Louis Loh atravessar o continente. A surra no garoto não faz o menor sentido. As gangues não procuram briga fora do seu círculo.

Isaac Bell disse:

— Você me falou que era estranho que o Homem de Gelo fosse a Camden.

Harry aquiesceu, vigorosamente.

— Os Gophers não saem da cidade.

— E você disse que os Gophers não mandam recados de advertência nem procuram vingança que possa atrair a raiva dos de fora. É possível que o espião os pagasse para se vingar, assim como pagou assassinos para ir a Camden?

— Quem vai nos dizer o que pensam os espiões?

— Eu conheço alguém que vai — falou Bell.

**

O comandante Abbington-Westlake saiu do Harvard Club, onde defendera a criação de uma associação honorária livre de taxas, e, com um aceno cansado, fez sinal para um táxi. Um táxi Darracq vermelho, à gasolina, passou direto pelo homem que acenava para ele na calçada em frente ao Yacht Club de Nova York e somente parou para o inglês corpulento.

— Ei, esse táxi é meu!

— Aparentemente não — pronunciou Abbington-Westlake com seu sotaque enrolado, enquanto subia no Darracq. — Ande logo, motorista, antes que aquele iatista descontente nos alcance.

O táxi arrancou em velocidade. Abbington-Westlake forneceu um endereço na parte alta da 5th Avenue e acomodou-se para a corrida. Na 59th, o táxi guinou repentinamente para dentro do Central Park. O inglês bateu com a bengala na janela.

— Não, não, não! Não sou nenhum turista para você me fazer passear pelo parque. Se quisesse desviar do meu caminho pelo parque, teria mandado você desviar do caminho pelo parque. Volte para a 5th Avenue imediatamente!

O motorista pisou fundo no freio, atirando Abbington-Westlake para fora do assento. Quando o inglês se recuperou, viu-se encarando os olhos frios de Isaac Bell, cuja expressão não era das melhores.

— Estou lhe avisando, Bell, tenho amigos que podem vir em meu socorro.

— Não vou lhe dar um murro bem merecido no nariz por me aprontar aquela com Yamamoto Kenta *se* responder a uma pergunta.

— Então, foi você que matou Yamamoto? — indagou o espião inglês, temeroso.

— Ele morreu em Washington. Eu estava em Nova York.

— Você mandou que o matassem?

— Não sou um dos seus — disse Bell.

— Qual é a sua pergunta?

— Seja quem for esse espião independente, acredito que esteja agindo de maneira estranha. Veja isso.

E mostrou o bilhete a Abbington-Westlake.

— Deixou-o no corpo do meu detetive. Por que faria uma coisa dessas?

O inglês leu num relance.

— Parece que está lhe mandando um recado.

— Você mandaria?

— Não é permitido fazer esse tipo de brincadeira.

— Mataria por vingança?

— Não é permitido ceder ao luxo da vingança.

— Faria isso para me ameaçar, acreditando que me deteria?

— Ele devia ter matado você, o que acabaria com tudo.

— Você mataria?

Abbington-Westlake sorriu.

— A meu ver, os espiões de sucesso são invisíveis. O ideal é copiar um plano secreto em vez de roubá-lo, assim o inimigo nunca saberá que foi roubado. Do mesmo modo, se um inimigo tem de morrer, sua morte deve parecer um acidente. A queda de escombros no local de trabalho pode esmagar um homem sem levantar suspeita. Um alfinete de chapéu espetado em seu cérebro é uma bandeira vermelha.

— O alfinete de chapéu não saiu nos jornais — disse Bell, friamente.

— É possível ler nas entrelinhas — retrucou o inglês. — Como lhe disse no Knickerbocker, bem-vindo ao mundo da espionagem, senhor Bell! Aprendeu bastante até agora. Sabe, por intuição, que, antes de qualquer coisa, o espião independente não é um espião.

— Ele não pensa como um espião — disse Bell. — Ele pensa como um gângster.

— Nesse caso, quem melhor para apanhar um gângster do que um detetive? Tenha um bom-dia, senhor! Posso lhe desejar uma boa caçada? — Ele saltou do táxi e saiu andando na direção da 5th Avenue.

Bell voltou correndo para o Hotel Knickerbocker e cercou Archie Abbott.

— Vá até a fábrica de torpedos de Newport.

— Os rapazes de Boston já estão...

— Preciso de você. Estou com uma estranha intuição sobre aquele ataque.

— Que intuição?

— E se não foi sabotagem? E se foi um roubo? Fique lá até descobrir o que levaram.

Ele acompanhou Archie até o trem, na estação Grand Central, e voltou ao escritório, imerso em pensamentos. Abbington-Westlake confirmara suas suspeitas. O espião *era* antes de tudo um gângster. Mas não poderia ser o Comodoro Tommy. O Gopher passara a vida inteira enfurnado no Hell's Kitchen. Louis Loh devia ter a resposta. Ele poderia ser da sociedade chinesa. Poderia, até mesmo, ser o espião. Talvez fosse isso que notara de diferente em Louis: ele agia como se tivesse um propósito. Estava na hora de interrogá-lo.

Tarde da noite, Bell tirou Louis Loh da prisão, no estaleiro da Marinha no Brooklyn, e algemou-o com as mãos às costas.

A primeira surpresa de Loh foi quando, sem o colocar dentro de um caminhão ou de um automóvel, Bell o encaminhou na direção do rio. Eles esperaram à beira da água. O Casco 44 assomava atrás deles. O vento trazia sons de motores de navios, panejar de velas, apitos e buzinas. Às escuras, exceto pelas luzes que passavam, o iate turbinado *Dyname,* de Lowell Falconer, aproximou-se quase em silêncio.

Os marinheiros do convés guiaram Bell e seu prisioneiro a bordo sem falar uma palavra. O iate saiu em marcha a ré para o rio e avançou correnteza abaixo. Seguiu por baixo da ponte do Brooklyn, passou pelo Battery e ganhou velocidade em Upper Bay.

— Se está planejando me jogar — disse Louis Loh —, lembre-se de que sei nadar.

— Usando essas algemas?

— Imaginei que fosse tirá-las, já que é contra a tortura.

O timoneiro aumentou a velocidade para 30 nós. Bell levou Loh para a cabine às escuras, onde eles se sentaram em silêncio, abrigados do vento e dos borrifos. O *Dyname* atravessou Lower Bay. Bell viu o clarão do farol pela vigia. Quando a proa do *Dyname* ergueu-se com a primeira vaga do Atlântico, Louis Loh perguntou:

— Para onde está me levando?

— Para o mar.

— Quanto, dentro do mar?

— Umas 50 milhas.

— Isso vai levar a noite inteira.

— Não nessa embarcação.

O timoneiro acelerou ao máximo. Uma hora se passou. As turbinas reduziram o passo e o iate desacelerou. De repente, bateu contra algo firme e parou. Bell pegou Louis pelo braço, verificou se as algemas estavam fechadas e o levou para o convés. Os marinheiros, silenciosos, ajudaram-nos a passar para o convés de madeira de uma barcaça. Então, o *Dyname* fez uma conversão e partiu. Em poucos minutos, tudo o que se via do iate era a brilhante espuma de sua esteira e, logo, ele desaparecia no meio da noite.

— E agora? — indagou Louis Loh.

A espuma na crista das ondas brilhava à luz das estrelas. A barcaça balançava acompanhando o movimento do mar.

— Agora vamos subir.

— Subir? Subir no quê?

— Nesse mastro.

Bell orientou o olhar de Louis para o mastro de observação. A estrutura arejada erguia-se tão alto que seu topo oscilante parecia encostar nas estrelas.

— O que é isso? Onde estamos?

— Estamos em uma barcaça de alvo, ancorada na área de testes de tiro do Atlântico da Marinha americana. Os engenheiros de testes ergueram aqui esse mastro de observação de 37 metros de altura, a última palavra em matéria de mastros de observação de couraçados.

Bell escalou dois degraus, abriu a algema do pulso direito de Louis e prendeu-a ao redor de seu próprio tornozelo.

— Pronto? Vamos lá.

— Aonde?

— Subir por essa escada. Quando eu levantar a minha perna, você levanta seu braço.

— Por quê?

— Tem um teste programado para o amanhecer, para ver como esse mastro se comporta em condições de batalha quando bombardeado com canhões de 12 polegadas. Qualquer espião que mereça seu salário daria seus caninos para assistir. Vamos!

Era uma longa escalada até o ponto de observação no alto, mas nenhum dos dois homens havia perdido o fôlego quando chegaram à plataforma.

— Você está em excelentes condições físicas, Louis — Bell tirou a algema do tornozelo e prendeu-a na tubulação que formava o mastro.

— E agora?

— Espere amanhecer.

Um vento frio soprava. O mastro oscilava e gemia ao redor da tubulação. À primeira luz, a silhueta de um couraçado tomou forma no horizonte.

— O *New Hampshire* — disse Bell. — Você o reconhece, tenho certeza, pelas três chaminés e a antiquada proa lançada. Deve se lembrar de que carrega canhões de 7 e 8 polegadas, além de quatro de 12. A qualquer minuto...

O couraçado emitiu um clarão vermelho. Uma granada de 230 quilos passou rugindo como um trem de carga. Louis curvou-se.

— O que é isso? — ele gritou. — O que é isso?

Agora o som do canhão murmurou na direção deles.

Outro clarão. Outra granada rugiu mais perto.

— Logo eles acertarão o alcance! — Bell disse a Louis Loh.

O canhão de 12 polegadas soltou um clarão avermelhado. Uma granada chocou-se com o navio, em uma chuva de faíscas 15 metros abaixo. O mastro oscilou. Louis Loh gritou:

— Você é louco!

— Dizem que esse desenho em hélice é incrivelmente forte — respondeu Bell.

Mais granadas passaram rugindo. Quando outra acertou, Louis cobriu o rosto.

Logo havia luz suficiente no céu para Bell consultar o relógio de ouro.

— Mais alguns disparos. Depois eles programaram disparar salvas. Antes de terminarem com tiros em todo o costado.

— Tudo bem, tudo bem... Admito que pertenço à Sociedade Secreta Chinesa.

— Você é mais do que isso — replicou Isaac Bell, friamente. Sentiu-se recompensado por uma expressão de surpresa no rosto normalmente imóvel de Louis.

— O que quer dizer com isso?

— O mesmo que Sun Tzu sobre a arte da guerra, se posso citar um compatriota seu: "Seja tão sutil a ponto de ser invisível".

— Não sei o que está querendo dizer.

— Você me disse no trem: "Eles pensam que somos viciados em ópio ou que somos gângsteres da Sociedade Secreta Chinesa". Você me pareceu um homem com uma visão mais ampla. Quem é você, de verdade?

Uma salva de tiros estrondejou. Duas granadas atravessaram a estrutura. Ainda assim, ela resistiu, mas oscilava de um lado para o outro.

— Não sou da sociedade secreta.

— Acabou de dizer que era. Como pode?

— Não sou um gângster.

— Pare de me dizer o que não é e comece a dizer o que é.

— Sou um *tongmenghui*.

— O que é *tongmenghui*?

— Aliança Revolucionária Chinesa. Somos um movimento secreto de resistência. Dedicamos nossa vida a reviver a sociedade chinesa.

— Explique — disse Isaac Bell.

Numa profusão de palavras rápidas, Louis Loh admitiu que era um ardente nacionalista chinês, conspirando para derrubar a imperatriz corrupta.

— Ela está estrangulando a China. Inglaterra, Alemanha, toda a Europa e até mesmo os Estados Unidos se alimentam do corpo moribundo da China.

— Se você é um revolucionário, o que está fazendo nos Estados Unidos?

— Couraçados *dreadnought.* A China precisa construir uma frota moderna para expulsar os invasores colonialistas.

— Explodindo a Grande Frota Branca em São Francisco?

— Isso não era pela China! Isso era para ele.

— "Ele"? De quem você está falando?

Com um olhar temeroso na direção do *New Hampshire*, Loh disse:

— Existe um homem, um espião, que paga. Não em dinheiro, mas em valiosas informações sobre os couraçados dos outros países. Nós, Harold Wing e eu, passamos as informações aos arquitetos navais chineses.

— E pagam por essas informações fazendo o que ele manda.

— Exatamente, senhor. Podemos descer agora?

Bell concluiu que fora um importante avanço no caso. Aquele era o espião independente a quem Yamamoto tentara trair em troca de uma fuga sem deixar rastros. Louis o aproximara do alvo novamente.

— Você está trabalhando para *três* senhores: a Marinha chinesa, o movimento de resistência *Tongmenghui* e para o espião que pagou para atacar o depósito do munição em Mare Island. Quem é ele?

Outra granada do tamanho de um trem de carga passou rugindo. A estrutura tremeu.

— Não sei quem é ele.

— Quem é seu intermediário? Como ele lhe dá ordens e informações?

— Por caixas postais. Ele envia as informações, ordens e dinheiro aos cuidados de caixas postais — Loh encolheu-se à passagem de outra granada. — Por favor, vamos descer!

Do outro lado, reluzindo aos primeiros raios de Sol, todos os canhões do *New Hampshire* voltaram-se para o mastro de observação.

— Aí vem outra salva — disse Bell.

— Você precisa acreditar em mim.

Bell disse:

— Sinto certa afeição por você, Louis. Você não atirou em mim esperando que eu saltasse do trem.

Louis Loh olhou para o couraçado.

— Não estava poupando sua vida. Não tinha coragem de puxar o gatilho.

— Estou tentado a deixar você descer, Louis, mas você não me contou tudo o que sabe. Não acredito que tudo venha pelo correio.

Louis Loh lançou outro olhar temeroso na direção do couraçado branco e se rendeu completamente.

— Foi o Comodoro Tommy Thompson quem nos disse para atacar o depósito de munições em Mare Island.

— Como foi que você se meteu com a gangue dos Gophers?

— O espião subornou a Hip Sing para permitir que nos aproximássemos do Comodoro Tommy Thompson em seu nome, fingindo que éramos da Sociedade Secreta Chinesa.

Bell estendeu um lenço completamente branco a Louis Loh.

— Acene com isso.

Ele conduziu Loh para baixo do mastro. Quando chegaram à barcaça, os oficiais do teste de tiro aproximaram-se furiosos, em um barco.

— Como você pôde…

— Pensei que nunca fossem parar de atirar. Estávamos ficando com fome lá em cima.

**

— Não acredito nem por um instante que o Comodoro Tommy seja o espião — Isaac Bell disse a Joseph Van Dorn. — Mas posso apostar que Tommy faz uma boa ideia de quem ele seja.

— É melhor que faça — disse Van Dorn. — Os ataques ao território dele estão custando um caminhão de dinheiro para os tiras e alguns favores muito caros para manter os democratas da Tammany Hall, que mandam na cidade, longe dos protestos — o detetive alto e seu chefe corpulento supervisionavam os preparativos para o ataque de dentro de um automóvel Marmon, estacionado do outro lado da rua, em frente ao bar do Comodoro Tommy, em West 39th Street.

— Mas o pessoal das ferrovias vai nos amar — disse Bell, e o chefe admitiu que diversos magnatas ferroviários já o haviam agradecido pessoalmente pelo fim das piores depredações da gangue dos Gophers.

— Vendo pelo lado positivo, depois disso, a gangue do espião vai encolher um pouco.

— Não estou contando com isso — disse Isaac Bell, pensando que precisava saber mais sobre a explosão na fábrica de torpedos de Newport, que acontecera enquanto estava no trem para São Francisco.

Uma dezena de tiras da ferrovia liderava o ataque, pondo abaixo a porta do bar, quebrando a mobília, estourando garrafas e arrombando barris de cerveja. Soaram tiros lá dentro. Os rapazes de Harry Warren, que esperavam com as algemas, encaminharam uma dúzia de Gophers para o carroção de patrulha do Departamento de Polícia.

— Tommy está tocaiado no porão com um buraco de bala no braço — Harry informou a Bell e a Van Dorn. — Está sozinho. Acredito que possa ser chamado à razão.

Bell seguiu na frente, descendo pela escada de madeira que levava ao porão úmido. Tommy Thompson achava-se arriado sobre uma cadeira como uma montanha desmoronada por um terremoto. Ele abriu os olhos, lançou um olhar embaciado para a arma que Bell lhe apontava para a cabeça e deixou a pistola cair no chão de terra.

— Eu sou Isaac Bell.

— O que está acontecendo com o pessoal da Van Dorn? — Tommy estava indignado. — Sempre vigorou o "viva e deixe viver"! Pague os tiras, não se meta com os negócios dos outros. Temos todo um sistema funcionando aqui e um punhado de tiras particulares ferra com tudo?

— Será que isso aconteceu porque você mandou um dos meus rapazes para o hospital? — indagou Bell, friamente.

— Não foi ideia minha! — protestou Tommy.

— Não foi ideia sua? — retrucou Bell. — Quem controla os Gophers?

— Não foi ideia minha — repetiu Tommy, teimosamente.

— Está me pedindo para acreditar que o famoso Comodoro Tommy Thompson, que matou todos os rivais para comandar a gangue mais durona de Nova York, obedece às ordens de outra pessoa?

O ressentimento fervia por trás do semblante duro de Tommy. Bell aproveitou-se disso, rindo.

— Talvez esteja falando a verdade. Talvez seja apenas o cara que toma conta do bar…

— Maldição! — explodiu Tommy Thompson. Tentou levantar-se da cadeira. O detetive alto o deteve com um gesto de advertência. — O Comodoro Tommy não obedece às ordens de ninguém.

Bell chamou Harry Warren e mais dois de seus homens desceram correndo pela escada.

— Tommy está dizendo que não foi ideia dele a surra que deram no jovem Eddie Tobin. Algum sujeito mandou que fizesse isso.

— Algum sujeito? — repetiu Harry, ironizando. — Por acaso esse "sujeito" que mandou você bater em um agente da Van Dorn foi o mesmo que mandou você enviar Louis Loh e Harold Wing para explodir o depósito de munições em Mare Island?

— Ele não mandou. Ele me pagou. Existe uma diferença.

— Quem? — exigiu Bell.

— Filho da mãe, deixem-me pôr as mãos nele e vamos acertar as contas!

— *Quem?*

— O maldito do Olhos O'Shay. Foi ele!

— Olhos O'Shay? — repetiu Harry Warren, incrédulo. — Está nos tomando por um bando de caipiras? Olhos O'Shay está morto há 15 anos!

— Não está, não.

— Harry — interrompeu Bell —, quem é Olhos O'Shay?

— Um garoto dos Gophers, anos atrás. Um sujeitinho asqueroso, um arrivista ambicioso, até desaparecer.

— Ouvi falar que estava de volta — murmurou um dos detetives de Harry. — Não acreditei.

— Ainda não acredito.

— Pois eu acredito — disse Isaac Bell. — O espião está agindo como um gângster o tempo todo.

UM SINAL DE DEUS

42

1º de junho de 1908
Nova York

Isaac Bell perguntou:

— Por que o chamam de "Olhos"?

— Se você entrasse numa luta com ele, ele poderia arrancar seu olho — disse Tommy Thompson. — Ele encaixava uma palheta de cobre sobre a unha do polegar. Agora, essa palheta é feita de aço inoxidável.

— Imagino — disse Bell — que ele não entrou em muitas lutas.

— Nunca se teve notícia — concordou Tommy.

— Além disso, como é a aparência dele?

Tommy Thompson disse:

— Se é para eu ficar aqui batendo papo, quero uma bebida.

Bell aquiesceu. Os agentes da Van Dorn ofereceram uma série de cantis de bolso. Tommy tomou longos goles de alguns deles e limpou a boca com a manga suja de sangue.

— Além de arrancar olhos, como é Brian O'Shay?

— Ele é como sempre foi. Um cara que é capaz de ver o que os outros não veem.

— Você o chamaria de um líder nato?

— O quê?

— Um líder, como você. Você controla sua própria gangue. Ele é esse tipo de homem?

— Tudo o que sei é que ele está o tempo todo pensando. Sempre à frente da gente. Olhos é capaz de ver dentro das pessoas.

— Se estiver nos dizendo a verdade, Tommy, que O'Shay não está morto, onde ele está?

O líder da gangue jurou que não sabia.

— Por qual nome ele é conhecido?

— Não disse.

— Qual é a aparência dele?

— Ele se parece com qualquer um. Um vendedor de loja, um dono de banco, um garçom. Quase não o reconheci. Metido a elegante como um bacana da 5th Avenue.

— É grandalhão?

— Não. Meio baixinho.

— Comparado a você, Tommy, quase todo mundo parece baixinho. Qual é a altura dele?

— Um metro e setenta, parrudo como um hidrante. O sujeitinho mais forte que já vi.

Bell continuou a conversa em tom informal.

— Não precisa da goiva no dedo para vencer uma luta, certo?

— Não — disse Tommy, tomando outro longo gole de uísque. — Ele só fazia isso porque gostava.

— Com certeza, depois de reaparecer do nada e lhe pagar toda aquela grana, você mandou que o seguissem.

— Mandei o Paddy, o Rato, atrás dele. O porcaria voltou horas depois com um olho a menos.

Bell virou-se para um dos detetives, que inclinava a cabeça concordando.

— É, sim, vi o Paddy usando um curativo.

— Desapareceu, exatamente como quando éramos moleques. Sumiu no ar dessa vez também. Nunca pensei que o veria de novo, depois que foi atirado no rio.

— Por quem? — indagou Bell.

O líder da gangue deu de ombros.

Harry Warren disse:

— Uma porção de gente pensou que foi você quem o atirou no rio, Tommy.

— É, bem, uma porção de gente pensou errado. Eu sempre achei que tinha sido o Billy Collins. Até Olhos voltar.

Bell relanceou o olhar para Harry Warren.

— Um viciado em maconha — disse Harry. — Não ouvi o nome dele durante anos. Billy Collins agia com Olhos e Tommy. Eles eram praticamente um trio. Lembra-se, Tommy? Enchendo a cara, roubando os ambulantes, vendendo maconha, batendo em todo mundo que passasse pelo caminho. O'Shay era o pior, pior do que o Comodoro aqui, pior ainda do que Billy Collins. Tommy era um doce de pessoa comparado àqueles dois. A última coisa que todo mundo esperava era o Tommy aqui ficar no comando dos Gophers. A não ser que tenha sido sorte, não é, Tommy? Olhos desapareceu e Billy ficou viciado.

Isaac Bell perguntou:

— Tommy, por que você acha que Billy Collins atirou Olhos no rio?

— Porque, na última noite que vi Olhos, eles estavam bebendo juntos.

— E hoje você não faz ideia de onde O'Shay está?

— Não, como sempre. Ele desapareceu no ar.

— Onde está Billy Collins?

O líder da gangue, ferido, balançou os ombros, deu uma piscadela e tomou outro gole de uma garrafinha.

— Aonde os viciados em drogas vão? Se escondem num buraco, num cano de esgoto.

43

A 16 quilômetros de Fire Island, numa praia de barreira de corais entre Long Island e o Oceano Atlântico, a 90 quilômetros de Nova York, três embarcações convergiam. A luz do dia começava a sumir sobre o horizonte ocidental e as estrelas a tomar forma no Oriente. As ondas do Atlântico se acumulavam sobre a rasa plataforma continental. Nenhum dos comandantes das grandes embarcações — um cargueiro a vapor de 4 mil toneladas, com uma chaminé alta e dois mastros de carga, e um rebocador oceânico articulado a uma barcaça com três trilhos para vagões de carga — estava contente com a perspectiva de ter de se aproximar o bastante para transferir a carga num mar tão encapelado, especialmente com o vento soprando intermitente, do mar para a costa. Quando viram que a terceira embarcação, uma pequena chalupa de boca larga, movida apenas por uma vela, era manobrada por uma frágil garota ruiva, começaram a resmungar com seus timoneiros.

Parecia que o encontro terminaria antes de começar. Então, a garota aproveitou uma rajada rápida para trazer seu barco para perto com tanta destreza que o marujo do vapor comentou:

— Ela é marinheira.

E Olhos O'Shay disse para o comandante do rebocador.

— Não vá amarelar. Sempre podemos atirá-lo borda afora e levar o barco sozinhos.

Ele avistou Rafe Engels acenando do passadiço do vapor.

Rafe Engels era um contrabandista de armas e munições, procurado pela Agência Especial Irlandesa do governo britânico por armar os rebeldes da Irmandade Republicana Irlandesa e pela polícia secreta do czar por abastecer os revolucionários russos. O'Shay o conhecera durante um cruzeiro no *Wilhelm der Grosse*. Eles tinham rondado cuidadosamente um ao outro e depois, no *Lusitania*, sondado cautelosamente a afinidade de espírito que sentiam por trás do disfarce meticulosamente elaborado de cada um. Havia diferenças: o contrabandista de material bélico, sempre ao lado dos rebeldes, era um idealista; o espião não era. Mas, ao longo dos anos, tinham realizado diversos negócios. Essa troca de torpedos por um submarino seria o maior deles.

— Onde está o Holland? — gritou O'Shay, por cima da água.

— Embaixo de você!

O'Shay esquadrinhou as ondas. A água começou a borbulhar como uma panela fervente. Uma coisa escura e furtiva ganhou forma embaixo das bolhas. Uma torre redonda de aço blindado emergiu por entre a espuma. E, então, quase subitamente, um casco cintilante dividiu o mar. Tinha 30 metros de comprimento e era tão ameaçador quanto uma barreira de recifes.

Uma tampa articulada abriu-se no alto da torre. Um homem barbado projetou a cabeça e os ombros para cima, olhou ao redor e escalou o que faltava para sair de dentro da torre. Era Hunt Hatch, num dado momento o comandante que chefiava os testes da Holland Company, atualmente um fugitivo procurado pela Agência Especial Irlandesa. Sua tripulação saiu atrás dele, um após outro, até que cinco guerreiros da Irmandade Republicana, que haviam empenhado a vida para conquistar a independência da Irlanda, se encontrassem sobre o convés, piscando sob a luz e respirando profundamente o ar puro.

— Trate-os bem — pediu Engels, quando eles apertaram as mãos para firmar seu acordo. — São homens valorosos.

— Como se fossem da minha família — prometeu O'Shay.

Todos tinham servido como marinheiros de submarinos na Marinha Real. Todos tinham terminado em prisões britânicas. Todos odiavam a Inglaterra. Eles sonhavam, soube O'Shay, que, quando os americanos descobrissem que o submarino e os torpedos eram da Inglaterra, pareceria que a Inglaterra instigara um ataque para prejudicar a produção de couraçados americanos. Sonhavam que, por isso, quando a guerra se apoderasse da Europa, os americanos, irados, não tomariam o partido da Inglaterra. Então, a Alemanha derrotaria a Inglaterra e a Irlanda seria livre.

Um sonho adorável, pensou o espião. Convinha, mais do que a qualquer pessoa, a Olhos O'Shay.

— Aí está seu torpedeiro submarino — gritou Engels. — Onde estão meus torpedos, Wheeler?

Olhos O'Shay apontou para o barco a vela.

Engels curvou-se.

— Vejo a bela Katherine. Olá, minha beldade! — ele gritou através das mãos fechadas em concha. — Não a reconheci sem os vestidos suntuosos. Mas não vejo sinal de torpedos.

— Embaixo dela — disse O'Shay. — Quatro Wheeler Mark 14. Dois para você, dois para mim.

Engels gesticulou. Os marinheiros do vapor moveram um pau de carga para fora do mastro.

— Aborde nosso costado, Katherine. Vou pegar dois torpedos, e, quem sabe, você também, se ninguém estiver olhando.

Katherine efetuou a difícil manobra, e, enquanto a tripulação de Engels retirava os torpedos da chalupa, eles ouviram um rumor, como o de um trovão distante. O'Shay observou a tripulação do submarino avaliar friamente o que o ruído realmente significava e a distância de onde provinha.

— A Bateria de Testes do Atlântico da Marinha americana em Sandy Hook — ele gritou para eles. — Não se preocupem! Está bem longe.

— Uns três quilômetros — gritou Hunt Hatch em resposta, e um homem acrescentou:

— Canhões de 10 polegadas e alguns de 12.

O'Shay inclinou a cabeça, exibindo sua satisfação. Os rebeldes irlandeses que tripulariam seu submarino entendiam do riscado.

Podia não parecer um negócio justo, o submarino sendo 6 ou 7 vezes mais comprido do que os torpedos e capaz de ações independentes. Mas o Holland, embora consideravelmente alongado e modificado pelos ingleses a partir de seu projeto original, tinha 5 anos de idade e era ultrapassado pelos rápidos avanços da guerra subaquática. Os Mark 14 eram os últimos modelos de Ron Wheeler.

Cada homem tinha o que queria. Engels afastava-se com dois dos torpedos mais avançados do mundo para vender a quem pagasse mais. E o Holland e os dois torpedos que as tripulações do rebocador e da barcaça retiravam do barco a vela e colocavam no submarino formavam uma combinação mortífera. O estaleiro da Marinha no Brooklyn nunca saberia o que o atingira.

44

O tio holandês de Jimmy Richards e Marv Gordon, Donald Darbee, navegou com eles por seis milhas, até o outro lado da Upper Bay, em sua chata de coleta de ostras, um barco de fundo plano com a proa quadrada e um potente motor auxiliar à gasolina, que ele só usava em caso de perseguir alguma coisa ou ser perseguido por alguém. Jimmy e Marv conheciam cada centímetro das águas do porto de Nova York, mas nenhum dos dois jovens grandalhões jamais colocara um pé na ilha de Manhattan, apesar de passarem muitas noites perambulando ao redor dos píeres em busca de artigos que tivessem caído na água. O tio Donny lembrava-se de ter encostado na praia em 1890, para socorrer um companheiro dos tiras de Staten Island.

Quando eles se aproximaram do Battery, um policial do esquadrão portuário, que se achava em uma lancha amarrada ao Píer A, chamou seu inspetor de patrulha ao convés.

— Parece que estamos sendo invadidos.

O inspetor de patrulha O'Riordan lançou um olhar preconceituoso aos homens da chata de Staten Island.

— Fique de olho neles, não os perca de vista — ordenou, esperando que não estivessem procurando encrenca. Prender uma gangue de catadores de ostras musculosos custaria alguns braços quebrados e dentes arrancados de ambos os lados.

— Como chegamos ao Roosevelt Hospital na 59th Street? — gritou o desgrenhado catador de ostras no leme.

— Se tiverem um níquel, tomem o elevado para a 9th Avenue.

— Nós temos um níquel.

Jimmy Richards e Marv Gordon pagaram e seguiram para a 59th Street, admirando os prédios altos e a quantidade enorme de pessoas, muitas das quais também os observavam, curiosas. Eles mal podiam acreditar no que viam. Perambulando pelas grandes enfermarias do imenso hospital, eles finalmente pediram informações a uma enfermeira irlandesa bonita e encontraram o caminho para um quarto particular, com uma única cama. O paciente no leito estava completamente enfaixado e eles nunca reconheceriam o primo Eddie Tobin se não fosse o fato de que, no cabide de roupas, encontrava-se o modesto conjunto de serviço com que o pessoal da Van Dorn vestira Eddie quando o contratara como aprendiz, no último inverno.

Um sujeito alto, de cabelo amarelo, magro como um fio de telégrafo, inclinou-se sobre ele, segurando um copo para que Eddie pudesse beber através de um canudinho. Quando os viu no vão da porta, seus olhos tornaram-se cinzentos como um vento noroeste e ele escorregou a mão para dentro do casaco, onde poderia ter guardada uma pistola, se fosse do tipo de carregar uma, e ele parecia que era.

— Posso ajudá-los, cavalheiros?

Jimmy e Marv instintivamente ergueram as mãos.

— Este é o jovem Eddie Tobin? Somos os primos que vieram visitá-lo.

— Eddie? Conhece esses sujeitos?

A cabeça coberta de bandagens já se erguia dolorosamente na direção deles. O paciente aquiesceu e eles ouviram Eddie gemer:

— Família.

Os olhos azuis acinzentados ganharam um matiz mais caloroso.

— Venham cá, rapazes!

— Belo quarto — disse Jimmy. — Procuramos na enfermaria, nos mandaram para cá.

— O senhor Bell pagou por tudo.

Isaac Bell ofereceu a mão e apertou as manoplas calejadas.

— Todo mundo participou. O pessoal da Van Dorn cuida dos seus. Sou Isaac Bell.

— Jimmy Richards. Este aqui é Marv Gordon.

— Rapazes, vou deixá-los com sua visita. Eddie, vejo você em breve.

Richards seguiu-o até o corredor.

— Senhor Bell, como ele está?

— Melhor do que esperávamos. É um garoto forte. Vai demorar algum tempo, mas os médicos dizem que ele vai sair em boa forma. Mas vou logo adiantando, ele não vai ganhar nenhum concurso de beleza.

— Quem fez isso? Daremos um aperto neles.

— Nós já demos esse aperto — disse Bell. — Essa é uma briga da Van Dorn e seu primo é um Van Dorn.

Richards pareceu não gostar.

— Nenhum de nós achou muito bom quando o Eddie entrou para a lei.

Isaac Bell sorriu.

— A lei não quer muito seu nome emprestado aos detetives particulares.

— Seja como for, cara, agradecemos pelo que está fazendo por ele. Aconteça o que acontecer, não importa o que seja, Eddie sabe onde nos encontrar.

**

Isaac Bell repassava os relatórios do meio-dia enviados pelas equipes que caçavam Billy Collins quando Archie Abbott telefonou da Grand Central.

— Acabei de descer do trem. Está faltando alguma coisa na fábrica de torpedos de Newport.

— O quê?

— O Velho ainda está na cidade?

— O senhor Van Dorn está no escritório dele.

— Por que não me encontra lá embaixo?

"Lá embaixo" significava a privacidade do bar, no porão do Hotel Knickerbocker. Dez minutos depois, eles estavam curvados sobre uma mesa escura. Archie acenou para o garçom.

— Talvez queira uma bebida antes de informarmos o chefe. Eu certamente quero.

— O que está faltando?

— Quatro torpedos elétricos importados da Inglaterra.

O garçom se aproximou. Bell fez um gesto, dispensando-o.

— Pensei que tivesse queimado tudo no incêndio.

— A Marinha também pensou. Eles carregaram todos os escombros numa barcaça para jogar em alto-mar. Eu disse para o tal do Wheeler: "Por que não contamos os torpedos?". Resumindo a história, passamos um pente-fino no rescaldo do incêndio e deu nisso: quatro elétricos faltando.

Bell ficou olhando para o velho amigo.

— Por acaso eram os que estavam armados com TNT?

— Wheeler tem certeza de que os que tinham a ogiva de TNT são os que estão faltando.

— Você concorda?

— Ele tinha os números de série. Achamos as plaquetas nos detritos das carcaças. Encontramos todas, menos as daqueles quatro… os torpedos foram separados para um torpedeiro disparar nos testes de tiro. Seria coincidência demais serem os únicos a explodir completamente sem deixar vestígios.

— E você tem certeza de que a explosão não foi um acidente?

— Conversei com a Marinha e descobri um homem de Annapolis que conheci na escola preparatória. Nosso especialista confirmou… Riley, de Boston, você o conhece. Não há dúvida.

— Eles são o Santo Graal dos torpedos — disse Bell, sombrio. — Rápidos, de longo alcance, propulsão silenciosa somada a ogivas imensamente mais potentes.

— O espião conseguiu o que há de melhor. A única boa notícia é que Wheeler é capaz de fazer mais deles. Os ingleses estão furiosos. Não nos venderão mais, porém eu soube que Ron Wheeler e seus rapazes já começaram a fazer cópias não autorizadas para a Marinha. Nesse meio-tempo, o espião conseguiu, para si, a última palavra em propulsão britânica, com as mais avançadas ogivas americanas, segredos de um valor inestimável para vender a quem pagar mais.

— Ou armas mortíferas para atacar.

— Atacar? Como ele as dispararia? — indagou Archie. — Até mesmo um espião tão habilidoso como esse não é capaz de pôr as mãos em um couraçado.

Isaac Bell disse:

— E não descartaria a hipótese de ele adquirir um pequeno torpedeiro.

Os velhos amigos se entreolharam. O sorriso fugiu dos olhos verdes de Archie. Os de Bell ficaram escuros como café. Ele e Joseph Van Dorn já estavam protegendo os principais engenheiros do capitão Falconer e os agentes da Van Dorn tinham se infiltrado entre os trabalhadores do estaleiro naval do Brooklyn. Mas ambos sabiam que nem a prisão do espião chinês nem a do cabeça da gangue dos Gophers deteria Olhos O'Shay. O espião reconstituiria facilmente sua organização dissimulada. E com a Grande Frota Branca fora de seu alcance no mar, ele retomaria seus ataques aos futuros couraçados americanos.

— É melhor irmos conversar com o senhor Van Dorn.

— O que pretende dizer a ele?

— Precisamos de pessoal para rastrear aqueles torpedos. Ele precisa convencer a Marinha, a Guarda Costeira e a polícia do esquadrão portuário em todas as cidades com estaleiros de couraçados como Camden, Filadélfia; Quincy, Fore River, Massachusetts; Bath Iron Works, no Maine, e o Brooklyn de que a ameaça é fatal. Depois vou repetir o que venho dizendo a ele o tempo todo. Este é, antes de tudo, um caso de assassinato. Vou retomar o velho trabalho de detetive para pegar Olhos O'Shay. Nosso ponto de partida é Billy Collins.

**

Isaac Bell deixou o Hotel Knickerbocker pela porta da cozinha. Mergulhou os dedos no tonel de gordura de bife já frito, esperando para ser recolhido pelo serviço de beneficiamento, e esfregou no cabelo. Na viela, homens desafortunados esperavam na fila do pão. A um deles, desesperado para levantar um níquel para conseguir abrigo naquela noite fria em que ameaçava chover, Bell ofereceu 5 dólares pelo chapéu caído e gasto, o que o deixou atônito. Pela mesma quantia, um homem quase tão alto quanto o detetive entregou-lhe ansiosamente seu casaco maltrapilho.

Bell pegou um revólver robusto, carregado com três balas, e mudou-o das calças para o casaco. Enterrou o chapéu até as sobrancelhas, enfiou o cabelo louro por baixo dele e abotoou o casaco até o queixo. Depois, enfiou as mãos nos bolsos, curvou a cabeça e saiu pela viela em direção à Broadway. Um policial lhe disse para seguir andando.

Pela quinta vez em cinco dias, ele perambulou pelo Hell's Kitchen.

Aprendia seus ritmos, onde e quando os quarteirões de favelas ficavam movimentados, as ruas vibrando com carroças e carroções, as calçadas apinhadas, o momento em que os homens enchiam os bares, as mulheres iam às igrejas e as crianças corriam por todos os lados, ignorando os gritos das mães nas janelas dos prédios de apartamentos. Já caminhara desde a 9th Avenue até o rio e do local da construção da estação ferroviária Pennsylvania, nos pátios ferroviários, à 33rd com a 60th Street, mas não encontrara o "viciado em drogas", Billy Colins, que poderia levá-lo a Olhos O'Shay.

Então, naquela noite, Isaac Bell tentou uma jogada diferente.

Como parte do disfarce, ele mancava, arrastando ligeiramente o pé esquerdo, estragando o polimento das botinas ao atravessar meios-fios e trilhos de bondes. Um carroção de carvão, de ré para o conduto de um porão, bloqueava a calçada. Bell correu os dedos pela lateral encardida e passou a mão pelo bigode. Repetiu o exercício quando passou por uma lata de cinzas, ainda quente, e passou os dedos pelo cabelo que escapava do chapéu folgado. Examinou seu reflexo em uma janela. Seus olhos brilhavam bastante em contraste com o rosto sujo. Dirigiu o olhar para o chão, arrancou um chumaço de palha da sarjeta e esfregou nas mangas até parecer que dormira sem tirar o casaco. "Ninguém nunca reparava no rosto de um homem sujo", Scully ensinava aos aprendizes.

Continuou verificando seu reflexo nas janelas, as quais, enquanto ia em direção ao rio, tornavam-se cada vez menores e mais sujas. Ajoelhou-se, ao lado de um barril vazio, sobre uma poça do lado de fora de um bar, fingiu amarrar o sapato e seguiu em frente, as calças cheirando a cerveja velha. Quanto mais ele se aprofundava na favela, mais devagar andava, mais lentamente se inclinava — um homem acabado, sem objetivo, perdido na multidão.

Um jovem robusto, usando um traje apertado e chapéu-coco vermelho, bloqueou seu caminho.

— O que você conseguiu para mim, vovô? Vamos! Mostre aí!

Isaac Bell resistiu ao impulso de atirá-lo ao chão, cavou fundo nos bolsos e entregou um níquel.

O grandalhão seguiu em frente.

— Espere! — Bell gritou.

— O quê? — O grandalhão deu meia-volta. — O que foi? O que você quer?

— Conhece um sujeito chamado Billy Collins?

O grandalhão o encarou com um semblante inexpressivo.

— Quem? — ele era um garoto, concluiu Bell, mal saído da adolescência. Um bebê quando Tommy Thompson e Billy Collins agiam com Olhos O'Shay.

— Billy Collins. Um cara alto, magro, cabelo ruivo. Talvez já ficando grisalho.

— Nunca ouvi falar.

— Pele e ossos — disse Bell, repetindo o que Harry Warren e seus rapazes especularam sobre como um viciado em ópio e morfina ficaria depois de todos aqueles anos. Eles sabiam que ele continuava vivo, ao menos até a última semana. — Provavelmente desdentado.

— De onde você vem, vovô?

— Chicago.

— Ah, tem um monte de caras por aqui sem dentes. Você vai ser o próximo — ele ergueu o punho ossudo. — Saia da minha frente! Corra, velho! Corra!

Bell disse:

— Billy Collins costumava andar com Tommy Thompson e Olhos O'Shay quando eram garotos.

O jovem recuou um passo.

— Você está com os Gophers?

— Só estou procurando pelo Billy Collins.

— Ah, bem, você não é o único — ele olhou para os lados, falando por cima do ombro. — Todo mundo está perguntando por ele.

Pelo menos devia, pensou Bell, considerando o que estava custando para a agência. Além dos rapazes de Harry Warren e de seus informantes, ele mantinha 200 policiais da ferrovia indagando sobre Billy sempre que se deparavam com os Gophers tentando roubar vagões de carga. Bell continuava se perguntando onde um viciado se esconderia. Onde será que dormia? Onde comia? Onde conseguia sua droga? Como ninguém o via num bairro onde todo mundo conhecia todo mundo?

Havia relatos de avistamentos nas imediações dos esconderijos conhecidos de Collins, vários mencionando um depósito de carvão que abastecia os vagões de suprimentos das locomotivas nos pátios da 38th Street, dois relativos a um vagão de passageiros abandonado na 60th Street. Homens escolhidos vigiavam os dois lugares. E Bell tinha a impressão de que ele próprio havia visto Collins por trás da espiral de fumaça de uma locomotiva — um personagem magro como um trilho perambulando entre os vagões de carga, e Bell correra em disparada atrás dele só para encontrar fumaça.

Desde então, o único homem que poderia saber onde O'Shay desaparecera 15 anos atrás não aparecera em nenhum dos esconderijos. O lado positivo é que eles tinham testemunhos suficientes para saber que estava vivo e era improvável que tivesse deixado o Hell's Kitchen.

O paradeiro de Olhos O'Shay era outra história. Todas as pessoas com mais de 30 anos tinham ouvido falar do seu nome. Ninguém o vira durante 15 anos. Algumas pessoas ouviram falar que regressara. Ninguém admitia ter posto os olhos nele. Mas Bell sabia que um homem descrito por Tommy Thompson como "metido a elegante como um bacana da 5th Avenue" podia dormir e comer onde quisesse.

45

— **Táxi, senhor?** — o porteiro do Waldorf-Astoria indagou a um hóspede, de saída do hotel, usando cartola e casaco comprido verde-oliva.

— Vou caminhar um pouco — disse Olhos O'Shay.

Brandindo a bengala com o castão incrustado de joias, ele caminhou pela 5th Avenue, parando aqui e ali, como um turista, para admirar as mansões e apreciar as vitrines das lojas. Quando se sentiu razoavelmente seguro de que ninguém o seguia, entrou na catedral de St. Patrick pela grande porta frontal em estilo gótico. No interior da nave, ajoelhou-se sobre uma das pernas com a facilidade de um hábito diário, depositou moedas na caixa de esmolas para os pobres e acendeu velas. Depois, lançou a cabeça para trás e refletiu sobre o vitral da rosácea, imitando a expressão de orgulho de um paroquiano que contribuía generosamente para a manutenção das instalações.

Desde que Isaac Bell pusera as mãos em Tommy Thompson, precisava imaginar que todos os agentes da Van Dorn de Nova York, mais duzentos policiais da ferrovia, o Diabo em pessoa e mais sabe-se lá quantos informantes estariam atrás dele, ou logo estariam. Saiu da catedral pelos fundos, passando pelas passarelas de tábuas e sob os andaimes por onde os pedreiros transportavam pedras e tijolos para a construção da Capela de Nossa Senhora, e caminhou até a Madison Avenue.

Chegou à Madison ainda observando a retaguarda, dobrou na 55th e parou no St. Regis Hotel. Tomou uma bebida no bar e conversou com o balconista, a quem sempre dava uma gorjeta régia, enquanto observava o saguão. Em seguida, deu uma gorjeta ao mensageiro, para tirá-lo do serviço à entrada.

Instantes depois, entrou no Plaza Hotel. Parou junto ao jardim de palmeiras no meio do salão. Sentados em torno das mesinhas para o sofisticado chá da tarde, mães e filhos, tias e sobrinhas, e, aqui e ali, um cavalheiro mais idoso cativado por uma filha. O *maître* curvou-se bastante à sua frente.

— A mesa de sempre, *Herr* Riker?

— Obrigado!

A mesa de sempre de *Herr* Riker permitia-lhe observar o saguão em duas direções, ao mesmo tempo que se ocultava atrás de uma floresta de palmeiras em vasos que teriam proporcionado um descanso ao doutor Livingstone e a Henry Stanley.

— Sua pupila irá acompanhá-lo, senhor?

— Assim espero ansiosamente — replicou ele, com um sorriso afetuoso. — Diga ao garçom que só queremos doces na nossa mesa. Nada daqueles sanduichinhos. Só tortas e creme.

— É claro, *Herr* Riker! Como sempre, *Herr* Riker.

Katherine estava atrasada, como de hábito, e ele usou o tempo para se preparar para o que, sabia, seria uma conversa complicada. Sentia-se pronto quando ela saiu do elevador. Seu vestido para o chá era uma nuvem de seda azul, que combinava com seus olhos e complementava a cor do cabelo.

O'Shay levantou-se quando ela se aproximou da mesa, tomando-lhe as mãos enluvadas nas suas e dizendo:

— Você é a garota mais linda, senhorita Dee!

— Obrigada, *Herr* Riker!

Katherine Dee sorriu, formando covinhas no rosto. Mas, quando se sentou, encarou-o diretamente, como era seu costume, e disse:

— Você está muito sério, como um tutor diante de sua protegida. O que está havendo, Brian?

— Pretensos "bons guerreiros" que travam "guerras boas" estão me acusando, com um profundo desdém, de ser um mercenário. Considero as acusações um tributo à minha inteligência, porque, para um mercenário, a guerra acaba quando ele diz que acabou. Ele se retira como um vencedor.

— Espero que tenha pedido uísque em vez de chá — disse ela.

O'Shay sorriu.

— Sim, eu sei que estou sendo óbvio. Estou tentando lhe dizer que estamos no fim do jogo, minha querida.

— Como assim, fim do jogo?

— Está na hora de desaparecer. Vamos partir e garantir nosso futuro com um espetáculo que eles jamais esquecerão.

— Para onde?

— Onde nos tratem como ouro.

— Ah, não, a Alemanha!

— Claro que é a Alemanha! Que democracia nos aceitaria?

— Não poderíamos ir para a Rússia?

— A Rússia é um barril de pólvora esperando por um fósforo. Não estou disposto a sair de uma frigideira e entrar numa revolução.

— Ah, Brian!

— Viveremos como reis. E rainhas. Seremos muito ricos e nos casaremos com a realeza... O que é isso? Por que está chorando?

— Não estou chorando — disse ela, os olhos azuis rasos d'água.

— Qual é o problema?

— Não quero me casar com um príncipe.

— Prefere um nobre prussiano com um castelo milenar?

— Pare!

— Tenho um em mente. Ele é bonitão, reconhecidamente brilhante, considerando sua linhagem, e surpreendentemente gentil. Sua mãe pode até ser cansativa, mas eles têm um estábulo cheio de cavalos árabes e um adorável palácio de verão no Báltico, no qual uma garota pode velejar feliz, até mesmo treinar para uma competição olímpica de vela... Por que está chorando?

Katherine Dee pôs as duas mãos delicadas sobre a mesa e falou em um tom claro e imperturbável.

— Quero me casar com *você*.

— Querida, querida Katherine... Isso seria como se casar com seu próprio irmão.

— Não me importo. Além do mais, você não é meu irmão. Só age como se fosse.

— Sou seu guardião — disse ele. — Jurei que ninguém lhe faria mal algum.

— O que acha que está fazendo agora?

— Pare com essa tolice de querer se casar comigo. Você sabe que a amo, mas não dessa maneira.

As lágrimas assomaram às pálpebras dela como diamantes.

Ele lhe entregou um lenço.

— Enxugue os olhos. Temos trabalho a fazer.

Ela segurou o lenço, molhando o fino tecido de linho com as lágrimas.

— Pensei que estivéssemos de partida.

— Partir com estrépito requer certo trabalho.

— O que espera que eu faça? — indagou ela, tristemente.

— Não posso deixar que Isaac Bell se interponha em meu caminho dessa vez.

— Por que eu não o mato?

O'Shay aquiesceu, pensativo. Katherine era letal, uma máquina perfeitamente afinada, desprovida de remorso ou arrependimento. Porém, toda máquina tem seus limites físicos.

— Você poderia se machucar. Bell é muito parecido comigo, um homem que não é fácil de ser morto. Não, eu não quero que se arrisque tentando matá-lo, mas quero que o distraia.

— Quer que o seduza? — indagou Katherine. Ela se encolheu com a raiva súbita que distorceu o semblante de O'Shay.

— Alguma vez lhe pedi algo semelhante?

— Não.

— Alguma vez pediria?

— Não.

— Fico arrasado só de ouvir uma coisa dessas.

— Me desculpe, Brian, falei sem pensar — ela estendeu o braço para segurar a mão dele. Ele puxou a mão, a face normalmente branda agora avermelhada, os lábios contraídos em uma linha rígida, os olhos glaciais.

— Brian, não sou exatamente uma colegial.

— Se alguma vez se utilizou da sedução foi problema seu — disse ele, friamente. — Eu sempre me assegurei de que tivesse os meios e os modos para se deleitar como só o fazem as mulheres privilegiadas. A sociedade jamais lhe dirá o que pode e o que não pode fazer. Mas quero que entenda claramente que nunca a usarei dessa maneira.

— De que maneira? Como uma sedutora? Ou como um deleite?

— Minha jovem, você está começando a me perturbar.

Katherine Dee ignorou o tom perigoso na voz dele, porque sabia que era cuidadoso demais para quebrar os móveis do salão de palmeiras.

— Pare de me chamar desse jeito! Você tem só dez anos a mais do que eu.

— Doze. E os meus são anos de antiguidade, enquanto movi céus e terras para lhe proporcionar anos de juventude.

Os garçons apareceram. Pupila e tutor permaneceram sentados em um silêncio inflexível, até que as tortas foram dispostas e, o chá, servido.

— Como quer que o distraia?

Quando ele começava a falar daquela maneira nada havia a fazer senão seguir em frente.

— A noiva é a chave.

— Ela desconfia de mim.

— O que está dizendo? — perguntou O'Shay, asperamente.

— No lançamento do *Michigan,* quando tentei me aproximar, ela recuou. Parece que sente alguma coisa em mim que a assusta.

— Talvez ela seja uma vidente — disse O'Shay — e leia seus pensamentos.

Uma expressão tão desolada quanto sensata transformou as feições formosas de Katherine Dee em uma máscara sem vida, talhada em mármore envelhecido.

— Ela lê o meu coração.

46

— **Sua noiva está** chamando ao telefone, senhor Bell.

O detetive alto da Van Dorn estava sentado à sua escrivaninha no Knickerbocker, folheando impacientemente relatórios à procura de alguma notícia decente sobre o paradeiro de Olhos O'Shay ou sobre os torpedos roubados antes de voltar para as ruas à caça de Billy Collins.

— Mas que grata surpresa!

— Estou bem aqui em frente, no Victoria Theatre de Hammerstein — disse Marion Morgan.

— Está tudo bem com você? — ela não parecia muito contente. Sua voz denotava tensão.

— Poderia passar por aqui quando tiver um tempinho?

— Vou já para aí.

— Deixarão você entrar pela porta do palco.

Bell desceu correndo pela grande escadaria do Knickerbocker, três degraus por vez, e enfrentou um coro de buzinas, sinos e gritos irados enquanto atravessava a muralha ambulante de automóveis, bondes e charretes que bloqueavam a Broadway. Sessenta segundos depois de desligar o telefone, estava batendo à porta do palco do Victoria.

— A senhorita Morgan está esperando pelo senhor na plateia, senhor Bell. Por aqui. Em silêncio, por favor. Estão ensaiando.

Batidas rápidas e rítmicas ecoavam nos fundos, na direção do palco, e, quando ele escancarou a porta, ficou surpreso ao descobrir que a causa de todo aquele ruído era um menininho e uma garota alta dançando com sapatos de sola de madeira. Suspirou de alívio quando viu Marion sentada sozinha, sã e salva, na oitava fileira da plateia parcialmente às escuras e vazia. Ela pressionou um dedo contra os lábios. Bell deslizou pelo corredor e sentou-se ao lado dela; então, ela pegou sua mão e sussurrou:

— Ah, meu querido, estou tão contente em vê-lo!

— O que aconteceu?

— Vou lhe contar em um minuto. Estão quase terminando.

A orquestra, que esperava em silêncio, produziu um crescendo e a dança terminou. As crianças imediatamente foram cercadas pelo diretor, pelo gerente de palco, pelos espectadores e pela mãe.

— Eles não são maravilhosos? Descobri os dois no Orpheum Circuit, em São Francisco. O maior circuito de *vaudeville*. Consegui convencer a mãe a deixá-los aparecer no meu novo filme.

— Como terminou seu filme sobre os ladrões de bancos?

— A namorada do detetive os capturou.

— Desconfiava disso. O que há de errado? Você está estranha… O que aconteceu?

— Não estou bem certa. Pode ser tolice, mas pareceu sensato chamar você. Conhece Katherine Dee?

— Ela é uma amiga de Dorothy Langner. Eu a vi de longe. Não a conheci pessoalmente.

— Lowell nos apresentou no lançamento do *Michigan*. Ela deu a entender que gostaria de conhecer um estúdio de cinema. Na hora, o convite ficou na ponta da minha língua. Ela se parece com uma daquelas pessoas que se dão muito bem na frente das câmeras, você sabe, como já lhe disse: cabeça grande, traços delicados, corpo esguio. Como o garoto que você acabou de ver dançando.

Bell relanceou o olhar para o palco.

— Ele parece um louva-a-deus.

— Isso, a cabeça estreita, os olhos grandes e luminosos. Espere até vê-lo sorrir.

— Pelo que entendi, você não convidou Katherine Dee. Por que mudou de ideia?

— Ela é muito estranha.

— Como?

— Chame do que quiser. Intuição. Instinto. Tem alguma coisa nela que é falsa.

— Nunca despreze uma impressão instintiva — disse Bell. — Sempre poderá mudar de opinião depois.

— Obrigada, querido! Realmente acho uma bobagem, mas, ainda assim, quando estava em São Francisco, ela veio me procurar em Fort Lee sem ser convidada. Simplesmente apareceu. E apareceu de surpresa esta manhã, de novo.

— O que foi que ela disse?

— Não lhe dei a menor chance. Estava apressada para pegar o *ferryboat*, precisava ver a mãe dessas crianças, que também é a agente delas, além de muito ambiciosa. Só acenei e segui em frente. Ela gritou alguma coisa sobre me dar uma carona. Acho que tinha um carro esperando. Continuei em frente e tomei o barco. Isaac, sei que é uma tolice. Quer dizer, Lowell Falconer a conhece. Ele não parecia considerá-la estranha. Por outro lado, duvido que qualquer um usando um vestido fosse estranho a Lowell.

— Quem lhe disse que ela apareceu aqui quando você estava em São Francisco?

— Mademoiselle Duvall.

— O que ela acha de Katherine?

— Acho que ela sentiu o mesmo que eu, embora não com tanta intensidade. Sempre aparecem pessoas estranhas no estúdio. Os filmes as atraem e elas imaginam todo tipo de futuro fantástico para si mesmas. Mas Katherine Dee é diferente. Obviamente, ela está bem de vida e é bem-nascida.

— Ela é órfã.

— Ah, meu Deus! Não sabia. Talvez precise de trabalho.

— Seu pai lhe deixou uma fortuna.

— Como sabe disso?

— Investigamos todo mundo que esteja de algum modo relacionado ao Casco 44.

— Então, provavelmente, estou imaginando coisas.

— Melhor prevenir do que remediar. Vou pedir à Pesquisa para investigar mais sobre ela.

— Venha conhecer as crianças! Fred, diga oi ao meu noivo, senhor Bell.

— Oi, senhor Bell — murmurou Fred, olhando para os sapatos. Era um menino tímido, com 7 ou 8 anos.

— Oi, Fred! Quando entrei, ouvi você dançando tão rápido que pensei que fosse uma metralhadora.

— Sério? — ele levantou os olhos e observou Bell com um sorriso caloroso.

— A senhorita Morgan está lhe tratando bem?

— Ah, ela é muito boa!

— Eu concordo.

— E esta é Adele — disse Marion. A garota era animada, vários anos mais velha e não precisava de incentivo. — Você é mesmo o noivo da senhorita Morgan?

— Sou um homem de sorte.

— Também acho!

— E eu acho você muito esperta. O que acontece no filme?

Adele pareceu surpresa quando o pequeno Fred respondeu em seu lugar.

— Os meninos dançarinos são capturados pelos índios.

— Qual será o título do filme?

— *A Lição.* Os garotos ensinam aos índios uma nova dança e eles os libertam.

— Parece inspirador. Não vejo a hora de assistir. Prazer em conhecê-lo, Fred! — Bell pegou a mãozinha do garoto de novo. — Prazer em conhecê-la, Adele! — ele apertou a mão da garota.

Marion disse:

— Nos vemos de novo amanhã cedo, meninos — e gritou para a mãe dos dois. — Às 8 horas em ponto, senhora Astaire!

Eles ficaram sozinhos na plateia.

Bell disse:

— Quando voltar a Fort Lee amanhã de manhã, você verá alguém que conhece vestido de índio. Dê-lhe um papel e ele ficará perto de você o tempo todo.

— Archie Abbott?

— Ele é o único homem em quem eu confiaria a minha vida, além de Joe Van Dorn. Mas ninguém jamais acreditaria no senhor Van Dorn vestido de índio procurando trabalho num filme seu, ao passo que Archie seria um ator, se a mãe não o proibisse. Até termos certeza de que Katherine Dee não representa nenhum perigo, Archie vai acompanhá-la no trabalho o dia inteiro. À noite, quero quc fique no Knickerbocker.

— Uma dama solteira, sozinha, em um hotel respeitável? O que o detetive da casa vai dizer?

— Se ele souber o que é bom para ele, dirá: "Boa noite, senhor Bell! Durma bem".

**

Isaac Bell voltou às ruas. Sentia que estava chegando perto, tão perto que levava sanduíches nos bolsos do casaco, presumindo que um homem que vivia tão marginalizado quanto Billy Collins não recusaria uma refeição. Haviam relatado mais dois avistamentos. Os dois na 9th Avenue, próximo ao local em que ela terminava abruptamente, na 33rd Street, por causa de um buraco imenso que abrigava as obras de contrução do pátio de manobras do terminal Pennsylvania.

Ele foi ao local da construção, vestido em andrajos, e observou uma silhueta magra e alta, que vira no depósito de carvão. Um bairro inteiro da cidade — quase meio hectare de casas, apartamentos, lojas e igrejas — tinha desaparecido. A 9th Avenue atravessava o buraco gigantesco sobre uma passagem improvisada, escorada em armações, parecidas com estacas, que sustentavam duas linhas de bondes, o leito da rua e uma passarela para pedestres. Projetados bem acima dela, os trens locais e os expressos ainda corriam sobre o elevado da 9th Avenue, estrondeando através do vão do buraco como se fossem aeroplanos gigantescos, feitos de ferro e aço.

Uma sirene a vapor anunciou o fim do expediente. Uns mil trabalhadores emergiram de dentro do poço e, apressados, voltaram para casa. Depois que todos tinham ido, Bell desceu pelo buraco, seguindo por escadas e escoras temporárias de madeira, passou por diversas terminações de gás, canos de ferro fundido, conduítes elétricos e serras de tijolos. Mais de 7 metros abaixo, deparou-se com um viaduto de aço parcialmente construído — escorando, como fora informado, a 9th Avenue e os edifícios ao redor. Desceu por ele até a escuridão iluminada por lâmpadas elétricas de trabalho, presas a pinos na parede.

Dezoito metros abaixo da superfície, encontrou o fundo do poço. Era um campo de cascalho de pedras de granito dinamitado, atravessado, de todos os lados, por trilhos de bitola estreita para os vagões que carregavam os escombros e o material para dentro e para fora, amparado por amplas colunas que sustentavam o viaduto. Por essa moldura, ele podia ver centelhas elétricas azuis formando arcos toda vez que os trens do elevado retumbavam no alto.

Bell explorou o lugar por uma hora, de olho nos vigias noturnos. Tropeçou várias vezes no piso irregular. Na terceira vez que caiu, sentiu um odor doce e descobriu o miolo de uma maçã comida. Perambulando por ali, encontrou o refúgio de um homem — um cobertor amassado, mais miolos de maçãs e ossos de galinha. Abaixou-se para esperar, sentando-se no chão, imóvel como gelo, movendo-se apenas quando precisava esticar os membros para manter a agilidade e, depois, só quando os trens do elevado, rugindo acima, disfarçavam seus movimentos.

Não estava sozinho. Ratos corriam de um lado para o outro, um cachorro latia e, a centenas de metros de distância no escuro, ouviu uma discussão entre dois vagabundos, que terminou com uma batida surda e um gemido, engolido pelo ruído de um trem cruzando o elevado. Tudo ficou mais silencioso à medida que a noite avançava e os trens do elevado passavam com menos frequência. Alguém acendeu uma fogueira na borda do buraco na 33rd Street, a qual lançou faíscas e sombras dançantes sobre os pilares, vigas e por todas as paredes de pedra.

Uma voz sussurrou na orelha de Bell:

— É como uma igreja aqui.

47

Isaac Bell moveu apenas os olhos.

Pela luz trêmula da fogueira, viu um rosto ossudo e comprido, com um sorriso vago. O homem trajava farrapos. Tinha as mãos nuas, os olhos inchados como se acabasse de acordar e Bell supôs que estivesse dormindo o tempo todo, sem emitir um ruído. Agora, ele observava, com um olhar perdido, o esqueleto de aço do viaduto, e Bell percebeu o que ele quisera dizer com a ideia da igreja. As vigas intermediárias, o céu escuro pontilhado de estrelas e a luz da fogueira conspiravam para formar a imagem de uma catedral medieval, iluminada por velas.

— Olá, Billy!

— Hã?

— Você é Billy Collins?

— Sou, sim. Como sabe?

— Você andava junto com Olhos O'Shay.

— Ah! Coitado do Olhos... Como soube?

— Tommy me contou.

— Gordo desgraçado! Você é amigo dele?

— Não.

— Nem eu.

Embora tivesse praticamente a idade de Bell, Billy Collins parecia um velho. O cabelo grisalho, o nariz adunco e, agora, dos olhos inchados, começavam a vazar lágrimas.

— Você é amigo do Tommy? — ele perguntou de novo, irritado.

— O que o Tommy fez ao Olhos? — indagou Bell.

— Tommy fez ao Olhos? Você está brincando? Aquele gordo desgraçado não podia com Olhos nem na sua melhor forma. Você é amigo do Tommy?

— Não. O que aconteceu com o Olhos?

— Não sei.

— Dizem que você estava com ele.

— Sei. E daí?

— E daí, o que aconteceu?

Billy fechou os olhos e murmurou:

— Um daqueles dias, eu estava voltando a cuidar dos trens.

— O que está dizendo, Billy? — Bell perguntou.

— Dá uma boa grana cuidar dos trens, se pegar a carga certa. Uma grana da pesada. Eu ficaria rico, cuidando dos trens. Então, levaram a minha garotinha e, de repente, não consegui fazer mais nada — ele olhou para Bell, a luz da fogueira tornando os seus olhos tão loucos quanto o tom de sua voz. — Eu conseguia trabalho, na época, sabia?

— Não, não sabia disso, Billy. Que tipo de trabalho?

— Conseguia trabalho. Maquinista de teatro. Uma vez fui cavalariço. Até trabalhei como boneco.

— Como assim, boneco? — indagou Bell.

— Sinaleiro de ferrovia. 11th Avenue. Cavalgava em um cavalo à frente do trem. É a lei de Nova York. Não se pode conduzir um trem na 11th Avenue sem um cara a cavalo. A única vez que a lei me deu um trabalho. Não consegui ficar.

Ele começou a tossir. Tuberculose, pensou Bell. O homem estava morrendo.

— Está com fome, Billy?

— Não. Eu não sinto fome.

— Experimente isso — Bell estendeu-lhe um sanduíche.

Billy Collins cheirou-o, segurou-o próximo da boca e disse:

— Você é amigo do Tommy?

— O que o Tommy fez ao Olhos?

— Nada, já lhe disse. O Tommy não podia com Olhos. Ninguém podia com Olhos. A não ser o velho.

— O velho?

— O velho durão.

— Quer dizer o pai dele?

— *Pai?* Olhos não teve pai. O velho. Foi ele que nos pegou. Pegou direitinho.

— Que velho?

— Na Clarkson.

— A Clarkson Street? — indagou Bell. — No centro da cidade?

— O *Umbria* estava zarpando para Liverpool.

O transatlântico da Cunard. Um dos antigos.

— Quando?

— Naquela noite.

— Quando Olhos desapareceu?

— Quando éramos moleques — respondeu Billy, sonhador. Ele se recostou e olhou para a estrutura do viaduto.

— O *Umbria?* — instigou Bell. — O navio a vapor? O transatlântico da Cunard?

— Nós vimos aquele velho. Ele corria para o píer 40 como se estivesse atrasado. Nem mesmo olhava para onde ia. Não podíamos acreditar na nossa sorte. Descíamos a Clarkson Street à procura de marinheiros bêbados para pilhar. Em vez disso, ali vinha um velho rico, num luxuoso casaco verde e com anéis brilhantes nas mãos, que podia pagar 150 dólares pela passagem no vapor. Estava escuro e caía uma chuvinha fina, nem uma alma viva na Clarkson. Olhos colocou a goiva no polegar, para o caso de ele nos causar problemas. Caímos como dois gatos sobre o nosso rato rico. Brian foi logo arrancando os anéis dos dedos dele. Pensei que encontraria uma carteira estufada de dinheiro naquela beleza de casaco...

— O que aconteceu?

— Ele tirou uma espada de dentro da bengala.

Billy Collins voltou o olhar na direção de Bell, os olhos arregalados ao se lembrar da cena.

— Uma *espada.* Estávamos tão bêbados que mal conseguíamos parar em pé. O velho agitou a espada. Eu me desviei. Ele me jogou ao chão com a bengala. Velho durão, entendia do riscado. Eu me levantei. Desviei-me e caí direto embaixo da bengala. Ouvi um ruído como dinamite explodindo dentro da minha cabeça. Então, eu já era.

Billy Collins cheirou o sanduíche de novo e começou a comê-lo.

— E o que aconteceu depois? — indagou Bell.

— Eu acordei no esgoto, todo ensopado e morrendo de frio.

— E quanto ao Olhos?

— Brian O'Shay tinha sumido, e nunca mais voltei a vê-lo.

— Será que o velho matou Olhos O'Shay?

— Não vi nenhum sangue.

— A chuva pode ter lavado o sangue?

Collins começou a chorar.

— Desapareceu no ar, assim como a minha menininha. Com a diferença de que ela não fazia mal a ninguém. Mas Olhos e eu, bem, era o que fazíamos.

— E se eu lhe disser que Olhos voltou?

— Preferiria que dissesse que a minha garotinha voltou.

— De onde?

— Eu não sei. Ela era tão pequenininha.

— Sua filha?

— Filha? Eu não tive filha… Olhos voltou, ouvi dizer.

— Sim, ele voltou. Tommy o viu.

— Ele não veio me ver… Mas quem diabos viria? — ele fechou os olhos e começou a roncar. O sanduíche caiu de seus dedos.

— Billy — Isaac Bell balançou-o para acordá-lo. — Quem era o velho?

— Um velho rico num casaco verde — ele voltou a dormir.

— Billy!

— Me deixe!

— Quem era a menininha?

Billy Collins arregalou os olhos.

— Ninguém sabe. Ninguém se lembra. A não ser o padre.

— Que padre?

— O padre Jack.

— De que igreja?

— Da igreja de St. Michael.

**

Depois que Bell o deixou, Billy Collins sonhou que um cachorro fechou a mandíbula no seu pé. Ele o chutou com o outro pé. Surgiu uma segunda cabeça no cachorro que mordeu aquele pé também. Ele acordou aterrado.

Uma figura estava curvada sobre seus pés, mexendo em seus cadarços. Um maldito mendigo que não ousaria tocá-lo nos velhos tempos tentava roubar seus sapatos.

— Ei!

O mendigo puxou com mais força. Billy sentou-se e tentou esmurrá-lo na cabeça. O mendigo tirou seu sapato, pegou um pedaço de madeira e bateu nele. Billy viu estrelas. Atordoado, estava vagamente ciente de que o sujeito levantava a madeira para bater de novo. Sabia que ele bateria com força, mas não conseguia se mover.

O aço brilhou. Uma faca apareceu do nada. O mendigo gritou e caiu para trás, segurando o rosto. A faca brilhou de novo. Outro grito, e o mendigo rolou para o lado, ficou de quatro, levantou-se e, depois, fugiu correndo para se salvar. Billy afundou de costas. Diabo de sonho! Toda vez era estranho. Agora sentia um cheiro de perfume. Aquilo o fez sorrir. Ele abriu os olhos. Uma mulher ajoelhara-se ao lado dele, o cabelo cobrindo o rosto. Como um anjo. Parecia que ele tinha morrido.

Ela se inclinou para mais perto, tão perto que ele sentiu sua respiração morna, e sussurrou:

— O que você contou ao detetive, Billy?

48

— **A dona da casa não é uma adivinha** — assegurou Olhos O'Shay ao ansioso comandante do seu torpedeiro submarino Holland.

Hunt Hatch não se tranquilizou.

— Há placas por toda a casa anunciando que a Madame Nettie prediz a sorte. Ela deve ter clientes entrando e saindo o tempo todo, de dia e de noite. Você nos colocou em uma situação danada de complicada, nos mantendo aqui, O'Shay. Não vou tolerar isso.

— A adivinha é uma cega. Ela não diz a sorte.

— E por que uma cega?

— São uma quadrilha de falsificadores.

— Falsificadores… Você está louco, cara?

— Eles são as últimas pessoas em Bayonne que procurariam os tiras. Foi por isso que coloquei vocês aqui. E a mulher que faz suas refeições escapou da prisão estadual. Ela também não vai contar a ninguém. Além do mais, eles não podem ver seu barco, das casas. Ele está escondido atrás da barcaça.

Um gramado aparado estendia-se da casa de madeira dos falsificadores ao pé da Lord Street até o Kill Van Kull. O Kill era um canal estreito e profundo entre Staten Island e Bayonne. A barcaça estava atracada junto a uma das margens.

O Holland achava-se embaixo da barcaça. Sua torre era acessível através de um poço interior. Estavam a menos de 7 quilômetros de Upper Bay em Nova York e a uma viagem de 5 a 9 quilômetros sem impedimentos do estaleiro naval do Brooklyn.

Hunt Hatch não gostava daquilo.

— Mesmo que *eles* não possam, o Kill está cheio de catadores de ostras. Eu os vejo em suas chatas. Eles vêm direto xeretar a barcaça.

— Eles são a gente de Staten Island — respondeu O'Shay, pacientemente. — Não estão procurando por você. Estão querendo roubar alguma coisa — ele fez um gesto para as colinas, uns 300 metros depois do estreito. — Staten Island tornou-se parte da cidade de Nova York dez anos atrás, mas ninguém informou isso aos pescadores de Staten Island. Eles continuam os mesmos piratas sujos, contrabandistas e ladrões que sempre foram. Garanto a você, eles também não vão procurar os tiras.

— Acho que devemos atacar agora e acabar logo com isso.

— Vamos atacar — O'Shay disse em voz baixa — no momento em que disser para atacarmos.

— Não estou arriscando a vida e a liberdade para ser pego por seus caprichos. Sou o comandante do navio e digo que devemos atacar agora, antes que alguém descubra onde escondemos a maldita coisa.

O'Shay aproximou-se dele. Levantou a mão como se fosse golpear o capitão. Hatch rapidamente ergueu as duas mãos, uma para bloquear o golpe, outra para revidar. Nisso expôs a barriga. Nesse momento, O'Shay já brandia um canivete Butterflymesser aberto com a outra mão. Escorregou a comprida lâmina por baixo do osso esterno de Hatch, enterrou-a até o cabo, puxou para baixo, com toda a força, a lâmina afiada como uma navalha, e recuou rapidamente antes que os intestinos se espalhassem e manchassem suas roupas.

O comandante os amparou, ofegando de horror. Seus joelhos dobraram. Ele caiu sobre o tapete.

— Mas quem levará o Holland? — sussurrou.

— Acabei de promover seu primeiro imediato.

**

— Este é o prédio de igreja mais novo em que já estive — Isaac Bell comentou com o padre Jack Mulrooney.

A igreja de St. Michael cheirava a tinta, goma-laca e cimento. Os vitrais reluziam e as pedras eram novas, ainda não manchadas pela fuligem.

— Acabamos de nos mudar — disse o padre Jack. — Os paroquianos ainda estão se beliscando, e perguntando se é real. Para falar a verdade, a única maneira de a Pennsylvania Railroad Company nos tirar, de repente, da 31st Street para construir os pátios do terminal sem provocar a ira de Deus, para não mencionar a da Tammany Hall e de Sua Graça, o cardeal, seria construir, para nós, uma igreja novinha, com casa paroquial, convento e escola.

Bell disse:

— Sou um detetive particular, padre, da Agência Van Dorn. Gostaria de lhe fazer algumas perguntas sobre pessoas que viviam em sua paróquia.

— Se quiser falar, pode falar. Faço as minhas visitas e você verá que a nossa gente vive em lugares menos dignos que sua nova igreja. Venha comigo — ele saiu andando com um passo surpreendentemente ágil para um homem de sua idade, virou uma esquina e entrou em uma vizinhança que parecia estar a quilômetros, não metros, da sua igreja nova em folha.

— Serviu aqui por muito tempo, padre?

— Desde os motins contra o recrutamento militar.

— Isso foi há 45 anos.

— Algumas coisas mudaram no bairro, mas, a maioria, não. Ainda somos pobres.

O padre entrou em um prédio de apartamentos, cujo portal de pedra tinha um meticuloso entalhe, e começou a subir por um lance íngreme de escadas instáveis. No terceiro andar, ele estava ofegante. No sexto, fez uma pausa para recuperar o fôlego e, quando parou de ofegar, bateu em uma porta e gritou:

— Bom dia! Aqui é o padre Jack.

Uma garota, com um bebê no colo, abriu a porta.

— Obrigada por vir, padre!

— E como está sua mãe?

— Nada bem, padre, nada bem mesmo.

Ele deixou Bell na sala da entrada. Uma única janela, que dava para um pátio cortado por varais à sombra, recebia o mau cheiro de uma privada seis andares abaixo. Bell dobrou um maço de notas de dólar na mão e deixou-o com a garota quando saíram.

Ao pé da escada, o padre Jack recobrou novamente o fôlego.

— Sobre quem quer mesmo saber?

— Brian O'Shay e Billy Collins.

— O Brian foi embora daqui faz muito tempo.

— Quinze anos, pelo que me disseram.

— Se Deus alguma vez abençoou esse bairro, foi no dia em que O'Shay desapareceu. Não devia dizer uma coisa dessas, mas Brian O'Shay era o braço direito de Satã.

— Ouvi dizer que voltou.

— Ouvi alguns rumores — o padre disse, taciturno, e conduziu Bell de volta à rua.

— Estive com Billy Collins ontem à noite.

O padre Jack parou e olhou para o detetive alto, com um súbito respeito.

— Esteve mesmo? Lá no buraco?

— Sabia que ele está lá?

— O Billy, vamos dizer assim, chegou ao fundo do poço. Para onde mais ele poderia ir?

— Quem é a garotinha?

— A garotinha dele?

— Ele sempre se refere a ela como sua garotinha, mas disse que não teve filhos.

— Esta é uma afirmação dúbia, considerando a idade dele na época. Naqueles anos, era raro eu batizar uma criança ruiva e não me espantaria se Billy fosse o pai.

— Eu fico me perguntando se o cabelo dele era ruivo. Parecia totalmente grisalho à meia-luz.

— Embora eu imagine — acrescentou o padre Jack com um sorriso débil — que Billy poderia alegar, com certo grau de verdade, que não tem *consciência* de que teve filhos. Seria preciso ser uma garota muito corajosa para chamá-lo de pai. Ainda assim, entendo o que ele quer dizer. Andando com prostitutas e bebendo desde que tinha 12 anos de idade, de que se lembraria?

— Ele insistiu que não teve filhos.

— Isso faria da menininha sua irmã.

— É claro! Ele chora por ela.

— Tenho certeza que sim.

— O que aconteceu com ela? — indagou Bell.

— Espere por mim aqui — disse o padre. — Será só um momento — ele entrou em um prédio e saiu em pouco tempo. Enquanto seguiam pelo quarteirão, o padre Jack disse: — Existem homens ruins nessa comunidade que vivem de roubar das pessoas pobres e ignorantes. Eles roubam seu dinheiro e, se não elas têm dinheiro, roubam sua bebida. Se não conseguem bebida, roubam seus filhos. O que quer que possam vender ou usar por conta própria. A criança foi raptada.

— A irmã de Billy?

— Tirada da rua quando não tinha mais do que 5 anos e nunca mais foi vista. Com certeza, ela deve aparecer praguejando nos pensamentos de Billy quando ele se injeta morfina. Onde ele estava quando ela foi levada? Onde *sempre* estava quando o pobre bebê mais precisava? Ele pensa no passado agora e adora a *ideia* daquela criancinha. Mais do que nunca, amou a criança em si.

O velho padre abanou a cabeça com raiva e desgosto.

— Quando eu penso nas noites em que rezei por aquela criança e por todas as crianças como ela!

Bell esperou, sentindo no velho homem uma ebulição que deveria emergir naturalmente. E foi o que aconteceu, pouco depois. Sua expressão se iluminou.

— Na verdade, foi Brian O'Shay quem cuidou daquela garotinha.

— Olhos O'Shay?

— Ele cuidava dela quando Billy e seus pais preguiçosos estavam embriagados — o padre Jack baixou a voz. — Dizem que O'Shay bateu no pai dela até a morte pelos pecados contra a criança que só o Diabo pode imaginar. Ela foi a única pessoa que Brian O'Shay amou na vida. Foi uma bênção ele nunca saber o que aconteceu com ela.

— Poderia Brian O'Shay ter raptado a garota?

— Nunca nessa vida! Mesmo se ele, há muito tempo, já não tivesse ido para o inferno.

— Mas e se ele não foi morto quando desapareceu? E se voltou? Poderia ter raptado a garota?

— Ele nunca faria mal a ela — disse o padre.

— Homens maus fazem o mal, padre. O senhor me disse como ele era mau.

— Até mesmo o pior homem tem um sinal de Deus em si — o padre segurou o braço de Bell. — Lembre-se sempre disso e será um detetive melhor. E um homem melhor. Aquela criancinha era o sinal de Deus em Brian O'Shay.

— O nome dela era Katherine?

O padre Jack encarou-o, com curiosidade.

— Por que está dizendo isso?

— Realmente, não sei. Mas estou lhe perguntando, era?

O padre Jack fez menção de responder. Uma pistola disparou do alto de um prédio de apartamentos. O padre caiu no pavimento da rua. Um segundo tiro atravessou o espaço ocupado por Bell um pouco antes, pois o detetive já estava rolando para a calçada, sacando sua Browning; ficou de joelhos e levantou a arma para atirar.

Mas só viu mulheres e crianças gritando, de suas janelas, que seu padre fora assassinado.

**

— Quero uma ligação telefônica direta com o chefe da agência de Baltimore agora! — gritou Isaac Bell ao entrar, a passos largos, na sede da Van Dorn. — Diga a ele para estar com a pasta de Katherine Dee sobre a mesa.

Levou uma hora para o telefone de Baltimore responder.

— Bell? Desculpe tanta demora. Está chovendo a cântaros aqui, metade da cidade está inundada. Vocês vão ter sua parte, é outro daquele noroeste.

— Quero saber exatamente quem é Katherine Dee e quero saber agora.

— Bem, como informamos, o pai dela voltou para a Irlanda com um barco cheio de dinheiro, que ganhou construindo escolas para a diocese, e levou-a consigo.

— Isso eu já sabia. E, quando ele morreu, ela foi para uma escola em um convento na Suíça. Que escola?

— Vou checar isso enquanto conversamos. Estou com tudo bem aqui na minha frente. Os rapazes vêm atualizando os dados desde que enviamos o último relatório para Nova York. Demora tanto tempo para ir e voltar de Dublin... Vamos ver, aqui... Bem, aqui está. Não, não, não, não pode ser.

— *O quê?*

— Algum maldito idiota fez confusão. Diz que a filha morreu também. Não pode ser. Temos os registros da escola. Senhor Bell, deixe-me lhe dar um retorno daqui a pouco.

— Imediatamente — disse Bell e desligou.

Archie entrou, ainda com o rosto marcado pela pintura de guerra dos índios.

— Você está com uma aparência péssima, Isaac.

— Onde está a Marion?

— Lá em cima — Bell alugara uma suíte para os dias que ela passaria em Nova York. — Choveu de novo. Você está bem? O que aconteceu com você?

— Um padre foi baleado na minha frente. Por falar comigo.

— O espião?

— Quem mais? O quarteirão estava cheio de tiras, mas ele conseguiu fugir.

Um aprendiz aproximou-se cautelosamente dos detetives muito sérios:

— Um mensageiro deixou isso na recepção, senhor Bell.

Bell rasgou o envelope com violência. Sobre uma folha de papel timbrado do Waldorf-Astoria, Erhard Riker tinha escrito:

Encontrei!
A perfeição para a noiva perfeita!
Estarei na joalheria de Solomon Barlowe por volta das 15 horas com uma esmeralda impecável, caso esteja em Nova York ao receber esta mensagem.
Cordiais saudações,
Erhard Riker

49

Bell atirou o bilhete de Riker por cima da escrivaninha.

Archie pegou-o e leu.

— O anel para a bela Marion?

— Isso pode esperar.

— Vá.

— Estou aguardando notícias de Baltimore.

Archie disse:

— Tire uma hora. Esfrie a cabeça. Eu falo com Baltimore se ligarem antes de você voltar. Diga, por que não leva Marion com você? Essa chuva a está deixando maluca. Ela está delirando, pensando em ir para a Califórnia fazer filmes com a luz do Sol. Nem adianta explicar onde ela encontraria os atores. Vá! Relaxe um pouco. Já encontrou Collins. Há duzentos homens procurando O'Shay. E a Marinha e o esquadrão portuário procurando os torpedos. Eu fico no seu lugar.

Bell levantou-se.

— Só por uma hora. Volto já.

— Se ela gostar, tire mais dez minutos para tomarem uma taça de champanhe.

**

Eles tomaram o metrô para o centro e caminharam pelas ruas varridas pela chuva até Maiden Lane. A loja de Barlowe lançava um brilho acolhedor na tarde deprimente.

— Tem certeza de que quer fazer isso? — indagou Marion, quando se aproximavam da porta.

— Como assim?

— Depois que você coloca um anel no dedo de uma garota, fica mais difícil se livrar dela.

Andavam de mãos dadas. Bell puxou-a para si. Os olhos dela brilharam com um sorriso. Os borrifos da chuva salpicavam o cabelo, que escapava do chapéu.

— Nem o Houdini se livraria dessa — disse ele e beijou-a na boca. — Nem se quisesse.

Entraram na loja.

Erhard Riker e Solomon Barlowe estavam inclinados sobre o balcão, cada um com uma lupa de joalheiro encaixada num dos olhos. Riker levantou a cabeça, sorrindo. Estendeu a mão para Bell e disse para Marion:

— Receio dizer que você pôs à prova a capacidade de observação do seu noivo. Por mais que tentasse, e lhe asseguro que tentou bastante, foi difícil para ele descrever toda a sua beleza.

Marion disse:

— E você põe à prova a minha capacidade de me exprimir com palavras. Obrigada!

Riker curvou-se sobre a mão de Marion, beijou-a e deu um passo para trás, alisando o bigode e encaixando o polegar no bolso do colete. Barlowe sussurrou para Bell:

— É a coisa mais incomum, senhor, um cavalheiro mostrar o anel à noiva antes de comprá-lo.

— A senhorita Morgan é uma noiva incomum.

Alguma coisa *clicou* contra a janela. Na calçada, ignorando a chuva, jovens sorridentes de chapéu-coco preto jogavam, de um para outro, uma pequena peteca de *badminton* com as mãos.

— Você deveria chamar um policial antes que quebrem o vidro — disse Riker.

Solomon Barlowe deu de ombros.

— Estudantes. Neste verão, vão conhecer as garotas. Na próxima primavera, vão comprar o anel de noivado.

— E aqui está a essência do seu, senhorita Morgan — disse Riker. Ele tirou uma elegante caixa de couro do bolso, abriu-a e, de dentro, retirou uma folha de papel branco. Abrindo o papel, deixou escorregar, sobre um painel de demonstração de veludo branco, uma esmeralda: perfeita, flamejante e cheia de vida.

O joalheiro Solomon Barlowe ofegou.

Isaac Bell teve a impressão de que ela cintilava como uma chama verde.

Marion Morgan disse:

— Com certeza, é muito brilhante.

— O senhor Barlowe propõe colocá-la em um anel simples, em estilo *art nouveau* — disse Erhard Riker.

— Separei alguns modelos — disse Barlowe.

Isaac Bell observou Marion examinar a esmeralda. Ele disse:

— Tenho a impressão de que não gostou tanto assim da pedra.

— Querido, usarei tudo o que lhe agradar!

— Mas você preferiria outra coisa.

— Esta é muito linda, mas, já que perguntou, eu preferiria um verde mais suave; formidável, mas discreto, como o verde-oliva do casaco do senhor Riker. Existe uma pedra assim, senhor Riker?

— Existe uma turmalina num tom verde acinzentado, que é encontrada no Brasil. É muito rara e extremamente difícil de cortar.

Marion sorriu para Bell.

— Seria menos caro comprar-me um belo casaco verde-oliva, como o do senhor Riker... — sua voz falhou. Ela estava prestes a perguntar: "Isaac, qual é o problema?". Em vez disso, instintivamente, chegou mais perto dele.

Bell admirava o casaco de Riker.

— Um belo casaco verde — disse ele, em voz baixa. — Um velho em um belo casaco verde com anéis nos dedos... — fixou o olhar frio na bengala de Riker, com o castão adornado de joias. — Sempre admirei sua bengala, *Herr* Riker.

— Foi um presente do meu pai.

— Posso vê-la?

Riker arremessou-a para Bell. Bell sopesou-a nas mãos, testando seu equilíbrio e seu peso. Fechou uma das mãos ao redor do castão de ouro e pedras preciosas, girou-o com um jogo dos pulsos e retirou uma espada reluzente.

Erhard Riker deu de ombros.

— Nunca é demais ser cuidadoso no meu ramo de negócios.

Bell sustentou a lâmina na luz. Era tão afiada que a luz não reluzia na borda. Ele suspendeu o cano, a bainha que a guardava.

— Pesada. Nem seria preciso da espada. Daria para derrubar um homem com isso.

Bell observou Riker olhá-lo cautelosamente, como se imaginasse se entendera bem o que Bell dissera ou se fizera apenas uma avaliação, pensando: "Será que preciso lutar?". Por fim, Riker falou:

— *Dois homens*, se você fosse mais rápido do que parece.

— E se os homens estivessem bêbados — disse Bell, movendo-se rápido à frente de Marion para escudá-la. De repente, ficou claro a ambos que falavam daquela noite em que Olhos O'Shay e Billy Collins tentaram roubar o velho senhor Riker.

Riker respondeu num tom coloquial, embora seus olhos estivessem focados tão intensamente em Bell quanto os de Bell nele.

— Eu acordei — disse ele — em uma cabine de primeira classe em alto-mar. O velho era duro como pedra, mas gostou de mim. Eu ganhava tudo o que queria. A comida naquele navio era como a que as pessoas diziam que Diamond Jim Brady comia. Cafés da manhã, ostras, patos assados, vinhos em taças de cristal. Me senti como se tivesse chegado ao Paraíso. É claro que imaginei o que ele ia querer em troca de tudo aquilo. No entanto, tudo o que me pediu foi para estudar e aprender a ser um cavalheiro. Me mandou à escola pública na Inglaterra e às melhores universidades da Alemanha.

— Por que o senhor Riker não o deixou na sarjeta com Billy Collins?

— Você falou com Billy? É claro! Como ele está?

— Ainda na sarjeta. Por que Riker não o deixou lá?

— Ele estava de luto pelo filho que morrera de gripe. Queria ter outro.

— E você estava bem à mão.

— Eu era *lixo.* Mal sabia ler, mas ele viu alguma coisa em mim que ninguém mais conseguiu ver.

— E você pagou a ele tornando-se um assassino e um espião.

— Eu paguei a ele — disse Riker, os ombros aprumados, a cabeça erguida.

— Você tem orgulho de ser um assassino e um espião? — indagou Isaac Bell, desdenhosamente.

— Você é um menino privilegiado, Isaac Bell! Há coisas que nunca saberá. Eu paguei a ele. Digo isso com orgulho.

— Eu digo com o mesmo orgulho que vou prendê-lo por assassinato, Brian O'Shay.

Katherine Dee saiu em disparada de trás da cortina que dividia a sala dos fundos, passou o braço ao redor do pescoço de Marion e pressionou o polegar em seu olho.

50

— **Brian me ensinou esse truque** quando comemorei os meus 12 anos de idade. Ele até me deu a minha própria goiva. É feita do mais puro ouro, está vendo? — o polegar terminava numa forma aguçada por causa do instrumento de metal, que era como uma garra.

— Fique totalmente imóvel — Bell disse a Marion. — Não lute. O senhor O'Shay está com a melhor mão.

— Obedeça ao seu noivo — disse Katherine Dee.

Olhos O'Shay disse:

— Respondendo à sua pergunta, Bell, uma das maneiras como paguei à bondade do velho foi resgatando Katherine, assim como ele me resgatou. Katherine é instruída, perfeita e livre. Ninguém pode fazer mal a ela.

— Instruída, perfeita, livre e letal — disse Bell.

Com a outra mão, Katherine tirou uma pistola.

— Outro presente de aniversário?

— Entregue a espada a Brian, senhor Bell, antes que sua noiva fique cega e eu atire em você.

Bell girou a bainha e a espada, atirando-as para O'Shay. Como esperava, o espião era arguto demais para cair em algum truque. O'Shay pegou a arma friamente, sem desviar os olhos de Bell. Quando começou a embainhá-la, relanceou o olhar para baixo para se assegurar de que a embainhava corretamente e não espetava a mão. Bell esperava por essa fração de segundo de distração. Então, deu um chute com a velocidade de um raio.

A ponta aguda da sua botina acertou o nervo ulnar de Katherine Dee, cujo antebraço foi atirado fortemente para cima, com o cotovelo flexionado. Ela gritou ante a dor inesperada e não conseguiu impedir que a mão se abrisse convulsivamente. Seu polegar se esticou para longe do olho de Marion.

Mas a goiva continuou presa.

Marion tentou se soltar da mulher mais franzina. Katherine comprimiu novamente a goiva contra seu rosto. Bell já segurava a pistola de dois canos e apertou o gatilho. O'Shay gritou um agudo "Não!" e desferiu a bengala no braço de Bell. O ruído do disparo foi ensurdecedor no espaço confinado. Solomon Barlowe mergulhou para o chão. Marion gritou e Bell pensou que tivesse acertado nela. Entretanto, foi Katherine Dee quem caiu.

O'Shay amparou a garota com um braço forte e escancarou a porta. Bell mergulhou atrás deles. Tropeçou em Solomon Barlowe. No momento em que passava pelo vão da porta, viu O'Shay empurrando Katherine para dentro de um Packard dirigido por um chofer uniformizado. Pistoleiros usando chapéus-cocos pretos saíram de trás do carro e de portas na rua, apontando pistolas.

— Marion, abaixe-se! — rugiu Bell.

Os brutamontes bonitões da agência de proteção particular Riker & Riker dispararam uma salva de tiros. Ricochetes sucessivos estouraram os vidros e levantaram poeira das paredes e dos diamantes expostos na vitrine. Pedestres caíram na calçada. Bell revidou o fogo. Ouviu o Packard sair em disparada. Atirou de novo, esvaziando a Browning. O carro grande derrapou numa curva e bateu em alguma coisa. Porém, quando o chumbo cessou de voar e ele correu até lá, o Packard pegava fogo contra um poste de iluminação e O'Shay, Katherine Dee e seus pistoleiros tinham desaparecido. Bell voltou correndo à joalheria, o coração na garganta. Solomon Barlowe gemia segurando a perna. Marion estava no chão, atrás do balcão, os olhos bem abertos.

— Viva!

Ele se ajoelhou ao lado dela.

— Foi atingida?

Ela correu uma das mãos sobre o rosto. A pele estava mortalmente pálida.

— Acho que não — disse em voz sumida.

— Está tudo bem com você?

— Para onde eles foram?

— Fugiram. Não se preocupe. Não irão muito longe.

Ela apertava alguma coisa com o punho cerrado, que agora pressionava contra o peito.

— O que é isso?

Lenta e dolorosamente, ela forçou os dedos a se abrirem. Aninhada em sua palma, achava-se a esmeralda, verde e misteriosa como o olho de um gato.

— Pensei que não tivesse gostado — disse Bell.

Marion rolou os belos olhos pelos vidros quebrados e pelas paredes perfuradas com buracos de balas.

— Não sofri nem um arranhão. Nem você. É o nosso talismã.

**

— Todo o setor de joias finas de Newark ficou chocado — disse Morris Weintraub, o aristocrata grisalho e corpulento proprietário da maior e mais requisitada oficina de joias de New Jersey. — Compro pedras preciosas da Riker & Riker desde a Guerra Civil. Desde a época em que havia apenas um Riker.

— Sabia que Erhard Riker era adotado?

— Você acha mesmo? Não, claro que não — Weintraub correu os olhos pelo mar de mesas de ourives em que os joalheiros trabalhavam à pura luz do Norte, que atravessava as janelas altas. Um sorriso de descrença brincou em seus lábios e ele coçou o queixo. — Isso explica tudo.

— O que está querendo dizer? — indagou Bell.

— Ele era um homem amável.

— O pai?

— Não! O pai era um desgraçado frio.

Bell trocou olhares incrédulos com Archie Abbott.

O proprietário da oficina notou.

— Eu sou judeu — ele explicou. — Sei quando um homem não gosta de mim por eu ser judeu. O pai disfarçava seu ódio por causa dos negócios, mas assim mesmo seu ódio vazava. Não conseguia escondê-lo inteiramente. O filho não me odiava. Não era tão europeu quanto o velho.

Bell e Archie trocaram outro olhar. Weintraub falou:

— Quero dizer, ele *agia* como um homem bom. Nos negócios, era um cavalheiro, além de ser uma pessoa afável. Uma das poucas pessoas de quem compro que convidei para ir à minha casa. Não um homem que atiraria em uma joalheria de Maiden Lane. Não era preconceituoso como o pai.

Archie disse:

— Então imagino que você não tenha se aborrecido quando o pai dele foi morto na África do Sul.

— Nem me surpreendi!

— Como assim? — indagou Archie, e Isaac Bell disse asperamente:

— O que o faz dizer isso?

— Ele não conseguia resistir a se exibir contando suas viagens. Mas, depois de tantos anos, reparei que as viagens sempre o levavam para onde a Alemanha vinha causando problemas. Em 1870, ele estava, por acaso, na Alsácia-Lorena quando eclodiu a Guerra Franco-Prussiana. Estava na Ilha de Samoa, em 1881, quando os Estados Unidos, a Inglaterra e a Alemanha instigaram sua guerra civil. Estava em Zanzibar quando a Alemanha roubou seu assim chamado Protetorado Oriental Africano. Estava na China quando a Alemanha tomou Tsingtao, e na África do Sul quando o Kaiser incitou os bôeres a lutarem contra a Inglaterra.

— Onde ele foi morto… — observou Archie.

— Em uma incursão liderada pelo próprio general Smuts — disse Isaac Bell.

— Se não fosse um espião alemão, era um mestre das coincidências.

— Muito obrigado, senhor Weintraub! Ajudou bastante.

Na viagem de volta a Nova York, Bell contou a Archie:

— Quando acusei O'Shay de pagar o homem que o adotou tornando-se um assassino e um espião, ele respondeu que o resgate de Katherine do Hell's Kitchen foi "uma" das maneiras como o pagou. Ele falou: "Digo isso com orgulho". Agora entendo que estava se vangloriando de ter seguido os passos do pai adotivo.

— Se o pai que o adotou era um espião, será que isso significa que Riker-O'Shay faz espionagem para a Alemanha? Ele nasceu nos Estados Unidos. Foi adotado por um pai alemão. Fez a escola pública na Inglaterra e a universidade na Alemanha. Onde fica sua lealdade?

— Ele é um gângster — disse Bell. — Não tem lealdade.

— Para onde será que vai, agora que foi descoberto?

— A qualquer lugar onde o queiram, mas não antes de cometer um crime final para beneficiar o país que protege um criminoso.

— Usando aqueles torpedos — disse Archie.

— Contra o quê? — imaginava Bell.

* *

Ted Whitmark esperava na sala de recepção da Van Dorn quando Bell voltou ao Knickerbocker. Segurava o chapéu sobre os joelhos e não conseguiu sustentar o olhar de Bell quando perguntou:

— Há algum lugar aqui onde possamos conversar em particular, senhor Bell?

— Entre — disse Bell, notando que a gravata da Faculdade de Harvard de Whitmark estava retorcida. Conduziu-o à sua mesa e colocou uma cadeira ao lado, de modo a se sentarem próximos e não serem ouvidos por alguém. Whitmark sentou-se, retorcendo as mãos com nervosismo, mordendo o lábio.

— Como vai Dorothy? — indagou Bell, para deixá-lo à vontade.

— Bem, ela é um dos assuntos que tenho para discutirmos. Mas vou primeiro ao acontecimento mais importante, se não se importar.

— De maneira alguma.

— Veja, eu, hã, gosto de jogar cartas. Bastante...

— Você aposta.

— Sim. Eu aposto. E às vezes exagero nas apostas. Entro numa maré de azar e, antes que perceba, já meti os pés pelas mãos. Tudo o que faço é tentar recuperar o que perdi, mas às vezes a situação piora.

— Está numa maré de azar no momento? — indagou Bell.

— É o que parece. Sim, pode-se dizer que sim — de novo, ele ficou em silêncio.

— Posso presumir que Dorothy esteja aborrecida com isso?

— Bem, sim, mas isso é o menos importante. Fiz papel de bobo. Tomei uma série de atitudes estúpidas. Pensei que tivesse aprendido a lição em São Francisco.

— O que aconteceu em São Francisco?

— Escapei de levar um tiro lá, graças a você!

— O que está dizendo? — indagou Bell, repentinamente alerta para uma situação mais grave do que imaginara.

— Quero dizer que, quando você impediu aquele carroção de explodir o depósito de munições em Mare Island, salvou a minha vida. Haveria uma série de pessoas inocentes mortas e essas mortes não sairiam da minha cabeça.

— Explique-se — disse Bell secamente.

— Fui eu quem dei o passe e a papelada para o sujeito entrar no Arsenal da Marinha em Mare Island.

— Por quê?

— Devia muito dinheiro. Eles iam me matar.

— Quem?

— Bem, o Comodoro Tommy Thompson, a princípio. Aqui em Nova York. Depois ele vendeu a minha dívida a um sujeito que tinha um cassino na Barbary Coast e eu perdi mais dinheiro lá. E ele ia me matar. Disse que faria isso bem devagar. Mas, para me livrar, tudo o que eu precisava fazer era lhe conseguir o passe de entrada de uma das minhas carroças e algumas faturas da minha empresa, ensinando como deviam proceder para chegar lá. Sei o que está pensando, que permiti a entrada de um sabotador na base, mas eu não percebi o que eles queriam. Achei que se tratava de conseguir um contrato importante. Pensei que estavam fazendo aquilo por dinheiro.

— Você *esperou* que estivessem fazendo aquilo por dinheiro — retrucou Isaac Bell, friamente.

Ted Whitmark abaixou a cabeça. Quando finalmente a levantou, tinha lágrimas nos olhos.

— É o que espero dessa vez também, mas estou morrendo de medo que não seja só isso, e algo me diz que agora será pior.

O telefone de intercomunicação sobre a mesa de Bell soou. Ele o agarrou.

— O que é?

— Há uma senhora aqui para vê-lo e também ao sujeito que está aí com você. A senhorita Dorothy Langner. Deixo-a entrar?

— Não. Diga-lhe que vou aí num instante — ele desligou. — Continue, Ted. O que aconteceu dessa vez?

— Querem que eu ceda um dos meus carroções para entrar no estaleiro naval do Brooklyn.

— Quem?

— Aquele sujeito liso chamado O'Shay. Ouvi alguém chamá-lo de Olhos. Deve ser um apelido. Sabe de quem estou falando?

— Para quando eles querem o carroção?

— Para amanhã, quando o *New Hampshire* estiver carregando provisões e munições. O navio acabou de ser preparado e deve transportar um regimento expedicionário da Marinha para o Panamá, para manter a paz na Zona do Canal durante as eleições. Minha filial de Nova York conseguiu o contrato para as provisões.

— De que tamanho é o carroção?

— O maior deles.

— Grande o bastante para transportar alguns torpedos?

Whitmark mastigou os lábios.

— Ah, Deus! Será que é isso o que pretendem?

A porta da sala de recepção se abriu e Harry Warren entrou. Bell voltava-se para Ted Whitmark quando um movimento súbito na porta chamou sua atenção e ele viu Dorothy Langner, num vestido preto e com um chapéu de penas pretas, esgueirar-se pelo vão logo atrás de Harry Warren, que disse:

— Posso ajudá-la, dona?

— Estou procurando Isaac Bell — disse ela em sua voz clara e musical. — Lá está ele — ela correu para a mesa de Bell, enfiando a mão na bolsa.

Whitmark levantou-se de um salto.

— Olá, Dorothy! Eu lhe disse que falaria com Bell. Isso nos deixa quites, não?

Dorothy Langner encarou-o. Depois, olhou para Bell.

— Olá, Isaac! Existe algum lugar onde eu possa conversar com Ted por um instante, em particular? — seus lindos olhos prateados não traduziam nenhuma expressão e Bell teve a horrível sensação de que ela estivesse cega. Mas ela não podia estar cega, acabara de entrar com todo aquele alvoroço.

— Acredito que o escritório do senhor Van Dorn esteja vazio. Imagino que ele não se importe.

Ele os conduziu ao escritório de Van Dorn, fechou a porta e permaneceu próximo a ela, escutando. Ouviu Whitmark repetir:

— Isso nos deixa quites, não?

— Nada vai nos deixar quites.

— Dorothy? — indagou Ted. — O que você está fazendo?

A resposta foi um estampido seco de arma de fogo. Bell escancarou a porta. Ted Whitmark jazia de costas, o sangue escorrendo de sua cabeça. Dorothy Langner deixou a pistola pequena que segurava cair sobre o peito de Whitmark e disse a Isaac Bell:

— Ele matou o meu pai.

— Yamamoto Kenta matou o seu pai.

— Ted não colocou a bomba, mas estava passando informações sobre o trabalho de papai no Casco 44.

— O Ted lhe contou isso?

— Ele tentou livrar-se da culpa confessando-se comigo.

Harry Warren entrou afobado, com uma arma na mão, e ajoelhou-se ao lado do corpo. Depois, pegou o telefone de Van Dorn.

— Ela errou — disse ele a Bell, e falou ao operador. — Chame um médico.

— Está muito ferido? — indagou Bell.

— Ela o acertou de raspão. O couro cabeludo está sangrando muito.

— Ele não vai morrer?

— Não desse ferimento. Na verdade, acho que está acordando.

— Ela não atirou nele — disse Bell.

— O quê?

— Ted Whitmark tentou se matar. Ela agarrou a arma. Salvou a vida dele.

Harry Warren dirigiu-lhe um olhar experiente, expressando um passado de conhecimento.

— Me diga, por que ele tentaria se matar, Isaac?

— Ele é um traidor. Acabou de me confessar que está passando informações ao espião.

Harry Warren encarou Bell longamente e disse:

— Parece que a senhorita Langner salvou uma vida desprezível.

O médico interno do Hotel Knickerbocker entrou apressado, com sua maleta, seguido por dois mensageiros portando uma padiola.

— Afastem-se todos. Por favor, afastem-se!

Bell conduziu Dorothy até sua mesa.

— Sente-se — fez sinal para um aprendiz. — Por favor, traga um copo de água para a dama.

— Por que você fez aquilo? — sussurrou Dorothy.

— Não teria feito se tivesse conseguido matá-lo. Mas, como não o matou, acho que já passou por sofrimento bastante, não é necessário acrescentar as acusações da polícia.

— A polícia vai acreditar nisso?

— Se o Ted mantiver a história... E imagino que vai fazê-lo. Agora, me diga tudo o que ele lhe contou.

— No último outono, em Washington, ele perdeu uma montanha de dinheiro apostando. Alguém no jogo ofereceu-se para lhe emprestar o dinheiro. Em troca, ele daria informações para Yamamoto Kenta — ela abanou a cabeça, com raiva e amargura. — Ele ainda não se deu conta de que aquele homem deve ter feito com que perdesse.

— Ele me disse que se achava em uma maré de azar — disse Bell. — Continue.

— A mesma coisa aconteceu nesta primavera, em Nova York, e, depois, em São Francisco. E agora, de novo. Dessa vez, ele finalmente percebeu a enormidade do que estava fazendo. Ou foi o que reconheceu. Acho que estava tentando me reconquistar. Eu disse a ele que estava tudo acabado. Ele descobriu sobre alguém com quem andei saindo.

— Farley Kent.

— É claro que você sabe — disse ela, exausta. — O pessoal da Van Dorn nunca desiste. Quando Ted descobriu sobre o Farley, acho que percebeu que nada em toda a sua vida tinha valor de verdade. De repente, tornou-se religioso, provavelmente acreditando que eu o estaria esperando quando saísse da prisão ou choraria quando o enforcassem por traição.

— Atirar nele deve ter liquidado essa ilusão — observou Bell.

Ela sorriu.

— Não sei se me sinto bem por não tê-lo matado. Eu bem que queria. Não acredito que consegui errar. Estava tão perto!

— Pela minha experiência — disse Bell —, as pessoas que erram um tiro certo o fazem porque, no fundo, desejam errar. Um assassinato não é fácil para ninguém.

— Gostaria de tê-lo matado.

— Seria enforcada por isso.

— Não me importaria.

— E onde Farley Kent ficaria nessa história?

— Farley iria… — ela começou a dizer, mas parou abruptamente.

Bell sorriu gentilmente.

— Você estava prestes a dizer que Farley iria entender, mas percebe que não é bem assim.

Ela abaixou a cabeça.

— Farley ficaria arrasado.

— Vi Farley trabalhando. Ele me parece ser o seu tipo de homem. Ele adora o que faz. Você o ama?

— Sim, amo.

— Quer que mande um dos meus homens para escoltá-la até o estaleiro do Brooklyn?

Ela se levantou.

— Muito obrigada! Sei o caminho.

Bell acompanhou-a até a porta.

— Você foi a responsável por este caso, Dorothy, quando jurou reabilitar o nome do seu pai. Ninguém fez mais para salvar o trabalho dele e de Farley no Casco 44. Graças a você, descobrimos o espião. Pode ficar tranquila, com a certeza de que vamos pegá-lo.

— Ted lhe disse alguma coisa que vai ajudá-lo?

Bell respondeu cuidadosamente:

— Ele acredita que sim. Diga-me, como Ted descobriu sobre Farley Kent?

— Por uma carta de um bisbilhoteiro, que assinou como "Um amigo". Por que está sorrindo, Isaac?

— O espião está ficando desesperado — foi tudo o que Bell disse, mas tinha uma forte impressão de que O'Shay enganara Ted Whitmark, para que ele passasse informações falsas para Bell. O espião queria que Bell acreditasse que atacaria por terra, quando, na verdade, pretendia atacar, de algum modo, pela água.

Dorothy beijou-lhe o rosto e desceu, apressada, para a calçada.

— Senhor Bell — disse o homem da recepção —, o tira da casa do Knickerbocker está ao telefone e quer lhe falar.

51

— **Detivemos uns tipos repulsivos** na porta da frente — informou o detetive da casa do Hotel Knickerbocker. — Eles dizem que querem falar com o senhor.

— Como se chamam?

— Tem um cabeludo mais velho que diz não ter nome, e estou inclinado a acreditar nele. Os mais jovens se chamam Jimmy Richards e Marv Gordon.

— Mande-os subir.

— Eles não estão muito adequados para atravessarem o saguão, se entende o que quero dizer...

— Entendo, mas eles são os primos do jovem Eddie Tobin; portanto, entram pela porta da frente. Diga ao gerente que autorizei. Acompanhe-os para que não assustem as senhoras.

— Tudo bem, senhor Bell — o tira da casa respondeu, um pouco hesitante.

Os pescadores de Staten Island, Richards e Gordon, apresentaram o companheiro mais velho, que tinha um cabelo grisalho comprido e ralo, e as rugas de alguém que passou a vida sobre as águas, como o "tio Donny Darbee, que nos trouxe de barco".

— O que há de novo, rapazes?

— Ainda está procurando torpedos?

— Onde ouviram falar disso?

— A Marinha, a Guarda Costeira e a Polícia Portuária estão caindo em cima de todo mundo como uma nuvem de pernilongos — disse Richards.

— Procurando em todos os atracadouros do porto — disse Gordon.

— Dificultando o trabalho da gente — murmurou o tio Donny.

— Vocês viram os torpedos? — indagou Bell.

— Não.

— O que sabem sobre eles?

— Nada — disse Richards.

— A não ser que vocês estão procurando por eles — disse Gordon.

— Não sabem de nada? Então por que vieram falar comigo?

— Ficamos imaginando se estaria interessado no Holland.

— Que Holland?

— O maior Holland que já vimos.

— Um *submarino* Holland?

**

— Isso — repetiram em coro os pescadores de Staten Island.

— Onde?

— Kill Van Kull.

— Do lado de Bayonne.

— Esperem aí, rapazes! Se vocês viram um submarino circulando por aí, ele deve pertencer à Marinha.

— Ele está escondido, embaixo de uma balsa.

— Tio Donny o encontrou ontem à noite, quando os tiras o perseguiam.

— Ando observando aquela barcaça de carga já faz alguns dias — disse tio Donny Darbee.

Isaac Bell interrogou-os atentamente.

Os tiras portuários que perseguiam piratas de carvão perceberam tio Donny e seus dois amigos seguindo uma barcaça de carvão, em uma chata de coleta de ostras. Tio Donny não permitira que a polícia fosse a bordo para uma inspeção. Trocaram tiros de pistola. Os tiras os abordaram mesmo assim. Tio Donny e os amigos saltaram no Kill e nadaram até a praia.

Os amigos de Darbee foram presos, mas o velho nadou para uma barcaça de carga em que estava de olho por vários dias, porque ela continuava amarrada, sem ninguém tomando conta, e trazia dois vagões que poderiam conter carga. Na água fria, esgotado, enquanto se escondia nas sombras da proa elevada, o velho afundara e batera em algo sólido, numa parte funda demais para que houvesse algo ali. Quando os tiras desistiram, Jimmy e Marv, que observavam à margem de Staten Island, resgataram o tio holandês em outro barco de coleta de ostras. Então, deram uma olhada melhor na barcaça. Embaixo dela, viram o perfil do submarino.

— Maior do que o Holland da Marinha. O mesmo barco, mas parece que acrescentaram um pedaço de cada lado.

— O tio Donny conhece o Holland — explicou Jimmy Richards. — Ele nos levou ao largo do Brooklyn para assistir aos testes da Marinha. Quando foi isso?

— Em 1903. O submarino fazia 15 nós com a torre fora da água. E 6, quando submerso.

Bell esticou o braço até o telefone.

— Então vocês têm um bom motivo para crer que viram um submarino.

— Quer vir ver com a gente? — indagou Marv Gordon.

— Quero.

— Eu disse que ele toparia — disse tio Donny.

Isaac Bell telefonou para o esquadrão da polícia portuária de Nova York, arrebanhou Archie Abbott e Harry Warren e pegou sua sacola de golfe. O expresso elevado da 9th Avenue transportou, em dez minutos, os detetives da Van Dorn e os pescadores até a região de Battery, na extremidade Sul de Manhattan. Uma lancha de 44 pés da polícia portuária os esperava no píer A, com o motor ligado.

— Não toquem em nada — advertiu o capitão da polícia aos pescadores de Staten Island, quando subiram observando tudo a bordo. Não quis rebocar a chata de Donald Darbee, que estava atracada ao lado, mas Bell insistiu e lhe escorregou 20 dólares "para a tripulação".

— Nunca pensei que seria um desses — murmurou o velho Darbee, quando eles se afastaram do píer.

Um tira do esquadrão resmungou de volta:

— A não ser algemado.

Bell disse a Archie e a Harry:

— Se não houver nenhum submarino no Kill Van Kull, vamos acabar num fogo cruzado.

— Você acha que vamos mesmo encontrar um, Isaac?

— Acho que eles *pensam* que viram um submarino. E um submarino tornaria aqueles torpedos muito mais letais do que um torpedeiro de superfície. Assim mesmo, só vou acreditar no submarino quando o vir.

A lancha da polícia portuária atravessou o Upper Bay, seguindo por um curso rápido através de *ferryboats,* rebocadores, barcaças, escunas e vapores que saíam para o mar. Um apito potente anunciou a chegada a Nova York de um transatlântico que passava pelo estreito de Verrazano. Os rebocadores que o encontrariam responderam com seus apitos. Uma fileira constante de barcaças de vagões de carga atravessava, o tempo todo, entre New Jersey, Manhattan, Brooklyn e o East River.

A embarcação da polícia dirigiu-se para o canal curvo entre Staten Island e New Jersey, conhecido como Kill Van Kull. Bell calculou que tivesse uns 300 metros de largura, mais ou menos o mesmo que o braço estreito do Carquinez Strait, onde capturara Louis Loh nadando de Mare Island. À esquerda, erguiam-se as colinas de Staten Island. A cidade de Bayonne espalhava-se à direita. Docas, armazéns, estaleiros e residências alinhavam-se nas margens. Depois de uns oito quilômetros pelo canal, Richards e Gordon disseram:

— Lá está ela.

A barcaça de carga flutuava sozinha, amarrada à margem, ao lado de um gramado plano de uma grande casa de madeira, em um bairro de residências semelhantes. Era uma velha barcaça da New Jersey Central, do tipo com três trilhos, curta e larga, com um vagão fechado de mercadorias nos trilhos mais próximos e uma gôndola alta do lado de dentro. Os trilhos do meio pareciam vazios, embora os homens da lancha da polícia não conseguissem ver o espaço entre os dois vagões.

— Cadê o submarino? — indagou o capitão da polícia portuária.

— Está embaixo — resmungou Donald Darbee. — Eles cortaram um poço no meio da barcaça para a torre do submarino.

— Você viu isso?

— Não. Mas, então, como eles poderiam entrar e sair?

O capitão da lancha encarou Isaac Bell.

— Senhor Bell, tenho a impressão de que o meu chefe vai conversar com o seu chefe e nenhum de nós vai ficar muito feliz com isso.

— Vamos chegar mais perto — disse Bell.

— Não há água suficiente para um submarino Holland.

— É bem fundo aqui — retorquiu Donald Darbee, em voz baixa. — A maré desbasta a margem deste lado.

O timoneiro engatou a marcha lenta e a suspendeu depois de uns cinco metros.

Os homens da Van Dorn, os pescadores e a polícia portuária procuraram na água turva. A lancha derivou para perto da barcaça.

— Tem muita lama mexida — murmurou Darbee, preocupado.

— Foi a nossa hélice que turvou a água — disse o capitão. — Eu falei que era muito raso. — Para o timoneiro, ele gritou: — Dê ré antes de atolarmos.

Darbee disse:

— A água aqui tem nove metros ou mais.

— Então, o que está levantando essa lama?

— É o que estou imaginando.

— Eu também — disse Isaac Bell, observando a água. Subiam bolhas da lama e ouvia-se um chiado na superfície.

52

— **Para trás! — gritou Isaac Bell.** — Para trás! Tudo a ré!

O timoneiro e o maquinista tinham reflexos rápidos. Inverteram o motor num instante. A hélice girou em sentido contrário, levando-os para trás. Fumaça e vapor saíram da chaminé baixa. A lancha parou, mas, antes de conseguir ganhar velocidade para trás, uma forma acinzentada ameaçadora ergueu-se rapidamente embaixo do barco.

— Encalhamos!

Bell viu um cano emergir bem à frente da lancha — o periscópio, um tubo de espelhos dispostos em ângulo, o olho do submarino. Uma torre redonda e achatada rompeu a superfície contornada por corrimãos na borda. Depois, ouviu-se uma forte explosão por baixo e aquilo chochou-se contra o fundo da lancha da polícia e empurrou seu casco de 12 metros para fora da água. Sua quilha se despedaçou com um ruído alto de madeira partida e, ainda assim, o barco da polícia elevou-se, erguido pelo possante casco de aço que surgiu à superfície como um cachalote enfurecido.

A lancha da polícia tombou, atirando na água o pessoal da Van Dorn, os tiras e os pescadores.

Bell saltou sobre o casco de aço e avançou com água na altura da cintura até a torre do submarino. Agarrou os corrimãos que contornavam a parte superior da escotilha e procurou uma roda que a abrisse.

— Cuidado, Isaac! — gritou Archie Abbott. — Ele está mergulhando!

Ignorando Archie e a água que subitamente chegava-lhe à altura do peito, Bell jogou todo o seu peso sobre a roda. Por um segundo, ela não se moveu. Depois, ele pensou ter sentido um movimento. A água salgada corria sobre seus ombros, sua boca, seu nariz e seus olhos. De repente, o submarino começou a navegar. Ele segurou a roda o quanto conseguiu aguentar, ainda esforçando-se para abri-la, mas a força da corrente arrancou-a de suas mãos. O casco acelerou embaixo dele e ele percebeu, tarde demais, que a hélice que movia a embarcação estava prestes a cortá-lo em pedaços.

Empurrou o corpo num esforço desesperado, pressionando as duas botinas contra o casco, e nadou com todas as forças. A água que passava pelo casco sugou-o de volta, enquanto o casco escorregava por baixo. Alguma coisa o acertou com força, atirando-o para o lado e jogando-o para o fundo. Depois, um golpe violento da turbulência o lançou ainda mais para o fundo. Debatendo-se na espuma da hélice do submarino, Bell concluiu que fora golpeado pela armação que protegia a hélice e que, nesse caso, o protegera também de ser despedaçado pelas lâminas afiadas.

Lutou para voltar à superfície, viu a torre do submarino correr pelo Kill Van Kull e nadou em seu encalço. Atrás dele, Archie ajudava Harry Warren a subir pela margem barrenta; Richards, Gordon e o maquinista seguravam-se em cordas penduradas na barcaça e o capitão se apoiava em sua lancha emborcada.

— Telefonem pedindo ajuda! — gritou o capitão, e dois guardas correram em direção à casa de madeira.

Donald Darbee subiu em sua chata de coleta de ostras, que se libertara da lancha que afundava.

— Tio Donny! — gritou Bell por cima do ombro, enquanto nadava atrás do submarino. — Venha me pegar!

O motor a gasolina de Darbee soltou um ruído engasgado, expelindo uma fumaça azul.

O submarino continuava submergindo. A parte superior da torre e o tubo do periscópio eram tudo o que permanecia acima da superfície. Os corrimãos ao redor da torre, o periscópio e a roda da escotilha, que Bell tentara abrir, deixavam um esteira sobre o canal, borbulhando como uma fonte móvel.

A chata de Darbee aproximou-se e Bell subiu nela, rolando sobre a amurada baixa para o convés plano.

— Atrás dele!

Darbee acelerou ao máximo. O motor ficou mais barulhento, o barco de madeira tremeu e o velho murmurou:

— O que faremos com ele quando o alcançarmos?

Bell ouviu disparos atrás de si. Os guardas que haviam corrido até a casa de madeira para telefonar pedindo ajuda escondiam-se atrás de arbustos. O fogo de pistolas revolvia o gramado, partindo de todas as janelas da casa.

— Ali moram falsificadores — explicou o tio Darbee.

— Mais rápido! — disse Bell.

O detetive saltou sobre o quadrado plano do convés dianteiro.

— Me coloque ao lado da torre.

O Holland, praticamente submerso, seguia a 6 nós em direção a Upper Bay. Darbee remexeu em seu motor. O ruído do motor elevou-se a um rosnado insistente e a chata de ostras dobrou de velocidade. O barco pesqueiro diminuiu pela metade a distância até os corrimãos espumantes, reduziu à metade de novo e ultrapassou a mareta espumante produzida pelo enorme propulsor do submarino. Bell preparou-se para saltar sobre a torre do submarino. O barco de madeira navegava ao seu lado. Ele podia mais sentir do que ver o casco de aço abaixo da superfície. Preparou-se para saltar, tendo como alvo o tubo do periscópio, apostando que o tubo fino fosse forte o bastante para suportar seu peso, até conseguir se agarrar aos corrimãos.

De repente, o submarino Holland desapareceu.

Num instante, a torre achava-se bem à frente dele. No outro, tinha sumido, no fundo da água. Bell ainda viu as bolhas emergirem e sentiu as ondas provocadas pelo propulsor, mas não havia nada mais sobre o que saltar: nem torre, nem corrimãos, nem periscópio.

— Diminua a marcha! — ele gritou para Darbee. — Siga a esteira dele.

Darbee aliviou o acelerador para acompanhar a velocidade de 6 nós do submarino.

Bell permaneceu em pé na proa, observando os redemoinhos rítmicos da mareta do propulsor e fazendo sinais para o velho pescador mover o timão do leme para a esquerda ou para a direita. De que maneira a embarcação subaquática navegava por aquele curso era um mistério que só seria resolvido depois de terem percorrido quase um quilômetro. Pouco antes de o submarino chegar à próxima curva do canal, seu periscópio elevou-se subitamente da água e a embarcação mudou de curso.

O espião plotara sua rota para fora do Kill Van Kull, observando o tempo transcorrido entre cada guinada. Bell sinalizou uma mudança semelhante e a chata virou com ele. O periscópio permaneceu acima da água e deu uma volta completa até o olho de vidro achar-se voltado de frente para ele.

— Pare o motor! — gritou Bell.

A velocidade da chata caiu e, por alguns instantes, ela ficou à deriva. Bell procurou sinais de que o Holland fosse dar ré ou mesmo fazer a volta para atacá-los, mas o submarino manteve o curso e abriu distância da chata, ainda exibindo o periscópio.

— Darbee, o Holland de teste que você observou tinha um tubo de torpedo na retaguarda?

— Não — respondeu Darbee, para alívio de Bell, até que o pescador acrescentou: — Mas ouvi dizer que poderia ter.

— Imagino que ele não desperdiçaria um torpedo inteiro contra nós.

— Acho que não.

— Acelere. Chegue mais perto.

À frente, havia uma curva fechada. O periscópio girou e o timoneiro invisível acompanhou-a. Bell fez sinal para a chata acelerar. Procurou manter uns 20 metros de distância do tubo atarracado e dos redemoinhos do propulsor. Mas a água à frente tornava-se mais picada à medida que o estreito se abria para o Upper Bay.

Staten Island e Bayonne ficaram para trás. Uma brisa fria entrou pelas roupas de Bell e as ondas começaram a encobrir o periscópio. Bolhas enormes brotaram na superfície e ele compreendeu que o Holland forçava o ar a sair de seus tanques de flutuação e admitia água para descer mais fundo. O periscópio deixou de ser visto. As ondas mexidas do Upper Bay apagaram os sinais do propulsor.

— Ele se foi — disse Darbee.

Desesperado, Bell olhou para todos os lados. A uns cinco quilômetros, do outro lado da baía, distribuíam-se os estaleiros do Brooklyn e, além deles, as colinas verdes e baixas. À esquerda, a uns sete ou oito quilômetros a

Noroeste, Bell via os prédios altos da baixa Manhattan e os cabos elegantemente guarnecidos da ponte do Brooklyn cobrindo o vão do East River.

— Sabe onde fica o Catherine Slip?

Darbee girou o timão.

— O que procura naquela rampa de embarque?

— O *Dyname* — respondeu Bell.

O navio mais rápido de Nova York, equipado com telefone e radiotelégrafo e comandado por um herói naval de alta patente, capaz de navegar com rapidez para congregar a Marinha contra o submarino do espião e passar um rádio para o *New Hampshire* aparelhar redes contra torpedos antes que o espião entrasse no porto.

Darbee estendeu-lhe uma capa de lona impermeável cheirando a mofo. Bell arrancou o paletó e a camisa molhados, secou sua Browning e tirou a água das botas. A chata de ostras, dotada de um motor possante, cobriu os 8 quilômetros até a ponte do Brooklyn em 20 minutos. Mas, quando eles passaram sob a ponte, o coração de Bell afundou. O couraçado *New Hampshire* já se achava atracado. Estava amarrado ao píer mais próximo das carreiras de construção que sustinham o Casco 44. Se o 44 fosse o alvo de O'Shay, os dois formavam um par de patos na lagoa. As explosões no navio atracado incendiariam todo o estaleiro naval.

**

Para alívio de Isaac Bell, o *Dyname* encontrava-se no Catherine Slip.

Ele saltou da chata de ostras para a escada mais próxima, subiu ao píer, atravessou a prancha de desembarque do navio e escancarou a porta da cabine principal do *Dyname.* O capitão Falconer estava sentado no sofá de couro verde, ladeado por dois de seus tripulantes.

— Falconer, eles têm um submarino.

— Bem que me disseram — falou o Herói de Santiago, com uma sombria inclinação de cabeça para os três pistoleiros do Serviço de Proteção da Riker & Riker que dominavam a cabine com pistolas e uma espingarda de cano serrado. Bell reconheceu o guarda-costas, Plimpton, que acompanhara *Herr* Riker no 20th Century Limited. Plimpton disse:

— Está todo molhado, senhor Bell, e perdeu seu chapéu…

53

— **Olá, Plimpton!**

— Mãos para o alto.

— Onde está O'Shay?

— Para o alto!

— Diga ao seu chefe que lhe devo uma pela excelente esmeralda e que não vejo a hora de lhe pagar pessoalmente.

— *Agora!*

— Obedeça, Bell — disse Falconer. — Eles já balearam meu tenente e meu maquinista.

Isaac Bell ergueu as mãos, afastando-se o bastante para calcular o número de adversários. Plimpton, com ares de alguém que entendia do riscado, portava uma Luger semiautomática da Marinha alemã. Mas os capangas bonitões que o ladeavam não tinham a mesma categoria. O mais velho, que poderia passar por um guarda de banco de cidade do interior, segurava escrupulosamente uma espingarda Remington calibre 20 de cano serrado. O mais jovem apontava seu revólver como um segurança de clube juvenil. Não estavam no iate de Falconer em razão de um plano bem calculado, supôs Bell. Alguma coisa tinha dado errado.

O que os levara de última hora ao *Dyname?* Escapar no navio mais rápido do porto, depois que O'Shay disparasse os torpedos? Mas o *Dyname* não dispunha de autonomia para atravessar o Oceano Atlântico! Com certeza, O'Shay pretendia tomar um transatlântico para a Europa, viajando com Katherine Dee, sob nomes falsos, ou reservara uma passagem em segredo num cargueiro.

Ela fora o que dera errado, concluiu Bell. Katherine estava ferida.

— A garota está a bordo? — indagou ele a Falconer.

— Ela precisa de um médico! — ofegou o jovem, brandindo sua arma.

— Cale a boca, Bruce! — rosnou Plimpton.

— Estou a bordo — disse Katherine Dee. Ela cambaleava, vindo do corredor da cabine privativa de Falconer. Desgrenhada, pálida e febril, parecia uma criança acordada em meio a um sono profundo. A não ser pelo ódio em sua face. — Graças a você — disse ela amargamente para Bell. — Você está estragando tudo — ela segurava firmemente a pistola quando ele atirara nela na joalheria de Barlowe. Agora a mantinha com a mão trêmula, apontada para ele.

— Senhorita Dee! — disse Bruce. — Não devia estar de pé.

— Ela precisa de um médico — disse Bell.

— É o que venho dizendo. Senhor Plimpton, ela precisa mesmo de um médico.

— Cale a boca, Bruce! — disse Plimpton. — Ela vai ver um médico assim que sairmos dessa confusão.

Com as mãos para cima, encurralado pelos pistoleiros de O'Shay, o detetive alto procurou os olhos da ruiva, esperando conseguir alguma vantagem, até mesmo se preparando para levar um tiro. Não viu nenhuma misericórdia, nenhuma hesitação, apenas a mais profunda fadiga, de uma pessoa com um ferimento letal. No entanto, ela pretendia matá-lo antes de morrer. Assim como matara Grover Lakewood e o padre Jack, e sabe-se lá quantos outros a mando de Olhos O'Shay. Quanto tempo faltava para ela morrer? Onde, imaginou ele, estava o "sinal de Deus"?

— Você sabia — indagou ele — que o padre Jack rezou por você?

— Grande coisa fizeram as orações dele! Foi Brian O'Shay quem me salvou.

— Para que Brian a salvou? Para empurrar Grover Lakewood para a morte? Para atirar no padre?

— Assim como você atirou em mim.

— Não — disse Bell. — Atirei para salvar a mulher que amo.

— Eu amo Brian. Faço qualquer coisa por ele.

Bell lembrou-se das palavras de Dilber, o condutor do trem, no 20th Century Limited: "Riker e sua pupila são completamente acima de suspeita. Sempre em cabines separadas".

E o próprio O'Shay, falando como Riker, dissera: "A garota trouxe luz à minha vida, na qual só havia escuridão".

— E o que Brian fez por você?

— Ele me salvou.

— *Quinze anos atrás.* O que fará pelo resto da sua vida, Katherine? Vai mantê-la pura?

A mão dela tremeu violentamente.

— Você... — a voz saiu com um gemido rouco.

— Você mata para agradá-lo e ele a mantém pura? É assim que funciona? O padre Jack estava certo em rezar por você.

— Por quê? — choramingou ela.

— Ele sabia, no fundo do seu coração, no fundo da sua alma, que Brian O'Shay não poderia salvá-la.

— E Deus poderia?

— Assim acreditava o padre. Com todo o seu coração.

Katherine abaixou a arma. Seus olhos rolaram para trás dentro das órbitas. A arma escorregou de seus dedos e ela se dobrou para o chão como uma marionete de quem cortassem as cordas.

— Plimpton, dane-se você! — gritou Bruce. — Ela vai morrer se não tiver um médico — ele gesticulou enfaticamente, movendo sua arma.

Como uma víbora dando um bote por reflexo diante de um movimento, Plimpton atirou entre os olhos de Bruce e virou-se rápido, com a impressão de movimento, dada por Isaac Bell. No entanto, o guarda-costas cometera um erro fatal.

Bell atirou com a Browning duas vezes. Em Plimpton primeiro, depois no pistoleiro remanescente. Quando o pistoleiro curvou-se para frente, sua espingarda de cano serrado disparou e o estrondo ensurdeceu todos no espaço confinado da cabine do iate. Uma saraivada de projéteis alojou-se embaixo do sofá e nas pernas de Lowell Falconer e sua tripulação.

Pouco depois, Bell amarrava um torniquete acima do joelho de Falconer quando Donald Darbee enfiou, com cautela, a cabeça pelo vão da porta.

— Achei que gostaria de saber, senhor Bell, o Holland está passando por baixo da ponte do Brooklyn.

54

— Emergir! — gritava Dick Condon, o primeiro imediato a quem Olhos O'Shay pusera no comando do seu submarino Holland, depois de ter assassinado o comandante Hatch.

— Não! — O'Shay contrariou a ordem. — Continue submerso. Eles vão nos ver.

— A maré vai acabar conosco — gritou, em resposta, o assustado rebelde irlandês. — A correnteza está a 4 nós. Com o motor elétrico, só fazemos 6 nós! Precisamos emergir para usar o motor a gasolina.

O'Shay agarrou Condon pelo ombro. O pânico em sua voz assustava os homens que controlavam o bombeamento para os tanques de lastro e que se preparavam para disparar o torpedo, exatamente porque ele decidira navegar com o submarino. Alguém precisava manter a cabeça fria.

— Seis? Quatro? O que é que tem? Temos 2 nós de vantagem.

— Não, senhor O'Shay. Só diretamente contra a maré. Ao virarmos de lado para alinhar o torpedo, seremos arrastados.

— Pois tente! — exigiu O'Shay. — Arrisque!

Dick Condon mudou o leme vertical do mecanismo menos preciso de direção por ar comprimido, para o controle manual, e moveu-o cautelosamente. O convés inclinou-se sob os pés deles. Depois, o East River engolfou o submarino de 30 metros com a fúria de um tubarão abocanhando um nadador desprevenido. Com a embarcação tombada, os homens no pequeno espaço às escuras chocaram-se contra tubos, conduítes, válvulas e mangueiras de ar.

— Emergir! — a voz de Condon soou como um grito histérico.

— Não!

— Preciso pôr a torre no ar, senhor. Não importa, senhor O'Shay — pediu ele. — Podemos atirar melhor à superfície. O primeiro torpedo já está carregado. Podemos disparar, submergir, deixar a correnteza nos levar para baixo de novo, enquanto recarregamos, e depois voltar à superfície. Vai conseguir o que quer, senhor. E, se alguém nos vir, pensará que é um navio britânico, exatamente como queremos. Por favor, senhor! Deve ouvir a razão ou estará tudo perdido.

O'Shay afastou-o do periscópio e olhou o que estava acontecendo.

A superfície do rio agitava-se, enfurecida, uma camada descontrolada de ondas quebradas em movimento constante. Os borrifos obscureciam o vidro. Assim que a visão se clareava, uma onda tornava a cobri-lo, escurecendo-o. A embarcação guinava violentamente. De repente, o periscópio ficou límpido e O'Shay viu que se encontravam quase à altura do estaleiro.

O *New Hampshire* estava exatamente onde O'Shay queria. Ele próprio não teria posicionado melhor o comprido casco branco. Mas o submarino deslizava para trás, embora o propulsor girasse ao máximo e o cheiro proveniente do motor elétrico indicasse que estava a ponto de se incendiar.

— Tudo bem — admitiu O'Shay. — Ataque da superfície!

— Reduzir a meia velocidade! — ordenou Condon. O esforço do motor diminuiu e a embarcação parou de balançar. Ele observou ao periscópio, controlando a deriva com torções habilidosas dos lemes horizontal e vertical. — Preparar para emergir!

— O que foi aquele ruído?

Os veteranos da Marinha Real entreolharam-se, confusos.

— Tem algo errado com o motor? — indagou O'Shay.

— Não, não, não. O barulho vem da água.

A tripulação se aquietou, os ouvidos atentos ao lamento estranho e agudo, que se tornava mais alto e estridente a cada segundo.

— Um navio?

Condon girou o periscópio, procurando por todo o rio. O maquinista expressou o que os companheiros pensavam.

— É um som diferente de todos os navios que conheço.

— Para baixo! — gritou Condon. — Submergir!

**

— Para onde ele foi? — ofegou Lowell Falconer. Para a surpresa de Isaac Bell, o ensanguentado capitão da Marinha arrastara-se até o passadiço, de onde Bell pilotava o *Dyname* a 30 nós na direção da ponte do Brooklyn.

— Está bem à nossa frente — disse Isaac Bell. Tinha uma das mãos no nível de vapor e a outra segurava firmemente o timão. — O torniquete fez efeito? — perguntou, sem tirar os olhos do rio.

— Eu estaria morto se não fizesse — respondeu Falconer, entre os dentes cerrados. Estava pálido com a perda de sangue e Bell duvidava que continuasse consciente por muito tempo. O esforço para subir os poucos degraus até o passadiço devia ter sido extenuante. — Quem está na casa de máquinas? — indagou Falconer.

— Tio Darbee garante que era foguista de carvão no *ferryboat* de Staten Island e maquinista assistente quando o oficial bebia demais.

— O *Dyname* queima óleo diesel.

— Ele descobriu isso quando não conseguiu encontrar uma pá. Temos vapor de sobra.

— Não vejo o Holland.

— Está subindo e descendo. Vi o periscópio há um minuto. Lá está!

A torre atarracada surgiu à superfície. O próprio casco emergiu em parte e voltou a submergir.

— Está sendo castigado pela maré — murmurou Falconer. — A água está abaixando rápido com a Lua cheia.

— Ótimo — disse Bell. — Temos toda a ajuda de que precisamos.

O *Dyname* avançou através da colcha de águas revoltas. O submarino não estava visível. Falconer puxou a manga de Bell, sussurrando ansiosamente:

— Ele é um Holland do Classe A da Marinha Real, tem o triplo da nossa tonelagem. Cuidado! Se ele emergir, será mais rápido com o motor principal — com essa advertência, o capitão escorregou, inconsciente, para o convés.

Bell reduziu a velocidade e guinou o iate veloz até ficar outra vez de proa contra a correnteza. No momento, estava a várias centenas de metros além da ponte do Brooklyn, esquadrinhando a água com a claridade do dia se esvaindo.

Um *ferryboat* zarpou abruptamente do atracadouro na Pine Street, passou por um grande transporte da Pennsylvania Railroad que seguia em direção ao Bronx e seguiu rapidamente rumo ao East River. Suas esteiras se uniram, formando vastas faixas de água, mexidas demais para Bell distinguir o periscópio entre as ondas quebradas. Entrou na água picada e deu a volta. De repente, avistou o periscópio à frente. O submarino seguira atrás dos transportes, escondido por eles, e se aproximava do Estaleiro Naval.

O Holland surgiu da água, revelando sua torre e todos os 30 metros do seu casco. Expeliu uma fumaça azul. Exaustão de gasolina, concluiu Bell, do seu potente motor principal. Na superfície, agora, era um torpedeiro em toda a sua capacidade, rápido e ágil. Mas vulnerável.

Bell empurrou o nível do vapor para a frente, aproveitando a preciosa oportunidade de abalroá-lo, porém, no momento em que o iate de aço ganhava velocidade, o comprido Holland guinou em uma curva fechada e apontou direto para o *Dyname.* Sua proa empinou-se. Bell viu a boca escura de um tubo aberto na proa. Dele, partiu um torpedo Wheeler Mark 14.

55

O torpedo submergiu.

A Isaac Bell só restava adivinhar se guinava à esquerda ou à direita. Não sabia se o torpedo avançava em sua direção ou se estava indo à esquerda ou à direita. Por mais que deixasse uma esteira, ela não podia ser vista por causa da água fortemente agitada. O *Dyname* tinha 30 metros de comprimento e 3 metros de largura. No instante em que guinasse, seu bordo se apresentaria como um alvo privilegiado. Se calculasse errado, a ogiva de TNT explodiria o iate, reduzindo-o a pedaços. O'Shay submergiria para recarregar à vontade e continuaria seu ataque.

Bell optou por seguir direto à frente.

O Holland percebeu sua aproximação. Começou a submergir lentamente demais para escapar do casco de aço fino como uma lâmina, que se projetava em sua direção a cerca de 40 nós. O submarino guinou abruptamente para a direita, à esquerda de Isaac Bell. Ainda não era possível ver a esteira do torpedo nem a trilha de bolhas.

— Segure-se, tio Danny! — o detetive gritou através do tubo de voz e virou à esquerda, para golpear com o aríete da roda de proa.

Um clarão de luz e uma explosão atrás do *Dyname* informaram a Bell que tomara a decisão correta. Se não tivesse contra-atacado, o torpedo o afundaria. Em vez disso, a bomba detonara contra o impenetrável píer de pedra da ponte do Brooklyn, e o *Dyname* estava tão próximo do Holland que ele conseguia ver seus rebites. Um segundo antes de atingir o submarino logo atrás da sua torre, ele preparou-se para o impacto, segurando firme contra o timão. Na velocidade em que o *Dyname* avançava, Bell esperava atravessar o Holland e cortá-lo ao meio; porém, calculara mal. Com a aguda proa erguendo-se da água por causa dos nove propulsores em atividade máxima, o iate passou por cima do casco do Holland, empoleirou-se sobre ele, depois escorregou para a frente com o rangido de aço rasgado e de rebites arrancados.

Os propulsores do *Dyname* ainda giravam e empurraram o iate a centenas de metros do local da colisão, antes que Bell conseguisse pará-lo. O Holland desaparecera, submerso ou afundado, não saberia dizer. Então, tio Donny enfiou a cabeça pela porta com novas informações.

— Está entrando água.

— Pode me dar algum vapor?

— Não por muito tempo — respondeu o velho.

Bell deu a volta no local da colisão. Podia sentir a água deixando o casco do *Dyname* mais pesado.

Sete minutos depois de ter submergido, o Holland reapareceu a curta distância.

Bell manobrou para abalroá-lo de novo. O iate resistia ao esforço do leme. De repente, a escotilha da torre do Holland se abriu. Quatro homens apareceram cambaleando e saltaram no rio. A correnteza da maré arrastou-os para baixo da ponte. Nenhum deles era Olhos O'Shay, e o Holland circulou, apontando lenta, mas inexoravelmente, para o casco de 135 metros do *New Hampshire.* A uma distância de menos de 400 metros, o espião não poderia errar.

Bell lutou com o timão e forçou o iate avariado a tomar o curso de colisão. Empurrou o nível do vapor para a velocidade de ataque de flanco. Não houve resposta. Gritou pelo tubo de voz.

— Me dê tudo o que tiver e saia daí antes que o barco afunde!

O que quer que o velho tinha conseguido fazer na casa de máquina fez com que o iate ganhasse um impulso espasmódico para a frente. Bell apontou para o Holland, que parara no lugar, abaixo da água, com as ondas do East River batendo na borda da escotilha aberta. O propulsor em movimento o mantinha contra a maré. Sua proa estava completando a volta, alinhando o tubo de torpedo para o *New Hampshire*.

Isaac Bell dirigiu o *Dyname* contra o submarino. As embarcações guinaram juntas, como dois boxeadores ensanguentados e de mãos nuas cambaleando no último assalto. O iate bateu no submarino mais pesado, ligeiramente fora do seu curso, e raspou-o de lado. Quando o efeito do impacto diminuiu e o submarino retomou o alinhamento do seu torpedo, Bell vislumbrou, através da escotilha aberta, as mãos de Olhos O'Shay manipulando o leme.

Então, saltou para fora do passadiço, mergulhou sobre a balaustrada do *Dyname* na direção do submarino e caiu através da escotilha.

56

O detetive atravessou a escotilha como um bate-estacas. Suas botinas chocaram-se contra os ombros de O'Shay. O espião perdeu o controle dos lemes. Jogado contra a sala de controles abaixo, ele se esparramou sobre o convés. Bell caiu aos seus pés.

O cheiro forte de alvejante — o venenoso gás de cloro misturado ao vazamento de água salgada e ácido de bateria — queimou suas narinas e fez arderem seus olhos. Meio cego, Bell teve uma visão nublada do espaço atulhado, uma fração de um ringue de boxe, com o teto tão baixo que precisava se agachar e as paredes forradas com anteparas das quais brotavam encanamentos, válvulas e mangueiras.

O'Shay levantou-se em um salto e o atacou.

Isaac Bell lançou, contra o espião, um duro golpe de direita. O'Shay bloqueou-o e contra-atacou, acertando um soco que derrubou o detetive para o lado. Bell chocou-se contra uma antepara, queimou o braço em um cano incandescente, desviou-se da borda aguda de um indicador de rumo, arranhou a cabeça na bússola que se projetava do teto e desfechou outro golpe de direita.

O espião bloqueou-o, de novo, com o braço esquerdo tão forte quanto rápido, e revidou com um contragolpe mais mortal do que o primeiro. Este acertou Bell nas costelas com tanta força que o atirou de encontro aos canos quentes. Suas botinas escorregaram no convés molhado e ele caiu.

O cheiro de cloro estava muito mais forte embaixo, já que o gás é mais pesado do que o ar, e, ao inalá-lo, Bell sentiu uma dor ardente na garganta e a sensação de que iria sufocar. Ouviu O'Shay grunhir com o esforço. O espião chutou sua cabeça.

Bell desviou-se, mas não conseguiu escapar do bico da bota, que o acertou e o deixou com uma dor dilacerante na têmpora. No entanto, ele conseguiu se levantar, a respiração ofegante, para aproveitar o pouco de ar limpo no recinto, e contornou o espião. Os dois se equivaliam em força e habilidade mais do que Bell imaginara. Embora seu braço fosse mais comprido, O'Shay era tão forte e rápido quanto ele. O peso excedente de Bell era uma desvantagem nítida em um espaço tão pequeno.

De novo, Bell aplicou-lhe um golpe de direita, dessa vez mais dissimulado, e, quando O'Shay executou outro bloqueio rapidíssimo e um contragolpe, o detetive alto estava pronto para atingi-lo com um golpe poderoso de esquerda, que levou a cabeça do espião para trás.

— Golpe de sorte! — provocou O'Shay.

— Contragolpes, só isso você aprendeu no Hell's Kitchen — retrucou Bell.

— Não só — disse O'Shay. Deslizou o polegar para o colete e tirou-o armado com a goiva de aço inoxidável, afiada como uma navalha.

Bell atacou, desferindo golpes mistos. Acertava a maior parte, mas era como socar um saco de exercícios. O'Shay nunca cambaleava, meramente absorvia os golpes potentes enquanto esperava sua chance. Quando ela chegou, ele a aproveitou, desferindo um golpe no estômago de Bell.

O detetive se dobrou. Antes de poder se recobrar, O'Shay aproximou-se, com uma velocidade incrível, e agarrou-o, com o braço em volta do seu pescoço.

Isaac Bell viu-se imobilizado em uma chave de pescoço, o braço esquerdo estava preso entre os dois corpos. Com a mão direita, tentava alcançar a faca na bota, mas a goiva no polegar de O'Shay desenhava um arco em direção ao seu olho. Bell desviou sua atenção da faca e segurou o punho de O'Shay.

Concluiu que nunca enfrentara um homem tão forte. Mesmo segurando seu punho com toda força, O'Shay levava a goiva afiada cada vez mais perto do rosto de Bell, até perfurar a pele e começar a riscar sua face em direção ao olho. Durante todo o tempo, o braço direito de O'Shay apertava cada vez mais forte o pescoço de Bell, impedindo a entrada de ar em seus pulmões em chamas e a chegada de sangue ao seu cérebro. Ele ouviu um rugido nas orelhas. Clarões brancos explodiram diante dos seus olhos. A visão começou a sumir, o aperto no pulso de O'Shay afrouxou.

Tentou libertar o braço esquerdo. O'Shay mudou ligeiramente de posição para mantê-lo preso.

Com a cabeça imobilizada, inclinada para baixo, Bell de repente viu que estava parcialmente atrás de O'Shay. Desferiu, com toda a força, um golpe de joelho contra o joelho de O'Shay, que se dobrou. O'Shay foi arremessado para a frente. Bell encaixou o ombro por baixo dele e levantou-o como um pistão.

Então, lançou O'Shay para o alto e atirou o espião contra o convés com uma força capaz de fraturar ossos. O poderoso O'Shay continuou segurando a cabeça de Bell, respirou fundo e puxou o detetive para baixo, até o nível do gás sufocante. Entretanto, o braço esquerdo de Bell libertara-se do aperto entre eles e desferiu um golpe de cotovelo contra o nariz de O'Shay, quebrando-lhe o osso. Ainda assim, O'Shay o sufocava e sua goiva estava posicionada contra o olho de Bell.

Subitamente, a água fria caiu em cascata sobre os dois lutadores, fazendo subir novas nuvens de cloro das baterias sob o convés. O submarino adernava e as águas do rio vazavam pela escotilha. Bell esticou mais as pernas compridas, encontrou uma escora e forçou a cabeça de O'Shay contra a antepara coberta de tubos quentes. O'Shay tentou manter a distância. Bell manteve a pressão. Ainda mais pungente do que o cheiro de cloro foi o odor do cabelo queimando e, por fim, o aperto de O'Shay afrouxou. Bell livrou-se dele, desviou de um ataque maligno da goiva e socou-o várias vezes, enquanto as ondas cascateavam da escotilha.

O detetive esforçou-se para se levantar, livrou-se do aperto das mãos de O'Shay e subiu para fora da escotilha. Avistou luzes convergentes. Várias lanchas partiam do estaleiro do Brooklyn e do *New Hampshire*. O submarino afundava, o motor ainda funcionando, o propulsor lutando contra a corrente. Uma onda chocou-se contra a escotilha e jogou Bell para a parte de trás do submarino. Ele bateu os pés para escapar do escudo do propulsor e por pouco não conseguiu fugir das lâminas. Enfim, foi atirado para trás em sua esteira.

O'Shay saiu pela escotilha, vomitando por causa do cloro. Mergulhou em direção a Bell, seu rosto era uma máscara de ódio.

— Vou matar você!

O propulsor do Holland sugou-o para suas lâminas em alta rotação.

A corrente do rio carregou o tronco do espião na direção de Bell. Logo atrás, passou a cabeça do gângster, que olhava fixamente para o detetive, até que o rio a engoliu.

De repente, o submarino Holland tombou e foi para debaixo das ondas. Isaac Bell pensou que seria o próximo a morrer. Lutou para permanecer em movimento, mas estava enfraquecido pelo frio e perdera o fôlego com o gás venenoso. Uma onda quebrou sobre ele e sua mente foi tomada pela lembrança do dia em que conhecera Marion e o chão tremera sob seus pés. Seus olhos o enganaram com as imagens de um sonho. O cabelo grosso e brilhante dela estava preso no alto da cabeça. Uma trança comprida e estreita caía-lhe quase à altura da cintura. Ela estava graciosa, forte como um salgueiro, e acenava para ele.

Ela segurou sua mão. Ele a apertou de volta e foi puxado para a superfície. Olhou para cima, direto para a face sorridente e barbada de um marinheiro.

**

A próxima impressão que Isaac Bell teve foi a de se encontrar deitado de costas, no fundo de um barco de madeira. Ao lado dele, jazia o capitão Lowell Falconer. O Herói de Santiago parecia tão abatido quanto Bell, mas seus olhos brilhavam.

— Você vai ficar bem, Bell. Estão nos levando para a enfermaria de bordo.

Doía até para falar e era difícil respirar. A garganta de Bell queimava.

— É bom advertir o pessoal de salvamento que o Holland tem um Wheeler Mark 14 armado ainda dentro do tubo.

— Ainda no tubo graças a você!

A lancha encostou no cais.

— O que são aquelas luzes? — indagou Bell. O céu clareava com seus fachos.

— O Casco 44 vai ter dois turnos agora.

— Ótimo.

— Ótimo? — repetiu Lowell Falconer. — O máximo que você tem para dizer é "ótimo"?

Isaac Bell concentrou-se. Depois sorriu.

— Desculpe por seu iate!

EM SERVIÇO DISTANTE

Dez anos depois
Mar do Norte, Costa Alemã

Sem enxergar nada por causa da neblina, os soldados alemães caçavam o espião americano.

A névoa espessa, que evaporava das turfeiras de Friesland no ar da manhã, acumulava-se embaixo das árvores e cobria o terreno plano. Demoraria até que o Sol a dissipasse com seu calor, no meio da manhã. Ela se acumulava desde cedo, quando o vento salgado do Mar do Norte soprava da costa. Isaac Bell viu a luz do dia penetrar o nevoeiro, revelando os campos crivados de trincheiras, árvores posicionadas ao longo dos arames das cercas e, a certa distância, um abrigo de barcos junto a um canal. Um barco viria bem a calhar no momento.

Bell viu o próprio rosto num pôster de "procurado", pregado no abrigo de barcos.

Precisava reconhecer a capacidade da inteligência militar do Kaiser. Três dias depois de ter chegado à praia, o Exército alemão já colara sua imagem em todas as árvores e celeiros entre Berlim e a costa. Uma recompensa de mil marcos — 5,5 mil dólares —, uma fortuna nos dois lados do Atlântico. O fugitivo de rosto sombrio no *Steckbrief* guardava uma semelhança razoável com ele. Embora não tivessem uma fotografia sua, apenas o relato de uma sentinela do pátio da Estação Naval de Submarinos de Wilhelmshaven, o desenhista captara o aspecto determinado do seu queixo e lábios, e o semblante duro e magro de um homem que era mais músculos do que carne. Felizmente, a descrição por escrito, com cabelo louro, bigode e olhos azuis, combinava com muitos homens da região saxônica, embora poucos fossem tão altos.

Com os Estados Unidos atualmente lutando contra a Alemanha na Guerra Mundial, suas roupas — um misto desconexo de partes de uniformes — e a bengala que carregava como um veterano ferido lhe davam a certeza de que seria baleado como um espião, se o capturassem. Nem sequer poderia esperar algum perdão pelo mapa que desenhara do novo estaleiro de submarinos, o qual atendia aos submarinos mais avançados — imensamente mais potentes do que o velho Holland e mais fortemente armados —, que súbita e surpreendentemente estavam ganhando a guerra para a Alemanha. O mapa que seria inútil se não o entregasse ao Sexto Esquadrão de Batalha americano que navegava ao largo da costa.

O canal era estreito e os juncos plantados dos dois lados para proteger as margens das esteiras dos barcos tendiam a conter a neblina. Ele remou por mais de três quilômetros até Wilhelmshaven, abandonando o barco para fugir das sentinelas da Estação Naval e roubar outro. No porto, de certo modo, a neblina continuava cooperando, ainda esporádica, afinando por momentos, depois se adensando com as nuvens de fumaça de carvão provenientes de uma centena de navios de guerra.

A maré estava baixa. A entrada do porto era rasa e Wilhelmshaven achava-se apinhado de chaminés e mastros dos cruzadores, cruzadores de batalha e couraçados esperando pela maré-cheia. No entanto, os torpedeiros menores poderiam zarpar, o que significava que o barco de fuga de Bell precisaria ser pequeno o bastante para sair por conta própria e também muito rápido, o que eliminava rebocadores, saveiros, lanchas e chatas de pesca.

Informações fornecidas por um agente da Van Dorn, que passara à clandestinidade quando a guerra fechara a agência de Berlim, indicaram um torpedeiro a motor, italiano, de 50 pés. Bell o avistara no caminho de vinda e a embarcação continuava no mesmo lugar, à sinistra sombra de um couraçado.

Ele rezou por mais neblina e suas preces foram atendidas tão rapidamente que só teria um instante para conseguir instalar uma bússola no torpedeiro antes que todas as embarcações do porto estivessem enterradas na névoa até o topo do mastro. Remou, verificando várias vezes a bússola no assento ao seu lado, e tentou calcular a correnteza. Porém, acertar em um alvo de 15 metros em uma distância de 800 metros era impossível, e a primeira vez que soube o quanto errara foi quando bateu no costado blindado do couraçado.

A vaga imagem de seus canhões de 12 polegadas no alto indicava que estava próximo da proa e ele continuou remando em silêncio ao lado do navio, até que encontrou o torpedeiro italiano. Subiu a bordo, confirmou que não havia tripulantes e desatou todos os cabos de amarração, menos um. Depois, inspecionou os motores, um par de motores a gasolina lindamente compactos, como esperava dos italianos. Descobriu como dar a partida, ajustou as bombas de combustível e liberou o último cabo de amarração. Usando um dos remos, afastou-se lentamente do couraçado e esperou que o Sol começasse a dissipar a neblina. No momento em que conseguiu ver e ser visto, deu a partida nos motores, os dois tão barulhentos quanto seu velho Locomobile.

Assim que chegou à estreita boca do porto, os alemães perceberam que alguma coisa não estava bem, mas não sabiam exatamente o quê. A confusão e a neblina restante deram-lhe alguns momentos preciosos e, no instante em que os sujeitos começaram a disparar os fuzis em sua direção, já estrondeava sobre a água a aproximadamente 30 nós. Passou rapidamente por alguns barcos de sentinelas, atraindo mais fogo, alguns consideravelmente precisos. Depois de quatro milhas além da boia de alto-mar, olhou para trás. A neblina se esgarçava, um pouco mais espessa do que uma bruma esparsa, e através dela viu colunas de fumaça — três ou quatro torpedeiros atrás dele, com canhões de 4 polegadas à proa.

Quanto mais se afastava da costa, mais hostil o mar se tornava, o que o retardou. Os torpedeiros começaram a levar vantagem. A três milhas, abriram fogo, e o que o salvou foi o fato de que seu torpedeiro italiano de 15 metros era um alvo minúsculo. A duas milhas, as granadas começaram a cair desagradavelmente perto e Bell começou a navegar em zigue-zague, o que tornou o torpedeiro italiano ainda mais difícil de acertar, embora diminuísse seu progresso, e logo os torpedeiros estavam próximos o bastante para ele ver os homens carregando os canhões na proa.

Olhou à frente, forçando a vista para enxergar alguma fumaça ou o pilar alto e encrespado de um mastro de observação.

Uma granada de 4 polegadas cortou o ar com um ruído de estourar os tímpanos e caiu na água, à sua frente. A essa altura, a neblina se dispersara completamente. Havia manchas azuladas no céu. Podia ver claramente o torpedeiro mais à frente e os dois atrás dele. Outra granada passou bem perto. Viu-a cair ao lado e quicar como uma pedra arremessada.

O céu à frente tornou-se mais azul e foi, de repente, dividido verticalmente por uma coluna de fumaça, como se fendido por uma espada escura. Ouviu o estampido de uma rápida salva de canhões de 5 polegadas. As granadas passaram alto. Os impactos da queda foram ao redor do torpedeiro líder, e todos os três deram a volta e fugiram para a costa.

Agora Bell via seu salvador navegando em sua direção. Com sua velocidade e a dele somadas, demorou apenas alguns minutos para reconhecer os mastros de observação, as antenas de rádio e os canhões de 14 polegadas do couraçado USS *New York*, de 27 mil toneladas.

Em poucos minutos, Bell já fora içado para o convés principal. Os marinheiros o escoltaram até a base de um mastro de observação. Ele apresentou seu mapa ao comandante do Sexto Esquadrão, o todo sorridente contra-almirante Lowell Falconer, que o avaliou com a mão mutilada, esquadrinhou-o avidamente e emitiu ordens.

Bell disse:

— Vou dar uma mãozinha aos rapazes da telemetria indicando os marcos de referência em terra.

Um marinheiro com a metade da sua idade ofereceu-se para ajudá-lo a subir no mastro.

— Obrigado! — disse Bell. — Já estive em um desses antes.

Os canhões de 14 polegadas do *New York*, projetados por Arthur Langner, haviam sido montados em torres especiais, que foram aperfeiçoadas pelos seus discípulos. Os canhões podiam ser elevados a ângulos extraordinários, aumentando imensamente seu alcance. Um sistema de controle de tiro, criado originalmente pela equipe de Grover Lakewood, calculou a distância até o estaleiro de submarinos. As salvas estrondearam. As granadas de alto poder explosivo partiram para a costa distante.

A essa altura, a maré subira. Os cruzadores de batalha alemães saíram a toda velocidade do porto. Eram rápidos e fortemente armados com canhões, mas sua blindagem não se equiparava à do couraçado *New York*, e eles se mantiveram a distância até a chegada do reforço de couraçados *dreadnought* alemães totalmente armados, que apareciam ao horizonte. No ponto de observação no alto, os marinheiros ao lado de Bell trocaram olhares ansiosos.

Os couraçados alemães aproximaram-se. O americano continuou bombardeando o alvo.

Finalmente, montanhas de fumaça assinalaram as ruínas do estaleiro de submarinos.

Falconer ordenou o que a Bell se caracterizou como uma "retirada prudente".

Os navios alemães disparavam com um alcance extremo, mas as granadas ou erravam o alvo ou chegavam tarde demais. Com os motores originais de sentido recíproco substituídos pelos últimos modelos de turbinas MacDonald, o *New York* deixou-os na esteira.

Enquanto o couraçado americano navegava para o porto de Scapa Flow, nas Ilhas Órcades, no Norte da Escócia, o almirante Falconer convidou Isaac Bell para subir à sua cabine privativa, logo abaixo do passadiço. A Marinha americana vivia os tempos da Lei Seca, com o álcool proibido, mas Bell trouxera uma garrafa e eles ergueram uma taça à vitória.

— Essa fuga não vai aparecer nos livros de História — Falconer disse a Bell, acrescentando, com uma risada, que os ciumentos almirantes britânicos gostariam de atirar em Bell por deixá-los em segundo plano.

— Assegure a eles — Bell sorriu — que os detetives particulares servem particularmente.

Um carpinteiro do navio bateu à porta e entrou com uma pequena marreta e um cinzel de aço. Falconer apontou para a placa do construtor, em que se lia:

USS NEW YORK
Estaleiro da Marinha no Brooklyn

— Solte para mim.

— Sim, senhor almirante.

O carpinteiro bateu com a marreta no cinzel e, depois que a placa estava folgada o bastante para ser destacada da antepara, Falconer o dispensou. Sozinho com Isaac Bell, ele a retirou. Embaixo dela, em caracteres em alto-relevo gravados no aço, lia-se:

Casco 44

**

Uma semana depois, Isaac Bell desembarcou do trem vindo da Escócia e caminhou da estação de Euston para as ruas de Londres, que pareciam tristes e sombrias por causa de uma guerra muito, muito longa.

O detetive alto desviou de uma câmera cinematográfica e de um furgão do correio puxado a cavalo. Fez uma pausa para admirar uma limusine Rolls-Royce Lawton 1911. Suas linhas elegantes eram deformadas por um saco flexível de gás, em consequência da falta de petróleo causada pelos submarinos que afundavam os navios-tanques.

O Rolls-Royce parou à sua frente.

O chofer idoso, velho demais para lutar nas trincheiras, desceu, cumprimentou Isaac Bell e abriu a porta de passageiros. Uma bela mulher de cabelo louro como palha, com a silhueta de ampulheta e os olhos verdes-esmeralda, dirigiu-se a ele com alegria e alívio.

— Que sorte a nossa por você ter voltado!

Ela deu uns tapinhas no assento ao seu lado.

Uma esmeralda cintilava em seu dedo anular, misteriosa como o olho de um gato.